W9-DDO-504

Femeninas • Epitalamio

Letras Hispánicas

Ramón del Valle-Inclán

Femeninas • Epitalamio

Edición de Joaquín del Valle-Inclán

CATEDRA

LETRAS HISPANICAS

Ediciones Cátedra, S. A., 1992
Telémaco, 43. 28027 Madrid
Depósito legal: M. 29.823-1992
I.S.B.N.: 84-376-1121-0
Printed in Spain
Impreso en Gráficas Rógar, S. A.
C/ León, 44 - Fuenlabrada (Madrid)

Índice

Introducción

Para el Marqués de Bradomín

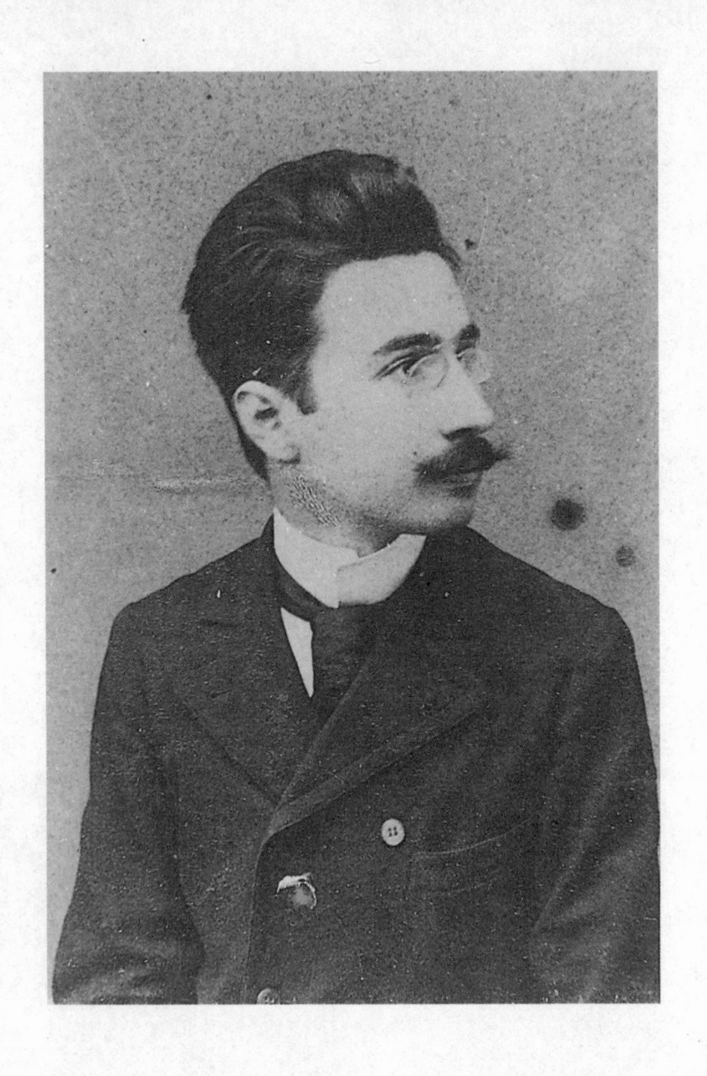

Fotografía de Valle-Inclán hacia 1889.

Los primeros textos de Valle-Inclán aparecieron en la revista compostelana *Café con gotas*[1] pero su actividad literaria comenzó con anterioridad —quizás en *La voz de Arosa*[2] periódico del que su padre era director, o en otras publicaciones arosanas hoy perdidas— tal y como indican las menciones en diversos órganos de prensa.

La primera que he encontrado donde se refieren inequívocamente a Ramón del Valle-Inclán está en el *Diario de Pontevedra:* «Ayer han estado en esta capital nuestros queridos amigos y compañeros en la prensa D. Ramón y D. Carlos Valle...» (21 de julio de 1888). Aparece mencionado como periodista en compañía de su hermano mayor Carlos, quien con seguridad fue su introductor en el mundo de las redacciones. Así encontramos a ambos hermanos mencionados entre los periodistas que asisten a un banquete a Eduardo Vicenti[3] o firmando también

---

[1] «En Molinares», *Café con Gotas,* Santiago, 3.ª época, núm. 2, 4 de noviembre de 1888. «Babel», *Café con Gotas,* Santiago, 3.ª época, núm. 3, 11 de noviembre de 1888.

En este semanario colaboraba también su hermano Carlos que firma en el número del 27 de octubre como «C. Valle-Inclán». Sobre esta publicación véase el artículo de F. Bouza Brey, «Los artículos de Valle-Inclán en *Café con Gotas* y su primera poesía (Santiago, 1888)», *Cuaderno de Estudios Gallegos,* 1966, t. XXI, fascículo 65.

[2] No he encontrado ningún ejemplar del periódico, únicamente referencias a su existencia; así en *El Paladín,* Villagarcía, 10 de septiembre de 1887, dice: «Ha llegado al inmediato pueblo de Villanueva de Arosa, nuestro distinguido amigo el ilustrado escritor D. Ramón del Valle, ex - director del extinto periódico *La Voz de Arosa...»* o también en M. Murguía, *España. Sus monumentos y sus artes. Su naturaleza e historia,* Galicia, Barcelona, 1888.

[3] *Gaceta de Galicia,* Santiago, 28 y 30 de julio de 1888.

como periodistas la solicitud de indulto para un condenado a muerte[4].

Además del ya conocido *Café con gotas* ambos hermanos colaboraron —Carlos en mayor medida— en el diario *El País Gallego,* del que fue director durante un tiempo Alfredo Brañas, profesor en la Universidad compostelana y teórico del regionalismo, movimiento en el que tanto Ramón como Carlos participaron. El día 1 de agosto de 1888 leemos en esta publicación: «En el tren de esta tarde ha salido para Carril el sr. Don Ramón del Valle y de la Peña, colaborador de *El País Gallego.*» Encontramos a Carlos y a Ramón no sólo en actividades periodísticas sino también en las veladas culturales del Círculo de la Juventud Católica —así lo recuerda Pérez Lugín en *La Corredoira y la Rúa:* «aquel cenaculillo sin pretensiones, de la Juventud Católica, formado nada menos, que por el excelso don Ramón del Valle-Inclán»— o en cenáculos literarios[5].

En 1889 Valle publica el cuento «A media noche» en *La Ilustración Ibérica* y posteriormente en 1891 comienza a publicar en el diario madrileño *El globo*[6]. En este año además encontramos una nota muy interesante:

> El sr. Don Ramón del Valle, alumno que fue de esta Universidad, ha terminado una novela que con el título de *El Gran Obstáculo* verá la luz muy en breve. Por carta que tenemos a la vista nos dicen que contiene dicho trabajo fragmentos notabilísimos que hacen presumir, sin riesgo de equivocarse, será leído con verdadero afán por todos los amantes de la buena literatura... (*Gaceta de Galicia,* Santiago, 27 de junio de 1891.)

Ya el año anterior don Ramón había intentado publicar un libro con el editor vigués Andrés Martínez como atestigua la carta que le dirige el 24 de enero de 1890.

---

[4] *Gaceta de Galicia,* Santiago, 1 de agosto de 1888.

[5] *Gaceta de Galicia,* Santiago, 5 de junio de 1889.

[6] Para las publicaciones periódicas de don Ramón hasta 1897 véase el Apéndice I.

Sr. D. Andrés Martínez:

Muy señor mío y distinguido compañero: en mi poder su muy atenta del 22 del actual que agradezco mucho, debo manifestarle que ningún inconveniente tengo en resignarme a esperar, esperando de la amabilidad de usted que aprovechará la primera ocasión que se presente para adelantar mi libro, como en su atenta carta me manifiesta. Envío a usted dos artículos más, y espero podrá tenerlos todos en su poder antes de un mes. De nuevo y con el mayor placer se repite de usted afectísimo

Ramón del Valle[7].

Lo único que resta de esa novela son dos fragmentos aparecidos en el *Diario de Pontevedra* el 3 y 4 de febrero de 1892, donde se explica que *El Gran Obstáculo* «...es el título de una novela que se halla en prensa y de la que es autor el correcto escritor nuestro compañero en el periodismo Don Ramón del Valle».

La obra jamás vio la luz y Valle marcha a México donde publica «Bajo los trópicos», «Caritativa», «El canario» y «La confesión», todos ellos posteriormente reelaborados en *Femeninas*. Desde Veracruz escribe el 2 de marzo de 1893 a Manuel Murguía pidiéndole que prologue su libro[8], probablemente *Femeninas* aunque bien pudiera referirse a *El Gran Obstáculo,* y poco después (véase *Diario de Pontevedra,* 1 de mayo de 1893) regresa a Galicia.

Una vez en Pontevedra Valle renueva sus colaboraciones literarias y probablemente termina *Femeninas,* libro que de aceptar las fechas indicadas por el autor, fue realizado en América y finalizado en Galicia durante el año de 1894. Es interesante a este respecto el testimonio de Torcuato Ulloa:

> Había tenido la fortuna de conocer, antes que el libro se imprimiera, gran parte de los materiales que lo forman.

---

[7] Esta carta la cita y reproduce V. Paz Andrade, *La anunciación de Valle-Inclán,* Madrid, 1981.

[8] *Boletín de la Real Academia Gallega,* La Coruña, t. XXIX, noviembre de 1959.

> Prendado del estilo de Valle, de su frase pintoresca y precisa, de su poderoso entendimiento, de su espíritu de observador perspicaz que lleva a las más audaces investigaciones psicológicas, me había yo instituido en pertinaz acicate para su voluntad, bastante perezosilla, y en impertinente curioseador de los papelotes revueltos en sus bolsillos, dentro de los que, a veces, se hallaban fragmentos de «La Condesa de Cela», «Tula Varona», «La Niña Chole...»
>
> —¿Trae usted algo por ahí? —preguntábale con frecuencia—. ¿Trabajó usted más?
>
> Y él, aunque nada expansivo en sus amistades, y si bien cortés, fríamente cortés siempre, era bondadoso conmigo y me leía aquellas sus cuartillas de escritura extraña y retorcida, en nuestros habituales paseos, por callejuelas sombrías o por carreteras solitarias.
>
> Algunas tardes del pasado invierno, en la biblioteca de Jesús Muruais, donde nos reuníamos, mientras la lluvia caía eterna y helada sobre la plazuela, el erudito literato y mi modesta persona, oíamos atentos las pruebas de imprenta de las *Femeninas* que leía su autor... (véase Apéndice II).

Finalmente el libro apareció a primeros de abril de 1895, tal y como indican las notas de *El Diario de Pontevedra.* Así el 29 de marzo informa que «dentro de breves días verá la luz pública un nuevo libro titulado *Femeninas...»;* el 3 de abril menciona que la Diputación adquiere una serie de libros recién publicados, entre ellos *Femeninas,* y por último el día 4 de este mismo mes leemos: «Hemos recibido un ejemplar del libro *Femeninas* que acaba de publicar en esta ciudad nuestro estimado amigo el conocido escritor don Ramón del Valle...»

El libro tuvo escasa atención de la crítica, en palabras de Gil Parraldo: «de *Femeninas* no ha hablado la crítica oficial, ni siquiera la crítica de gacetilla». Únicamente Torcuato Ulloa, Gil Parraldo y E. Alonso, amén de una reseña en *Blanco y Negro* y otra de Catarineau en *La Pecera* (véase Apéndice II), se ocuparon del libro.

El 15 de abril de 1895 Valle-Inclán marcha a Madrid

Fotografía de Valle-Inclán hacia 1903

(véase *La Correspondencia Gallega* en esa fecha) que será ya su residencia permanente.

En Madrid es presentado en una velada literaria en el Centro Gallego, donde lee «Un Cabecilla», «Rosarito» y «A media noche»[9].

Don Ramón tratará de hacerse un nombre como escritor y a pesar de los pocos datos que tenemos de su vida en esta época podemos suponerle en las tertulias literarias y los círculos bohemios de la «gente nueva». Tenemos constancia de que Valle frecuentaba la tertulia de el diario *El País,* obligado polo de referencia, que acogía en sus páginas a las jóvenes generaciones y donde Valle publicó dos textos.

Allí probablemente conoció a Alejandro y Miguel Sawa, Gómez Carrillo, Unamuno, Azorín... Ricardo Fuentes en 1897 lo describe así:

> Cuando en la redacción de *El País,* que Valle solía visitar con frecuencia, porque en ella contaba con buenos amigos, se discutían acaloradamente los acontecimientos políticos [...] Valle nos miraba trabajar entre asombrado y desdeñoso. [...] ¿Qué os importa a vosotros la República? —nos decía Valle luego que, terminado el trabajo, descansábamos de sus fatigas con alegre charloteo. ¿Para qué más libertad? ¿Impide la Monarquía el que haga uno lo que bien le cuadre? Aquí me tenéis a mí, que ni estoy empadronado, ni tengo cédula, ni sé siquiera a qué nación pertenezco legalmente, y sin embargo, nadie se mete conmigo, ni me incomoda. [...] ¿La República? Que la defiendan los que la necesiten. Si es más barata y mejor que el régimen actual, que procuren traerla los comerciantes, los industriales, los que pagan contribución. Ésos sí, pero nosotros, que nada tenemos ni tendremos ¿qué nos va en ello?
>
> Este desprecio de Valle por la política daba origen casi siempre a violentas discusiones, que terminaban en una recíproca compasión: la que nosotros sentíamos hacia

[9] *La Correspondencia Gallega,* Pontevedra, 28 de mayo de 1895. También hay una reseña del acto en *La Correspondencia de España,* Madrid, 27 de mayo de 1895.

Valle, incapaz de admirar los grandes ideales de la libertad, y la que Valle sentía hacia nosotros, literatos *pro pane lucrando,* que manchaban su pluma con la desaliñada y pedestre prosa periodística[10].

En 1896 no encontramos ninguna publicación de Valle-Inclán, únicamente la referencia a una obra escrita en colaboración con Camilo Bargiela, una zarzuela de la que lamentablemente sólo restan los sueltos periodísticos. Así, en *El Globo,* Madrid, 21 de julio de 1896: «Los escritores gallegos Don Ramón del Valle-Inclán y Don Camilo Bargiela han terminado una obra, cuya acción se desarrolla en Galicia, titulada *Los Molinos del Sarela.* Ésta se estrenará en Maravillas»[11].

También aparecen menciones de libros que pronto se editarán, como *Candor,* pero de los que no existe constancia alguna[12].

Al empezar el año de 1897 —la edición lleva la fecha de 7 de marzo de 1897— don Ramón publica *Epitalamio,* edición que costea él mismo, y que resulta un fracaso. Así lo recuerda Martínez Ruiz en *Charivari* y el propio Valle muchos años después en una entrevista en *Por Esos Mundos,* el 1 de enero de 1915.

---

10 Ricardo Fuentes, *De un Periodista,* Madrid, 1897.

11 *El Faro de Vigo,* 17 de julio de 1896, ofrece también una reseña de esta obra. «Dentro de poco se estrenará en el madrileño teatro Maravillas una zarzuela basada en asuntos regionales, de marcado sabor gallego, de la que son autores don Ramón del Valle-Inclán y el tudense don Camilo Bargiela. Se titula *Los Molinos del Sarela.*»

12 *La Unión Republicana,* Pontevedra, 16 de septiembre de 1893 indica que el artículo de Valle titulado «El banquete de Conxo» es de un libro en preparación. En *La Opinión,* Pontevedra, 26 de agosto de 1896: «[...] Con referencia a trabajos de este escritor (Valle-Inclán) nos han dicho que será fácil que a principios de otoño publique una novela titulada *Candor,* que tiene ya casi terminada, y más adelante un nuevo libro de cuentos...»

También Ricardo Fuentes menciona otros títulos de Valle. «Con *Femeninas* y *Epitalamio* ha demostrado cumplidamente tener una personalidad literaria de gran relieve, y ser excelente y notable prosista. Cuando publique *Tríptico, Cuentos color de sangre, Candor* y *Tierra Caliente,* libros concluidos y en disposición de pasar a la imprenta...» *(De un periodista,* Madrid, 1897, pág. 202).

La primera crítica aparece en *El Globo* (13 de abril de 1897) y pocos días después Miguel Sawa en *Don Quijote* publica una carta abierta a Valle-Inclán (véase Apéndice II), alabando su libro y animándole a continuar: «*Epitalamio* es a mi juicio, y creo que esta opinión no es sólo mía, un poema en prosa que parece escrito como los versos del príncipe Attilio, "sobre la espalda blanca y tornatil de una princesa apasionada y artista"».

Clarín en uno de sus Paliques (véase Apéndice II) critica duramente *Epitalamio,* desde el amoralismo de la obra hasta el estilo, pero recomendando a Valle que trabaje en «la verdadera viña». Don Ramón, que ya al publicar su primer libro se había dirigido a Clarín, le escribe una carta aceptando la reprimenda[13] a la que Leopoldo Alas contestará en *El Heraldo de Madrid.*

La crítica generalmente ha buscado —y abusado— las fuentes e influencias de Valle-Inclán en su primera época, y la lista de autores respecto a los que se le atribuye alguna deuda literaria, cuando no directamente plagio, es tan extensa como dispar: Taine, Merimée, Eça de Queiroz, Rhene Gil, Barbey d'Aurevilly, d'Annunzio, Maupassant, Baudelaire, Chateaubriand, Rostand, Verlaine, Zorrilla, Flaubert, Gautier...

Vale la pena recordar que el autor, al definir el «modernismo», declaraba: «Jamás han sido las ideas patrimonio exclusivo de sus expositores. Las ideas están en el ambiente intelectual, tienen su órbita de desarrollo, y el escritor lo más que alcanza es a perpetuarlas por un hálito de personalidad o por la belleza de expresión («Modernismo», *La Ilustración Española y Americana,* Madrid, 1902).

Sin la menor duda Valle-Inclán había leído mucho a los autores franceses y los románticos españoles, pero por encima de las preferencias o los modelos literarios, hay en las dos primeras producciones de Valle-Inclán una se-

[13] Sobre este tema véase D. Gamallo Fierros, «Aportaciones al estudio de Valle-Inclán», *Revista de Occidente,* 2.ª época, año IV, Madrid, núms. 44-45, noviembre-diciembre de 1966.

Dibujo de R. Marín. Publicado en la *Revista Ibérica,* Madrid, 15 de julio de 1902

rie de elementos originales y técnicas, en forma embrionaria, que configurarán su obra posterior.

Las seis *Historias amorosas* y *Epitalamio* —subtitulado precisamente «Historia de Amores»— inscriben a Valle-Inclán en la corriente modernista, «modernista furioso» le denomina Catarineau. Una literatura de «imágenes desusadas, ingenuas, atrevidas, detonantes», que pretende «refinar las sensaciones y acrecentarlas en el número y la intensidad» tal y como la definía don Ramón en «Breve noticia acerca de mi estética cuando escribí este libro», *Corte de Amor*, Madrid, 1908.

En estas sus dos primeras producciones, el autor presenta un mundo ajeno totalmente a la vida diaria, a la vulgaridad y los convencionalismos sociales. Sus heroínas oscilan entre la adúltera madura (Octavia y La Condesa de Cela) con problemas de conciencia, o con una cierta religiosidad —hasta Augusta le pide a su amante «respetemos las cosas del Cielo»— y la virgen inocente, como Rosarito y Beatriz.

Sus galanes son personajes fuera del común, tanto social —bohemios como Aquiles, conspiradores como Don Juan Manuel— como moralmente. Pero temas y personajes habían sido tratados en artículos periodísticos anteriores a 1895: Octavia Santino y Andrés Hidalgo en «Caritativa»; pedro pondal en «El gran obstáculo».

«Octavia Santino» tiene sus antecedentes en «Caritativa (novela corta)» «La confesión (novela corta)» y «Octavia Santino». «La Nina Chole» recoge textos como «Bajo los trópicos», «X» y «Páginas de Tierra Caliente». «La Generala» es una reelaboración de «El Canario».

Y comparando textos periodísticos anteriores a 1895 con *Femeninas* encontramos que párrafos y fragmentos han sido trasvasados. Sin pretender ser exhaustivo citaré varios ejemplos:

«Era la tarde de esas adustas e invernales, de barro y de llovizna, que tan triste aspecto prestan a la vieja ciudad. Siniestras ráfagas plomizas y lechosas pasaban lentamente ante los cristales que la ventisca azotaba con furia» («El Gran Obstáculo», 3 de febrero de 1892 y «Octavia Santino», *Femeninas,* 1895, pág. 101).

*

«Un enorme gato de color barcino que dormía al amor del brasero, despertóse, enarcó el lomo erizado, sacó las uñas, giró en torno con diabólico maleficio, los ojos fosforescentes y fantásticos, y huyó con menudo trotecillo» («El Gran Obstáculo», 3 de febrero de 1892).

«Un enorme gato de pelambre chamuscada y amarillenta que dormía delante de la chimenea, despertóse, enarcó el lomo erizado, sacó las uñas, giró en torno con diabólico maleficio, los ojos fosforescentes y fantásticos, y huyó con menudo trotecillo» («Octavia Santino», *Femeninas,* 1895, pág. 99).

*

«Todo a mi lado se derrumba, todo me falta; mis ideas son negras como si me hubiesen pasado por el cerebro grandes brochazos de tinta» («Caritativa», 19 de junio de 1892).

«Hace mucho tiempo que mis ideas son negras como si me hubiesen pasado por el cerebro grandes brochazos de tinta. Todo a mi lado se derrumba, todo me falta» («La Condesa de Cela», *Femeninas,* 1895, pág. 33).

*

«La sombra de la italiana adquiría en la pared la traza de una vieja; se alargaba y encogía como visión de pesadilla aplastándose en el techo, dislocándose en los ángulos, con ritmo funambulesco que tenía algo de diabólico y recordaba...» («Caritativa», 19 de junio de 1892).

«A veces una mancha negra pasa corriendo sobre el muro; tomaríasela por la sombra de un pájaro gigantesco; se la ve posarse en el techo y deformarse en los ángulos; arrastrarse por el suelo y esconderse bajo las sillas; de improviso, presa de un vértigo funambulesco...» («Rosarito», *Femeninas,* 1895, pág. 225).

Pero este fenómeno de reescritura, de uso de materiales antiguos en un nuevo contexto es también observable si comparamos *Epitalamio* con *Femeninas.* Por ejemplo:

«El viejo libertino la miraba intensamente cual si sólo buscase el turbarla más» («Rosarito», *Femeninas,* 1895, pág. 215).

«El Príncipe, mirándola intensamente, cual si buscase el turbarla...» *(Epitalamio,* 1897, pág. 43).

*

«...dejaba ver en incitante claro-obscuro un brazo...» («Tula Varona», *Femeninas,* 1895, pág. 64).

«...dejaba ver en incitante claro-obscuro la redonda pantorrilla...» *(Epitalamio,* 1897, pág. 44).

*

«...la orejita nacarada y monísima de la señora...» («Tula Varona», *Femeninas,* 1895, pág. 57).

«...la orejita nacarada y monísima de la dama...» *(Epitalamio,* 1897, pág. 77).

*

«...el rubí de una sortija lanzaba reflejos sangrientos...» («Tula Varona», *Femeninas,* 1895, pág. 71).

«...ponía reflejos sangrientos el rubí de una sortija...» (*Epitalamio,* 1897, pág. 96).

Además el lector atento notará qué párrafos y descripciones de *Femeninas* se han reelaborado en las *Sonatas,* ya enteramente como en el caso de «La Niña Chole» que se incluye con variantes en *Sonata de Estío,* o bien parcialmente como en la descripción de la muerte de Octavia Santino que pasa a la *Sonata de Primavera.*

«Y la vio temblar en el lecho; el rostro demudado y convulso. Luego quedó estirada, rígida, indiferente; la cabeza torcida, entreabierta la boca por la respiración, el pecho agitado. Pondal permanecía en pie, irresoluto, sin atreverse ni a llamarla, ni a moverse por no turbar aquel reposo que le causaba horror. Entenebrecido y suspirante volvió a sentarse junto al lecho, la barbeta apoyada en la mano, el oído atento al más leve rumor. Allá abajo, se oía el perpetuo sollozo de la fuentecilla del patio, unas niñas jugaban a la rueda...» (*Femeninas,* 1895, págs. 100-01).

«Calló, y un largo estremecimiento de agonía recorrió su cuerpo. Había hablado con apagada voz, impregnada de apacible y sereno desconsuelo. La huella de sus ojeras se difundió por la mejilla, y sus ojos cada vez más hundidos en las cuencas, se nublaron con una sombra de muerte. Luego quedó estirado, rígido, indiferente, la cabeza torcida, entreabierta la boca por la respiración, el pecho agitado. Todos permanecimos de rodillas, irresolutos, sin osar llamarle ni movernos, por no turbar aquel reposo que nos causaba horror. Allá abajo exhalaba su perpetuo sollozo la fuente que había en medio de la plaza, y se oían las voces de unas niñas que jugaban a la rueda: cantaban una antigua letra de cadencia lánguida, nostálgica...» (*Sonata de Primavera,* Madrid, marzo de 1904, págs. 40-41).

Otros párrafos como: «vida tan llena de riesgos y azares como la de aquellos segundones hidalgos, que se enganchaban en los Tercios de Italia por buscar lances de amor, de espada y de fortuna» (*Femeninas,* 1895, pág. 195) los hallaremos después en «Juventud Militante» (27-diciembre-1903): «Una vida como la de aquellos segundones hidalgos, que se enganchaban en los Tercios de Italia para buscar lances de amor, de espada y de fortuna» y finalmente en *Sonata de Invierno,* 1905, pág. 17.

Pero además de la reelaboración, parcial o total, de materiales antiguos, hay en las primeras producciones de Valle-Inclán un uso de elementos y técnicas que, con mucha mayor maestría, pueden verse en las *Sonatas,* y en otros textos posteriores.

La trilogía Amor, Muerte, Religión que ya Amado Alonso señaló en las *Memorias del Marqués de Bradomín* la encontramos en algunas historias de *Femeninas* como «Octavia Santino» y «Rosarito». La terminología y el simbolismo religioso asociados a la sensualidad y al amor se encuentran, en diversos grados, en el estilo de Valle-Inclán. Por ejemplo, Perico Pondal levanta «con cuidado, como una reliquia» la cabeza de su amante (*Femeninas,* 1895, pág. 94). La Condesa de Cela había sentido ese «amor curioso y ávido que inspiran a ciertas mujeres las jóvenes cabezas tonsuradas» y ante el dolor de Aquiles la misma Condesa siente «el respeto supersticioso que inspiran las cosas sagradas» (*Femeninas,* 1895, págs. 12 y 34). Rosarito es descrita con la cabeza en «divino escorzo», con manos «de santa, manos místicas y ardientes», sintiendo «un nudo de divina angustia» (*Femeninas,* 1895, págs. 186, 187, 215).

El empleo de simbología cristiana y pagana es mucho más acusado en «La Niña Chole» y en «Augusta». La Salambó mexicana posee un encanto «sacerdotal y voluptuoso», una quietud «estática y sagrada» (*Femeninas,* 1895, pág. 118). Augusta es «una bacante que adoraba el placer», que encanta sus amores con «divinas inmoralidades» (*Epitalamio,* 1897, pág. 24). «Pecado fecundo, hermoso como un dios», «divino broche formado por los labios», manos «de abadesa joven e infanzona» (*Epitalamio,* 1897, págs. 33, 43, 45)... la lista sería enorme.

Las referencias al mundo y al arte clásico, muy presentes en las *Sonatas*, aparecen profusamente en «La Niña Chole»: «muchachos desnudos como figuras de un friso del Parthenon *(sic)» (Femeninas,* 1895, pág. 113); «ingenuidad de estatuas clásicas» *(Femeninas,* 1895, pág. 116); «Venus de bronce» *(Femeninas,* 1895, pág. 135); «el flete de Carón» *(Femeninas,* 1895, pág. 156).

Tula se nos presenta como una Diana Cazadora con «piernas largas y esbeltas de Venus griega» *(Femeninas,* 1895, pág. 61), Rosarito tiene una actitud de «cariátide» *(Femeninas,* 1895, pág. 220), referencias clásicas que en *Epitalamio* son ya abundantísimas.

Las alusiones a la pintura del Renacimiento y de los Prerrafaelistas, «esas ingenuas madonas pintadas sobre fondo de estrellas y luceros» *(Femeninas,* 1895, pág. 187), «esa castidad prerrafaélica» *(Femeninas,* 1895, pág. 203) o la comparación de Beatriz con la Gioconda de Leonardo *(Epitalamio,* 1897, pág. 43) serán parte integrante del estilo de Don Ramón. Así nos presentará a Adega como «aquella pastorcilla prerrafaelista» («Adega», *Germinal,* Madrid, 4-junio-1897), el Penitenciario recuerda «el retrato del cardenal Cosme de Ferrara que pintó el Perugino» «Beatriz», *Electra*, Madrid, 23-marzo-1901). La Princesa Gaetani le recuerda al Marqués de Bradomín el «retrato de María de Médicis», María Rosario «tablas prerrafaélicas», *(Sonata de Primavera,* 1933).

El afán de crear una nueva sensibilidad en el lector aparece, tal y como ocurre en las *Sonatas*, hasta en los mínimos detalles. Véase por ejemplo el «nido» de Tula Varona: mesas de bambú, idolillos indios sobre un mueble japonés, esculturas de Pradier, tibores con helechos de los trópicos... El preciosismo en las descripciones del mobiliario es digno de mención. Los personajes, fuera de la realidad cotidiana, viven entre sillones de moscovia, veladores de tablero de damas, canapés de damasco rojo con estampados chinescos, divanes moriscos...

Un elemento destacable en la estética modernista, y por supuesto en la de Valle-Inclán, es el interés por el mundo de lo misterioso, de lo esotérico.

Valle había participado en las experiencias de «clarovidencia» de Otero Acevedo[14] y además había dado una conferencia sobre el Ocultismo el año de su partida a México (veáse *Diario de Pontevedra,* Pontevedra, 8 de febrero de 1892), donde también dio muestras de su interés por el tema en el artículo publicado el 7 de agosto bajo el título «Psiquismo».

Veamos, por ejemplo, el símbolo del gato como presagio funesto. Así Octavia Santino verá poco antes de su muerte «Un enorme gato... enarcó el lomo erizado, sacó las uñas, giró en torno con diabólico maleficio» (*Femeninas,* 1895, pág. 99). A la Condesa de Cela cuando se despierta en la noche, poco antes de descubrir el cadáver de su nieta, le sigue «El gatazo negro... su cola fosca, su lomo enarcado, sus ojos fosforescentes le dan todo el aspecto de un animal embrujado y macabro» (*Femeninas,* 1895, pág. 224). El narrador de «La Niña Chole», describe el ataque del indio comparándolo con la «furia fantástica de un gato embrujado y macabro» (*Femeninas,* 1895, pág. 132). Antes de descubrir el cadáver del Abad de Bradomín, en la oscuridad de la cocina brilla «la diabólica fosforescencia de las pupilas de un gato» («El Rey de la Máscara», *Revista Moderna,* Madrid, 22 de septiembre de 1899). Es el mismo gato —maléfico, diabólico— omnipresente en «Beatriz» («Un gato que dormitaba sobre el canapé saltó al suelo, enarcó el espinazo y la siguió maullando» *Corte de Amor,* 1903, pág. 199), o en «Mi hermana Antonia».

Rosarito tiene una visión premonitoria, casi paranormal, de Don Juan Manuel. «Un aviso del otro mundo» piensa ella (*Femeninas,* 1895, pág. 188); Beatriz sigue «con mirada supersticiosa los macabros aleteos de un murciélago» (*Epitalamio,* 1897, pág. 60).

El universo hidalgo y nobiliario de «Rosarito» será desarrollado posteriormente por Valle-Inclán en varias obras, ya con los mismos personajes —obsérvese que Don Juan Manuel en la *Sonata de Otoño* explica al Marqués

[14] M. Otero Acevedo, *Los Fantasmas (Apuntes para la Psicología del porvenir),* Madrid, Romo y Füssel, 1891, págs. 49-51.

Caricatura por Pando, hacia 1888. Don Ramón tiene en la mano un ejemplar del diario *El País Gallego.* Los versos rezan: «Su murmurador afán / se cambia en idolatría / si habla Chateaubriand / que es una monomanía / de Ramón del Valle-Inclán.»

de Bradomín «la leyenda heráldica que hace descender a los Montenegros de una emperatriz alemana» (*Femeninas*, 1895, pág. 195). La Condesa de Cela también es mencionada en la misma obra: «La Condesa de Cela, enamorada locamente de un estudiante» (*Sonata de Otoño*, 1902, pág. 128), así como Amelia Camarasa, Don Benicio...— o con otros diferentes, pero siempre en el marco de los «jardines señoriales» y las «casas infanzonas» con sus «escudos de dieciséis cuarteles».

La introducción del humor como elemento literario —evidente en «La Generala», en las observaciones del narrador de «La Niña Chole» o en los comentarios de Attilio Bonaparte— preludia la ironía cínica del Marqués de Bradomín y el humorismo de las *Sonatas*.

Las referencias a la literatura —Perico Pondal es el autor de «Cartas a una querida», Attilio Bonaparte el poeta de los «Salmos Paganos», Currita y Sandoval se reunen a leer una obra de D'Aurevilly. Los autores mencionados son numerosos: Zola, Espronceda, López Bago, Lord Byron, Horacio, Virgilio, Heine, Baudelaire...— el amoralismo, apuntan ya en los dos primeros libros de Valle-Inclán, pero sobre todo el elemento más destacable es su interés por los distintos niveles del lenguaje, del empleo de galleguismos («rapaz», «patín», «Maruxa», *Epitalamio*, 1897, págs. 70, 71), y de construcciones verbales gallegas («tenían jugado») por «habían jugado», «ir calzar» por «ir a calzar», *Femeninas*, 1895, págs. 88 y 186). Véase por ejemplo en la *Sonata de Otoño* «saudade», «deprendiéndole», «que le fuera acordada» (1902, págs. 25, 59, 108) o en la *Sonata de Estío* «tengo amado mucho» (1903, pág. 145).

El empleo, mucho más abundante en *Femeninas* que en *Epitalamio* y corregido en parte posteriormente, del imperfecto de subjuntivo con valor de pluscuamperfecto de indicativo (por ejemplo, «heredara» por «había heredado», *Femeninas*, 1895, pág. 52, «supiera» por «había sabido», *Ídem*, pág. 82, «conociera» por «había conocido», *Epitalamio*, 1897, pág. 24). Sin embargo, se encuentran ejemplos en la obra posterior: «Nunca el corazón me latiera con tal violencia» (*Sonata de Estío,* 1907, pág. 47); «que por la noche dejara» (*Ídem,* 1903, pág. 160).

El empleo del pronombre enclítico, muy presente en su primer libro («conmovíala», «faltárale», «habíame», «recibíasele», *Femeninas,* 1895, págs. 31, 43, 111, 199) mayoritariamente en oraciones afirmativas, lo que probablemente es una influencia de la lengua gallega, desaparece en *Epitalamio* pero Valle-Inclán vuelve a recuperarlo como elemento estilístico en las *Sonatas,* donde los ejemplos son abundantísimos: «quedéme dormido»; «entrábase dando voces», «habláronse», *Sonatas de Otoño,* 1933, páginas 119, 127, 147); «habíame vestido», «cerróme los ojos», «presentóselo» (*Sonata de Estío,* 1933, págs. 18, 45, 126).

Y junto a este interés por los diversos niveles del lenguaje, aparece el afán de crear nuevos términos («aculotadas», «detendía», *Femeninas,* 1895, págs. 6, 125, o el tan citado adjetivo «dorevillesco», *Epitalamio,* 1897, pág. 17, que por cierto ya emplea dos años antes Torcuato Ulloa en su crítica a *Femeninas*) y sobre todo el uso de palabras y giros del castellano sudamericano que culminaría en *Tirano Banderas.*

Estos son, creo, elementos que configurarán el estilo de don Ramón y que resaltan la importancia de esa obra de juventud, generalmente olvidada, para el estudio de la evolución estilística y temática de Valle-Inclán.

Esta edición

Además del cotejo de las ediciones he utilizado casi la totalidad de las publicaciones periódicas que aparecieron en vida del autor. Para la comparación se ha empleado el texto de *Femeninas* como base, y aunque con textos anteriores a 1895 parezca que las variantes parten de *Femeninas*, el lector debe tener en mente que es precisamente al contrario.

Se ha incluido *Flores de almendro* entre las ediciones porque, aun cuando apareció tras la muerte de Valle-Inclán, fue preparado según su editor, Bergua, en vida de don Ramón. Por el contrario se han eliminado las antologías y libros que recogen fragmentos de las obras en cuestión (por ejemplo *Las mieles del rosal,* Madrid, 1910) ya que no añadirían nada nuevo. Es necesario resaltar que las ediciones de *Historias de amor* e *Historias perversas* están tan plagadas de erratas, transposiciones de líneas y cambios de letras que no deben considerarse fiables en absoluto. No se mencionan las erratas, que existen en *Femeninas* así como en otros títulos, para no recargar excesivamente las anotaciones; únicamente en algunos casos se mencionan, como en «Tula Varona», donde de los «idolillos» del original, se pasó a «idalillos» y finalmente a «idilios», para subrayar la importancia de la corrección y del cuidado que debe existir en las ediciones de todo autor.

La ortografía ha sido actualizada («magestuoso» majestuoso, «obscuros» oscuros, «extremecerse» estremecerse) aunque no se haga constar en las notas, como tampoco se indican los cambios de puntuación o las variantes en la división en capítulos de los textos.

Finalmente para los americanismos he empleado varios diccionarios —A. Malaret, *Diccionario de Americanismos,* 1946, F. Santamaría, *Diccionario General de Americanismos,* 1942, M. Morínigo, *Diccionario de Americanismos,* 1966, así como un curioso volumen, *Modismos locuciones y términos mexicanos* de José Sánchez Somoano, Madrid, 1892, no por su valor filológico sino porque Valle-Inclán lo tenía en su biblioteca y probablemente lo usó al escribir «La Niña Chole»— únicamente con la finalidad de explicar el significado de términos difíciles o de sentido poco claro en el texto, pero sin ninguna otra pretensión.

Mi agradecimiento al personal de la Biblioteca Universitaria de Santiago que no escatimó esfuerzos para ayudarme y a Clara Brea Bermejo que pacientemente soportó su labor de atendedora.

Cuadro cronológico de publicaciones

Femeninas y *Epitalamio* no volvieron a reeditarse como tales en vida del autor y pasaron a formar parte de otros volúmenes. «La Niña Chole» se incluyó en la *Sonata de Estío* y apareció únicamente como texto separado en *Historias perversas* y en *Flores de almendro*.

Todas las historias de *Femeninas* se reeditaron en *Historias perversas*. Dos años después *Cofre de Sándalo* recoge todas ellas con excepción de «La Niña Chole» y «Rosarito». La edición de *Historias de amor* dejó de lado «La Condesa de Cela» y «La Generala», y aunque incluye «La Niña Chole» no es el texto de *Femeninas* sino la versión de *Sonata de Estío*. En 1922 la edición de *Corte de amor* recuperó «La Condesa de Cela», «Tula Varona» y «La Generala». Finalmente todas ellas volvieron a aparecer en *Flores de Almendro*.

«La Generala» se publicó en solitario, y muy reelaborada, en 1903 bajo el título de *Antes que te cases*.

«Rosarito» se recoge en *Jardín novelesco* como «Don Juan Manuel» —única vez que varió el título— y en las ediciones de 1914 y 1920 de *Jardín umbrío*.

Epitalamio se transformó en «Augusta» y con este título apareció en las ediciones de *Corte de amor* de 1903, 1908, 1914 y 1922, así como en *Historias Perversas* y en *Flores de almendro*.

	1892	1893	1895	1898	1902	1903	1904	1905	1907
Prólogo									HP
La Condesa de Cela								FIN	HP
Tula Varona									HP
Octavia Santino	c92	c93 OS					c4		HP
La Niña Chole	BT	X PT	X	TC	TCT	X			HP
La Generala	CAN					AC			HP
Rosarito						RO		JN	HP
Epitalamio						CO3			HP

	1908	1909	1913	1914	1918	1920	1922	1935	1936	sa
Prólogo		CO					CO2			
La Condesa de Cela		CO			NC		CO2		FLO	HA
Tula Varona		CO			LC				FLO	HA
Octavia Santino		CO			NC				FLO	HA
La Niña Chole									FLO	
La Generala		CO			NC		CO2		FLO	
Rosarito				JU14	NC	JU20			FLO	HA
Epitalamio	CO8		AU	CO4			CO2	NC	FLO	

Nota: en la edición de *Sonata de Estío,* Madrid, Dédalo, 1932, está incluida «La Condesa de Cela» (1932), págs. 153-191. No se incluye el cotejo de esta versión por ser la misma que la de *Corte de amor,* 1922.—(CO2).

Cubierta de *Antes que te cases*, 1903

PRÓLOGO DE «FEMENINAS»

Comparado con:

Historias perversas, prólogo de M. Murguía, Barcelona, Maucci, s.a., ¿1907?, 200 páginas.—(HP).

Cofre de Sándalo, prólogo de M. Murguía, Madrid, Librería de Perlado, Páez y Cía, 1909, 221 páginas *(Obras Completas de don Ramón del Valle-Inclán,* t. I).—(CO).

Corte de amor, prólogo de M. Murguía, Madrid, SGEL, 1922, 273 páginas *(Opera Omnia,* vol. XI).—(CO2).

Nota: el prólogo de *Historias perversas* es idéntico al de *Femeninas* hasta el punto de que ni siquiera cambia el título y sigue refiriéndose a la edición de 1907 como *Femeninas.*

LA CONDESA DE CELA

Comparada con:

«Final de amores», *Por Esos Mundos,* Madrid, año VI, núm. 126, julio de 1905, págs. 26-30.—(FIN).

«La Condesa de Cela», *Historias perversas,* prólogo de M. Murguía, Barcelona, Maucci, s.a., ¿1907?, 200 páginas.—(HP).

Ídem, Cofre de sándalo, prólogo de M. Murguía, Madrid, Librería de Perlado, Páez y Cía, 1909, 221 páginas *(Obras Completas de don Ramón del Valle-Inclán,* t. I).—(CO).

Ídem, Historias de amor, ilustraciones de F. Núñez Millon, París, Garnier Hermanos, s.a., Imp. Dersé, 256 páginas.—(HA).

Ídem, La Novela Corta, Madrid, año III, núm. 133, 20 de julio de 1918.—(NC).

Ídem, Corte de amor, prólogo de M. Murguía, Madrid, SGEL, 1922, 273 páginas *(Opera Omnia,* vol. XI).—(CO2).

Ídem, Flores de almendro, prólogo de Juan B. Bergua, Madrid, Bergua, 1936, 330 páginas.—(FLO).

Nota: curiosamente el texto de *Flores de almendro* es el mismo de *Cofre de sándalo.*

TULA VARONA

Comparada con:

Tula Varona, Historias de amor, ilustraciones de F. Núñez Millon, París, Garnier Hermanos, s.a., Imp. Derse, 256 páginas.—(HA).

Ídem, Historias perversas, prólogo de M. Murguia, Barcelona, Maucci, s.a., ¿1907?, 200 páginas.—(HP).

Ídem, Cofre de sándalo, prólogo de M. Murguia, Madrid, Librería Perlado, Páez y Cía., 1909, 221 páginas (*Obras Completas de don Ramón del Valle-Inclán,* t. I).—(CO).

Ídem, Los Contemporáneos, Madrid, año X, núm. 477, 21 de febrero de 1918 (Nota: se publica junto con *Mi hermana Antonia*).—(LC).

Ídem, Flores de almendro, prólogo de Juan B. Bergua, Madrid, Bergua, 1936, 330 páginas.—(FLO).

OCTAVIA

Comparada con:

«La Confesión», *El Universal,* México, D.F., 10 de julio de 1892.—(C92).

«La Confesión: Historia amorosa», *El Globo,* Madrid, 10 de julio de 1893.—(C93).

«Octavia Santino», *Extracto de Literatura,* Pontevedra, año I, núm. 43, 28 de octubre de 1893.—(OS).

«La Confesión», *Por Esos Mundos,* Madrid, año V, número 114, julio de 1904.—(C4).

«Octavia Santino», *Historias perversas,* prólogo de M. Murguía, Barcelona, Maucci, s.a., ¿1907?, 200 páginas.—(HP).

«Octavia», *Cofre de sándalo,* prólogo de M. Murguía, Madrid, Librería de Perlado, Páez y Cía, 1909, 221 páginas (*Obras Completas de don Ramón del Valle-Inclán,* t. I).—(CO).

Portada de *Corte de Amor*.

«Octavia Santino», *Historias de amor,* ilustraciones de F. Núñez Millon, París, Garnier Hermanos, s.a., Imp. Dersé, 256 páginas.—(HA).

«Octavia», *La novela corta,* Madrid, año III, núm. 156, 28 de diciembre de 1918.—(NC).

Ídem, Flores de almendro, prólogo de Juan B. Bergua, Madrid, Bergua, 1936, 330 páginas.—(FLO).

LA NIÑA CHOLE

Comparada con:

«Bajo los Trópicos (Recuerdos de México)», *El Universal,* México, D.F., 16 de junio de 1892.—(BT).

«X», *Extracto de Literatura,* Pontevedra, año I, núm. 27, 8 de julio de 1893, págs. 6-7.

«X», (para Jesús Muruais), *El País,* Madrid, 19 de julio de 1895.

«Por Tierra Caliente», *La Correspondencia Gallega,* Pontevedra, 27 de mayo de 1903. Nota: los tres textos son iguales.—(X).

«Páginas de Tierra Caliente», *Extracto de Literatura,* Pontevedra, año I, núm. 33, 20 de agosto de 1893, páginas 5-6.—(PT).

«Tierra Caliente» (De las memorias de Andrés Hidalgo), Madrid, Cómico, 15 de enero de 1898.—(TC).

«Tierra Caliente» (Los tiburones), *La Ilustración Artística,* Barcelona, año XXI, núm. 1071, 7 de julio de 1902, págs. 444-46.—(TCT).

«La Niña Chole (Del libro "Impresiones de Tierra Caliente" por Andrés Hidalgo)», *Historias perversas,* prólogo de M. Murguía, Barcelona, Maucci, s.a., ¿1907?, 200 páginas.—(HP).

«La Niña Chole», *Flores de almendro,* prólogo de J. Bergua, Madrid, Bergua, 1936, 330 páginas.—(FLO).

Nota: en *Flores* siempre hay el cambio de «yankees» por «yanquis».

No se ha transcrito la comparación con «La Niña Chole (Memorias del Marqués de Bradomín)», *Historias de amor,* París, Garnier, s.a., Imp. Dersé, porque este texto es un fragmento de la *Sonata de estío.*

LA GENERALA

Comparada con:

«El Canario (Novela corta)», *El Universal,* México, D.F., 26 de junio de 1892.—(CAN).

Antes que te cases, Madrid, Bailly-Bailliere, 1903.—(AC).

«La Generala», *Historias perversas,* prólogo de M. Murguía, Barcelona, Maucci, s.a., ¿1907?, 200 páginas.—(HP).

Ídem, Cofre de sándalo, prólogo de M. Murguía, Madrid, Librería de Perlado, Páez y Cía., 1909, 221 páginas *(Obras Completas de don Ramón del Valle-Inclán,* t. I).—(CO).

Ídem, La Novela Corta, Madrid, año III, núm. 156, 28 de diciembre de 1918.—(NC).

Ídem, Corte de amor, prólogo de M. Murguía, Madrid, SGEL, 1922, 273 páginas *(Opera Omnia,* vol. XI).—(CO2).

Ídem, Flores de almendro, prólogo de Juan B. Bergua, Madrid, Bergua, 1936, 330 páginas.—(FLO).

Nota: la versión de *Flores* sigue en todo a la de *Corte* de 1922 y aunque no se menciona, para no recargar las anotaciones, el lector debe tenerlo en mente.

ROSARITO

Comparado con:

«Rosarito», *La Ilustración Española y Americana,* Madrid, año XLVII, núms. XL y XLI, 30 de octubre y 8 de noviembre de 1903.—(RO).

«Don Juan Manuel», *Jardín novelesco,* Madrid, Tip. de la Revista de Archivos, Bibliotecas y Museos, 1905, 254 páginas.—(JN).

«Rosarito», *Historias perversas,* prólogo de M. Murguía, Barcelona, Maucci, s.a., ¿1907?, 200 páginas.—(HP).

Ídem, Jardín umbrío, Madrid, Librería de Perlado, Páez y Cía., 1914, 225 páginas *(Opera Omnia,* vol. XII).—(JU 1914).

Ídem, La Novela Corta, Madrid, año III, núm. 108, 26 de enero de 1918.—(NC).

Ídem, Jardín umbrío, Madrid, SGEL, 1920, 251 páginas *(Opera Omnia,* vol. XII).—(JU 1920).

Ídem, Flores de almendro, prólogo de Juan B. Bergua, Madrid, Bergua, 1936, 330 páginas.—(FLO).

Ídem, Historias de amor, ilustraciones de F. Núñez Millon, París, Garnier Hermanos, s.a., Imp. Dersé, 256 páginas.—(HA).

EPITALAMIO

Comparado con:

«Augusta», *Corte de amor,* Madrid, Imp. de A. Marzo, 1903, 232 páginas.—(CO3).

Ídem, Historias perversas, prólogo de M. Murgía, Barcelona, Maucci, s.a., ¿1907?, 200 páginas.—(HP).

Ídem, Corte de amor, prólogo del autor, Madrid, Imp. de Balgañón y Moreno, 1908, 239 páginas.—(CO8).

Ídem, El Cuento Galante, Madrid, año I, núm. 10, 12 de junio de 1913.—(AU).

Ídem, Corte de amor, prólogo del autor, Madrid, Perlado Páez y Cía., 1914, 240 páginas *(Opera Omnia,* vol. XI).—(CO4).

Ídem, Corte de amor, prólogo de M. Murguía, Madrid, SGEL, 1922, 273 páginas *(Opera Omnia,* vol. XI).—(CO2).

Ídem, Revista literaria Novelas y Cuentos, Madrid, año VIII, núm. 357, 3 de noviembre de 1935.—(NC)

Ídem, Flores de almendro, prólogo de Juan B. Bergua, Madrid, Bergua, 1936, 330 páginas.—(FLO).

Nota: solamente en *Epitalamio* e *Historias perversas* aparece el nombre de «Beatriz». En los demás textos ha sido sustituido por el de «Nelly», y aunque no se marque este cambio para no recargar aún más las anotaciones, el lector debe tenerlo en mente.

Bibliografía

AUBRUM, Charles V., «Les debuts litteraires de Valle-Inclán», *Bulletin Hispanique,* LVII, octubre-diciembre de 1955.

CASARES, J., *Crítica Profana. Obras Completas,* Madrid, Renacimiento, s.a.

FICHTER, William L., *Publicaciones periodísticas de don Ramón del Valle-Inclán anteriores a 1895,* México, El Colegio de México, 1952.

GONZÁLEZ DEL VALLE, Luis T., *La ficción breve de Valle-Inclán,* Barcelona, Anthropos, 1990.

LAVAUD-FAGE, E., *La singladura narrativa de Valle-Inclán (1888-1915),* La Coruña, Fundación Pedro Barrie de la Maza, Conde de Fenosa, 1991.

LÁZARO CARRETER, F., «Sobre la prosa modernista de Valle-Inclán», *Boletín del Museo e Instituto Camón Aznar,* XXXIV, 1988.

NICKEL, C., «Valle-Inclán's *La Generala:* Woman as a bird-brain», *Hispania,* LXXXI, núm. 2, 1988.

PAOLINI, Claire J., *Valle-Inclán's Modernism,* Valencia, Albatros, 1986.

SAID ARMESTO, V., *Análisis y Ensayos,* Pontevedra, Carragal, 1897.

SAILLARD, S., «Le premier conte et le premier roman de Valle-Inclán», *Bulletin Hispanique,* LVII, octubre-diciembre de 1955.

ULLMAN, Pierre L., «Murderous Incest: Valle-Inclán's Rosarito», *A Contrapuntal Method for analyzing Spanish Literature,* Potomac, Scripta Humanistica, 1988.

Femeninas

RAMÓN DEL VALLE-INCLÁN

Femeninas

(SEIS HISTORIAS AMOROSAS)

CON UN PRÓLOGO DE

MANUEL MURGUÍA

PONTEVEDRA
IMPRENTA Y COMERCIO DE A. LANDIN

1895

Portada de *Femeninas,* 1895.

A Pedro Seoane

¡Cuánto tiempo que ni nos vemos ni nos escribimos, mi querido Seoane!

A pesar de este aparente olvido, si hoy, cual en aquellos días de locuras quijotescas volviese a necesitar de un amigo —un hombre, era la palabra que nosotros empleábamos entonces— el corazón guiaríame como siempre a tu puerta. Aunque con algunas canas de más, estoy seguro que volveríamos a ser los antiguos camaradas que tantas veces bebieron juntos en el vaso de la fraternidad estudiantil. Por eso, mi querido Pedro Seoane, al dedicarte este libro —el primero que escribo— me siento alegre, como el padre que al bautizar su primogénito, puede ponerle un nombre bien amado.

¡Es tan dulce, en medio del pesimismo que la ciencia de la vida exprime poco a poco en el alma, tener un amigo, y saberlo!...

RAMÓN DEL VALLE-INCLÁN.

Villanueva de Arosa, 20 de abril de 1894.

Prólogo

Es el presente, un libro, que puede decirse por entero juvenil. Lo es por la índole de los asuntos, porque su autor lo escribe en lo mejor de la vida, porque ha de tenérsele por un dichoso comienzo, y en fin, porque todo en él resulta nuevo y tiene su encanto y su originalidad. Con él gozamos de un placer ya que no raro, al menos no muy común, cual es el de leer unas páginas que se nos presentan como iluminadas por clara luz matinal, y en las cuales la poesía, la gracia y el amor, esas tres diosas propicias a la juventud, dejaron 10
la imborrable huella de su paso.

Primicias de una musa, eco apenas apagado de las sensaciones de un corazón abierto a las primeras emociones y a los primeros desengaños, tienen cuanto necesitan para hacerlas amables a los ojos de los que como ellas son jóvenes y gozan y sienten las mismas pasiones y sus veleidades, con alma pronta a comprenderlas en toda su intensidad. Tal es su mérito, y que nos habla de lo siempre eterno y siempre joven, en una nueva forma, bajo un nuevo aspecto y con un encanto 20
original, entre fácil y risueño aunque un tanto malicioso, propio de la manera de ser de su pueblo. Mas aquí ha de hacerse una salvedad; al hablar de cuanto nuevo encierra este libro lo mismo en el fondo que en la forma, claro es que se hace por modo relativo y no

---

14 CO XIV, CO2 pág. 12 los ( ) desengaños.

dando a entender que su autor, se ha abierto una senda desconocida: dícese tan solamente que es nuevo en el país en que ve la luz. Esta limitación en el juicio, en nada le perjudica, porque así y todo, el autor de *Femeninas,* se nos presenta con personalidad propia, ya por lo genial de sus facultades, ya porque le hallamos siempre fiel a su raza y sentimientos que le son propios. 30

Bajo tan importante punto de vista ha de considerársele principalmente. Porque hijo de su tiempo, pero asimismo hijo de Galicia, son en él manifiestas las condiciones especiales de los escritores del país. El sentimiento le domina, conoce la armonía de la prosa que aquí se acostumbra y no es fácil fuera: prosa encadenada, blanda, cadenciosa, llena de luz; prosa por esencia descriptiva y a la cual sólo falta la rima. Y no es esto sólo, sino que conforme con el espíritu ensoñador del celta, despunta los asuntos, no los lleva a sus últimos límites; levanta el velo, no lo descorre del todo, dejando el final —como quien teme abrir heridas demasiado profundas en los corazones doloridos— en una penumbra que permite al lector prolongar su emoción y gozar algo más de lo que el autor indica y deja en lo vago, y el que lee tiene dentro del alma. Es ésta, condición especial que en nuestro amigo deriva de su raza, porque de su tiempo tiene lo que llamamos modernismo, y la nota de color viva, ardiente, sentida, puesta en el lienzo de un solo golpe. En cambio es suya, la frase elegante, armoniosa, un tanto lírica, llena de luz, que se desliza con gracia femenil, serpentina casi, y hace del autor de este libro un prosista que no necesita más que castigar su estilo, para ser un gran prosista. Con todo lo cual, con lo que debe a la sangre y lo que le es personal, harto clara- 40 50

29-30 CO XV, CO2 pág. 13 el autor ( ) se nos.
35 CO2 pág. 13 asimismo, de muy antiguo linaje galaico, son.
52-53 CO2 pág. 14 sentida. ( ) En cambio.
53 CO2 pág. 14 armoniosa, ( ) un tanto.
55-57 CO2 pág. 14 casi. ( ) Con todo.
58-59 CO2 pág. 14 claramente define que.

mente prueba que es de los nuestros. Aunque quisiera ocultarlo no podría. A todos dice que ha nacido bajo el 60 cielo de Galicia. Hijo suyo, criado al pie de unos mares que tienen la eterna placidez de las aguas tranquilas, la refleja toda en sus páginas, donde cree uno percibir, desde el acre perfume de los patrios pinares y de las ondas que los bañan, hasta los blandos rumores de la ribera natal; desde la soledad de las ciudades de provincia, hasta la claridad de los cielos tropicales y las cosas que le son propias.

Esto por lo que se refiere a lo exterior, porque en cuanto a su interior, o sea el alma del libro, no es me- 70 nos nuestro por la manera de tratarlo, y por la gran verdad de los cuadros que lo forman. Aparentemente parecen invención, pero pronto se ve que son realidades. No se necesita mucho para comprender que el autor se limitó a dejar que hablasen su corazón y sus recuerdos, permitiendo que desbordase —en la plenitud de sus años juveniles y de sus horas de pasión— lo que el acaso de la vida hiciera suyo.

Era imposible otra cosa. El ayer está para él tan cercano, que le domina. No tiene más que abrir los labios 80 y éstos balbucean los nombres queridos: los lazos que le unieron a las mujeres amadas y a las que el azar puso en su camino, aún no están rotos del todo. De aquellas cuyo recuerdo dura la vida entera, o de las que apenas dejan impresión en el alma, guarda todavía con el reflejo de la última mirada, la suave presión de los brazos amados. Las que fueron como escollo, y las que igual a la hoja de una rosa se dejaron llevar al soplo de los

---

62-63 CO2 pág. 15 tranquilas, musicalmente la refleja.

64-69 CO XVII desde el ( ) perfume de los patrios pinares y de las ondas que los bañan, hasta los blandos rumores de la ribera natal. ( ) Esto por.

CO2 pág. 15 con el ( ) perfume de los patrios pinares y de las ondas que los bañan, los blandos rumores de la ribera natal. ( ) Esto por.

71-72 CO2 pág. 15 nuestro el humor y el sentimiento lírico de estos relatos. Aparentemente.

77-78 CO XVIII, CO2 pág. 15 que al acaso de.

vientos matinales, siguen teniendo para él los mismos desdenes, o las mismas sonrisas. Diríamos que las sombras invocadas aún no se han desvanecido, y que pueden volver a tomar cuerpo y llenar las horas solitarias que siguen siempre a las horas llenas de pasión de una vida en su comienzo.

Por de pronto y por lo que de sus heroínas nos refiere, las mujeres que recuerda fueron fáciles y crueles. Era necesario que así sucediese, y que resultasen entre amables burguesas y *cocottes* exigentes, con quienes no podía menos de tropezar en los primeros pasos de la vida. Hembras y esfinges, tal nos las describe, y así debieron de aparecer a los ojos del que apenas si sabía del amor, más que lo que va conociendo sucesivamente, y de las mujeres lo que le iban enseñando aquellas con quienes tropezaba. ¡Y el Cielo sabe cuáles, que no son las peores las que la desgracia arroja a la vía pública!

Partiendo de este hecho, se comprende que el autor de FEMENINAS, habiendo reunido sus *documentos humanos* —los lances que nos cuenta y las heroínas que nos presenta— sean lo que se dice producto de la *experimentación,* en la cual va mezclado mucho de lo que él conoce de propio conocimiento y algo también de lo que vio y oyó por el mundo: lo que es suyo y lo que fue de los demás, todo ello animado por los recuerdos de las pasiones sufridas, lo mismo que de los lugares recorridos. En tal manera, que aún fue ayer, como quien dice, cuando la *Condesa de Cela* le despertó pasándole por la cara el suave y tibio manguito, cuando *Tula Varona* le azotó la mejilla con un florete, cuando *Octavia* le hizo ver *por experiencia*, cuán difícilmente llena un hombre solo, el corazón de una mujer, así sea la más enamorada.

¿Cómo extrañarse por lo tanto, de la especie de uni-

---

98 CO XIX y cocotas exigentes.
98-100 CO2 pág. 16 crueles. ( ) Hembras.
104-122 CO2 pág. 16 tropezaba. ( ) ¿Cómo extrañarse.
105-122 CO XX pública! ( ) ¿Cómo extrañarse.

dad de pensamiento y de interés que domina en todo este volumen? Páginas arrancadas al libro de sus *Confesiones* juveniles, un lazo más que estrecho las une y hace iguales. Como si tanto no bastase, es una la misma pasión que anima todos los cuadros; pasión viva, juvenil, un tanto libidinosa —hay que confesarlo—, pero siempre poética tanto en la fábula como en su trama, en la expresión de los afectos del mismo modo que en 130 la armonía de la frase y en la aureola que los envuelve igual que un inmenso nimbo. Aunque no fuese más que por eso FEMENINAS sería un libro moderno, hijo de la hora actual y de las pasiones que asaltan al joven en sus primeros pasos asediando su corazón con ímpetu diario. Sentimental, porque suena a veces como una queja, sabe Dios de qué dolores: romántico, aunque por modo novísimo; y femenino puesto que no nos habla de otra cosa que de los lances a que da lugar el amor de las mujeres y de los afectos que inspiran. Y 140 como ni el más breve espacio ha querido su autor que mediase entre el suceder ayer y el contarlo hoy, de ahí que el relato conserve el calor de las cosas que acaban de pasar a nuestra vista, o dentro de nosotros mismos. Así es patente, en la rapidez de la acción y en los detalles, claros, precisos, movidos.

Diráse que así es forzoso que suceda en composiciones de la índole de las que forman este libro y en las cuales todo debe ser conciso e ir directamente a su fin; pero no es cierto. Los cuentos, tales como hoy se con- 150 ciben y escriben —hijos de la moderna inquietud y también de la escasa atención que el hombre actual quiere poner en semejantes cosas— son rápidos, convulsivos casi: más nervios que sangre y músculos y en los cuales es visible la pretensión de encerrar en breve espacio todo un drama; no valen lo que aparentan

123-124 CO XX, CO2 pág. 17 todo el volumen.
133 CO XXI, CO2 pág. 17 eso, éste sería.
141 CO XXI, CO2 pág. 18 querido el autor.
142 CO2 el suceso de ayer.

sino cuando están escritos por almas agitadas y que apenas tienen tiempo para dar cuerpo a sus sueños, vida a sus creaciones, forma a lo pasajero que acaba de conmoverles. En tal suerte que se equivocaría quien creyese que FEMENINAS, es uno de los infinitos trabajos de su índole, a que sólo la moda actual puede dar importancia. Todo lo contrario. Los que encierra este libro, son como pequeños poemas, breves, alados, llenos de sentimiento; cosas de hombres y mujeres que pasan a cada momento, pero que sólo tienen vida, fuerza y relieve cuando filtran como quien dice a través de un alma de poeta. Por eso no resultan obra del que sigue un feliz ejemplo, sino cosa propia, hijos de un temperamento. Los hubiese escrito así, sin que antes hubiese conocido otros. Son cosa suya, y solamente por sus cortas dimensiones se parecen a los que nos da, con tan desdichada prodigalidad el actual momento literario. En tal manera que en cuestión de cuentos, a pesar de ser tantos y tan distintos los que se conocen, nuestro autor inventó un *nouveau frisson,* como dicen los que más usan y abusan de los cuentos, los franceses, nuestros maestros en éste y demás géneros literarios.

Dicho esto, consignado que el presente libro no es tan sólo un dichoso comienzo y una segura promesa, sino el fruto de una inspiración dueña ya de las condiciones necesarias para alcanzar de golpe un primer puesto en la literatura del país, parece como que nada queda que añadir y que debemos levantar la pluma. Así lo haríamos si nuestro corazón nos lo permitiera. Mas ¿cómo callar en líneas escritas al frente del libro del hijo, la grande, la estrecha amistad que nos unió a

---

161 CO XXII, CO2 pág. 19 que este libro, es.
161-162 CO XXII, CO2 pág. 19 infinitos ( ) de su.
163-164 CO XXIII, CO2 pág. 19 encierran estas páginas, son.
185 CO XXIV, CO2 pág. 20 queda por añadir y que debiera.
186 CO XXIV, CO2 pág. 20 lo haría si mi corazón me lo.
188 CO XXIV, CO2 pág. 20 que me unió.

su padre? ¿Cómo no recordar al escritor y poeta intachable, al alma pura, al íntegro carácter, a aquél que llevó el mismo nombre y apellido que nuestro autor y fue tan digno de la estimación en que le tuvimos siempre y con las que nos correspondía? Aún fue ayer, cuando con el pie en el sepulcro, nos tendió por última vez su mano y hablamos de las cosas que de tanto tiempo atrás nos eran queridas —la patria gallega y la poesía que había encantado sus horas solitarias—. Sabía él que la muerte le había ya tocado con su dedo, mas no por eso se creía del todo desligado de la tierra, que no pensase en su país y no se doliese de los infortunios ajenos; ¡él que los había conocido tan grandes!

Duerme, duerme en paz mi buen amigo; tu hijo sigue la senda que le trazaste con el ejemplo de una vida honrada como pocas. Tu hijo recoge para ti los laureles que pudiste ceñirte y desdeñaste contento con tu dichosa medianía. ¡Si tú pudieras verlo!

Nobleza obliga. El autor de FEMENINAS lo sabe bien. Descendiente de una gloriosa familia, en la cual lo ilustre de la sangre, no fue estorbo, antes acicate que les llevaba a las grandes empresas, tiene un doble deber que cumplir. De antiguo contó su casa grandes capitanes, y notables hombres de ciencia y literatura, gloria y orgullo de esta pobre Galicia. Se necesita, pues, que continúe la no interrumpida tradición, y que como los suyos añada una hoja más de laurel a la corona de la patria. Y yo en nombre de su padre, le digo:

189-190 CO XXIV, CO2 pág. 21 al viejo poeta olvidado, al.

190-193 CO XXIV, CO2 pág. 21 el autor de este libro? Aun fue.

194 CO XXIV, CO2 pág. 21 sepulcro, tendiome por.

205-206 CO XXV, CO2 pág. 22 con tu paz de la aldea ¡Si.

207 CO XXV, CO2 pág. 22 obliga. Y el autor de estas páginas lo.

217 CO XXVI, CO2 pág. 22 de tu padre, te digo.

¡Hijo mío, cumple tus destinos y que las horas que te esperan, te sean propicias!

M. MURGUÍA. [220]

Coruña, noviembre de 1894.

221 CO XXVI carece de fecha. CÕ2 pág. 22 La Coruña, Mayo de 1894.

La Condesa de Cela

«Espérame esta tarde.» No decía más el fragante y blasonado plieguecillo.

Aquiles, de muy buen humor, empezó a pasearse canturreando una jota zarzuelesca, popularizada por todos los organillos de España; luego quedóse repentinamente serio, mientras se atusaba el bigote ante el espejo roto de un gran armario de nogal. ¿Por qué le escribiría ella tan lacónicamente? Hacía algunos días que Aquiles tenía el presentimiento de una gran desgracia; creía haber notado cierta frialdad, cierto retraimiento. Quizá todo ello fuesen figuraciones suyas; pero él no podía vivir tranquilo. 10

Aquiles Calderón, era un muchacho americano, que había salido muy joven de su patria con objeto de estudiar en la Universidad española de Brumosa, donde al cabo de los años mil, continuaba sin haber terminado ninguna carrera. En los primeros tiempos derro-

---

4 una jota... por: CO2 pág. 191 canturreando retazos zarzueleros, popularizados por.

4-5 canturreando...; luego: FIN pág. 26 canturreando ( ), luego.

6-7 serio, ...¿Por qué: CO2 pág. 191 serio. ( ) ¿Por qué le.

11 Quizá: FIN pág. 26 Quizás.

13-14 muchacho... patria con: CO2 pág. 192 muchacho habanero, salido muy joven de su tierra con.

15-16 Universidad..., donde: FIN pág. 26 Universidad de Compostela, donde. CO pág. 174, NC, CO2 pág. 192, FLO pág. 146 Universidad Compostelana ( ). Al cabo.

17 derrochara: HA pág. 59 derrochaba (prob. errata). CO2 pág. 192 había derrochado.

chara como un príncipe, mas parece ser que su familia se arruinara años después en una revolución, y ahora vivía de la gracia de Dios. Pero al verle hacer el tenorio en las esquinas, y pasear las calles desde la mañana hasta la noche requebrando a las niñeras, y pidiéndoles nuevas de sus señoras, nadie adivinaría las torturas a que se hallaba sometido su ingenio de estudiante tronado y calavera que cada mañana y cada noche, tenía que inventar un nuevo arbitrio para poder bandearse. Aquiles Calderón, tenía la alegría desesperada y el gracejo amargo de los artistas bohemios; por lo demás era en todo un simpático muchacho. Su cabeza airosa e inquieta más correspondía al tipo criollo que al español; el pelo era indómito y rizoso; los ojos negrísimos; la tez juvenil y melada; todas las facciones sensuales y movibles; las mejillas con grandes planos, como esos idolillos aztecas tallados en obsidiana. Era hermoso, con hermosura magnífica de cachorro de Terranova; una de esas caras expresivas y morenas que se ven en los muelles, y parecen aculotadas en largas navegaciones trasatlánticas, por regiones de sol. Estaba impaciente, y para distraerse, tamborileaba con los dedos el

---

19 arruinara: CO pág. 175, NC, CO2 pág. 192, FLO pág. 146 arruinó.

20-29 de Dios... simpático muchacho: FIN pág. 26 de Dios. ( ) Aquiles Calderón era un simpático muchacho.

22 pidiéndoles: NC, CO pág. 175, CO2 pág. 192, FLO pág. 146 pidiéndolas.

28-29 bohemios... Su: NC, CO pág. 175, NC, CO2 pág. 193, FLO pág. 147 bohemios: ( ) Su.

34-38 obsidiana... Estaba impaciente: FIN pág. 26 axidiana *(sic)*. ( ) Estaba impaciente.

36-37 expresivas ...y parecen: HA pág. 60 expresivas ( ) y que parecen (prob. errata).

37 aculotadas: CO2 pág. 193 aculadas (prob. errata). Valle usa este galicismo —del francés *culotter* (curar, quemar, ennegrecer)— en «La Niña Chole» y en *Sonata de Estío*.

38 estaba: CO pág. 176, NC, CO2 pág. 193, FLO pág. 147 Está.

39 tamborileaba: CO pág. 176, NC, CO2 pág. 193, FLO pág. 147 tamborilea.

39-40 dedos... cristales: CO2 pág. 193 dedos ( ) en los cristales.

himno mexicano, en los cristales de la ventana que le 40
servía de atalaya. De pronto enderezóse examinando con avidez la calle, arrojó el cigarro y fue a echarse sobre el sofá aparentando dormir.

Tardó poco en oírse el roce de una cola de seda desplegada en el corredor. Pulsaron desde fuera ligeramente y no contestó. Entonces la puerta se abrió apenas, y una cabecita de mujer, de esas cabezas rubias y delicadas en que hace luz y sombra el velillo moteado de un sombrero, asomó sonriendo, escudriñando el interior con alegres ojos de pajarillo parlero. Juzgó 50
dormido al estudiante, y acercósele andando de puntillas, mordiéndose los labios de risa.

—¡Así se espera a una señora, borricote!

Y le pasó la piel del manguito por la cara, con tan fino, tan intenso cosquilleo que le obligó a levantarse riendo nerviosamente. Entonces la gentil visitante sentósele con estudiada monería en las rodillas, y em-

---

41 servía: CO pág. 176, NC, CO2 pág. 193, FLO pág. 147 sirve.

41 enderezóse: CO pág. 176, NC, CO2 pág. 194, FLO pág. 147 se endereza.

42 arrojó: CO pág. 176, NC, CO2 pág. 194, FLO pág. 147 arroja.

42 fue a echarse: CO p. 176, NC, CO2 pág. 194, FLO pág. 147 va a echarse.

43 el sofá: FIN pág. 26 el diván.

44 oírse... desplegada: CO2 pág. 194 oírse menudo taconeo y el roce sedeño de una cola desplegada.

46 y no contestó: CO pág. 176, NC, FLO pág. 147 y el estudiante no contesta. Entonces. CO2 pág. 194 y el estudiante no contestó. Entonces.

46 se abrió: CO pág. 177, NC, FLO pág. 147 se abre. CO2 pág. 194 abrióse.

47 cabecita: CO pág. 177, NC, CO2 pág. 194, FLO pág. 147 cabeza.

47 mujer, de ésas: FIN pág. 26 mujer, una de ésas.

49 asomó: CO pág. 177, NC, CO2 pág. 194, FLO pág. 147 asoma.

52-53 los labios de risa. / ¡Así: CO2 pág. 194 los labios ( ). / ¡Así.

56-60 nerviosamente... / ¡Conque: FIN pág. 27 nerviosamente. ( ) ¡Conque.

pezó a atusarle con sus lindos dedos, las guías del bigote juvenil y fanfarrón.

—¡Conque no ha recibido mi epístola el señor don Aquiles! 60

—¡Cómo no! ¡Pues si te esperaba!

—¡Durmiendo! ¡Ay, hijo, lo que va de tiempos!... Mira tú, yo también me había olvidado de venir, me acordé en la catedral.

—¿Rezando?

—Sí, rezando; me tentó el diablo.

Hizo un mohín; y con arrumacos de gatita mimada, se levantó de las rodillas del estudiante.

—¡Carambola! No tienes más que huesos; la atraviesas a una. 70

—Es raro: con esa balumba de cosas que traes encima, no debía pasarte un cañón.

—Cállate, embustero; bien sabes que todo es mío; antes yo no necesito...

Hablaba colocada delante del espejo, ahuecándose los pliegues de la falda.

—Ven acá, galante: quítame el sombrero, y colócalo ahí donde no se manche, porque aquí hay polvo de cien años. 80

Aquiles acercóse con aquella dejadez de perdido, que él exageraba un poco, y le desató las bridas de la capotita de terciopelo verde, anudadas graciosamente

---

60-61 el señor don Aquiles: CO pág. 177, NC, CO2 pág. 195, FLO pág. 147 el poderoso Aquiles.

67-76 el diablo / ...Hablaba colocada: FIN pág. 27 el diablo / ( ) Hablaba colocada.

68 gatita mimada: CO pág. 178, NC, CO2 pág. 195, FLO pág. 147, gata mimada.

70 Carambola: CO pág. 178, NC, CO2 pág. 195, FLO pág. 148 Caramba.

71-76 Una... Hablaba: CO pág. 178, NC, CO2 pág. 195, FLO pág. 148 una. ( ) / Hablaba.

77-81 falda... / Aquiles: CO pág. 178, NC, CO2 pág. 196, FLO pág. 148 falda. / ( ) Aquiles.

83 capotita: CO pág. 178, NC, CO2 pág. 196, FLO pág. 148 capota.

bajo la barbeta de escultura clásica, pulida, redonda y hasta un poco fría como el mármol. La otra, siempre sonriendo, levantó la faz, y juntando los labios, rojos y apetecibles como las primeras cerezas, alzóse en la punta de los pies.

—Bese usted, caballero.

El estudiante besó, con un beso largo, sensual y alegre, como prenda de amorosa juventud. 90

Era por demás extraño el contraste que hacían la condesa y el estudiante. Ella llena de gracia, vestida con natural sencillez; trascendiendo de sus cabellos rubios, y de su carne fresca y rosada como manzana sanjuanera, grato y voluptuoso olor de esencias elegantes; deshilachando con esa inconsciencia de las damas ricas los encajes de un pañolito de batista; Aquiles envuelto en un gabancillo blanquizco, que se caía de puro viejo; las manos hundidas en los bolsillos; y la colilla adherida al labio como molusco. Lo tronado de su pergeño; la expresión ensoñadora de sus ojos; y el ne- 100

85-92 mármol... Era por: FIN pág. 27 mármol. ( ) Era por.

86 la faz: CO pág. 179, NC, CO2 pág. 196, FLO pág. 148 la cara.

90-91 alegre, como prenda: CO2 pág. 196 alegre, prenda de.

92-93 la condesa: CO2 pág. 197, FIN pág. 27 la dama.

93-94 gracia... trascendiendo: CO pág. 179, NC, CO2 pág. 196, FLO pág. 148 gracia, ( ) trascendiendo.

95-96 rosada... grato: CO2 pág. 197 rosada ( ) grato.

96-98 elegantes; ...Aquiles: CO2 pág. 197 elegantes; deshilachaba ( ) los encajes; Aquiles.

97 deshilachando: CO pág. 179, NC, FLO pág. 148 deshilachaba.

98-101 Aquiles... como molusco: CO pág. 180, NC, FLO pág. 148 Aquiles fumaba, con las manos hundidas en los bolsillos y la colilla adherida al labio como un molusco. CO2 pág. 197 Aquiles sonreía protector, con las manos hundidas en los bolsillos y la colilla adherida al labio, como un molusco.

99 blanquizco: FIN pág. 27 banquizco *(sic)*. Sin duda una errata. HP pág. 20 blancuzco.

101 como molusco: FIN pág. 27 como un molusco.

102-103 ojos, ...dábanle: FIN pág. 27 ojos, y el rizado cabello, dábanle.

gro y luengo cabello, que peinaba en trova, dábanle gran semejanza con aquellos artistas apasionados y bohemios de la generación romántica. Pero en Brumosa nadie paraba mientes en contraste tal. Del mismo jaez habían sido todos los amores de la condesa de Cela. ¡La pobre Julia tenía la cabeza a componer y un corazón de cofradía! Antes que con aquel estudiante diera mucho que hablar con el hermano de su doncella; un muchachote tosco y encogido, que acababa de ordenarse de misa, y era la más rara visión de clérigo que pudo salir de seminario alguno. Había que verle, con el manteo a media pierna; la sotana verdosa enredándosele al andar; los zapatos claveteados; el sombrero de canal metido hasta las orejas; sentándose en el borde de las sillas; caminando a grandes trancos con movimiento desmañado y torpe. Y sin embargo la condesa le había amado algún tiempo, con ese amor curioso y ávido que inspiran a ciertas mujeres las jóvenes cabezas tonsuradas. No podían, pues, causar extrañeza sus relaciones con Aquiles Calderón, las cuales, sin tener larga fecha, habían comenzado en los tiempos prósperos del joven. Más tarde, cuando llegaron los días sin

---

103 y luengo... dábanle: CO pág. 180, NC, CO2 pág. 198, FLO pág. 148 y rizado cabello, siempre más revuelto que peinado dábanle.

105 Brumosa: CO pág. 180, NC, FLO pág. 148 la devota Compostela.

105-106 romántica... Del mismo: FIN pág. 27 romántica. A decir verdad nadie paraba mientes en aquel contraste del galán y la dama, aun cuando no eran un secreto sus amores. Del mismo.

105-108 romántica... tenía la cabeza: CO2 pág. 198 romántica ( ) ¡La Condesa de Cela tenía la cabeza.

109-123 cofradía... sin tener larga: FIN pág. 27 cofradía. Por lo demás, sus relaciones con Aquiles Calderón, sin tener larga.

109 diera: CO pág. 180, NC, CO2 pág. 198, FLO pág. 148 dio.

111 muchachote: HP pág. 21, CO pág. 180, NC, CO2 pág. 198, FLO pág. 148 muchacho.

114 enredándosele: CO2 pág. 199 enredándose.

116-117 orejas; ...caminando: HA pág. 63 orejas; ( ) caminando.

122 Calderón... sin tener: HA pág. 63, CO pág. 181, NC, CO2 pág. 199, FLO pág. 149 Calderón. ( ) Sin tener.

124 del joven. Más: CO2 pág. 199 del estudiante. Más. CO pág. 181, NC, FLO pág. 149 del estudiante americano. Más.

sol, Aquiles, que era muy orgulloso, quiso terminarlas bruscamente, pero la condesa se opuso; lloró abrazada a él, jurando que tal desgracia los unía con nuevo lazo más fuerte que ningún otro. Durante algún tiempo, tomó ella en serio su papel. A pesar de ser casada creía haber recibido de Dios la dulce misión de consolar al 130 estudiante. Entonces hizo muchas locuras y dio que hablar a toda Brumosa, pero se cansó pronto.

Traveseando como chicuela aturdida, rodea la cintura de su amante, y le obliga a dar una vuelta de vals por la sala. Sin soltarse, se dejan caer sobre el sofá: Aquiles, haciéndose el sentimental, empieza a reprocharle sus largas ausencias que ni aun tienen la disculpa de querer guardar el secreto de aquellos amores. ¡Ay, eran veleidades de coqueta únicamente! Ella se había encasquetado un fez argelino que estaba sobre el 140 sofá, y sonríe como mujer de carácter plácido que entiende la vida y sabe tomar las cosas cual se debe.

---

125 Aquiles que era: CO pág. 181, NC, CO2 pág. 199, FLO pág. 149 Aquiles como era.

129 tomó ella en serio: FLO pág. 149 tomó ( ) en serio.

129 papel... creía: FIN pág. 27 papel: ( ) creía.

130-131 al estudiante. Entonces: CO2 pág. 199 al estudiante habanero. Entonces.

131-136 estudiante... Aquiles, haciéndose: FIN pág. 27 estudiante. ( ) Aquiles haciéndose.

132 Brumosa: CO pág. 182, NC, CO2 pág. 199, FLO pág. 149 la ciudad.

132-133 cansó pronto... traveseando: CO2 pág. 200 cansó pronto. Lo que decía el señor Deán: ¡Muy buena! Madera de santa. Solamente un poco aturdida. Traveseando.

139 veleidades de coqueta únicamente: CO pág. 183, NC, CO2 pág. 201, FLO pág. 149 veleidades ( ) únicamente.

139-157 de coqueta... que bastante disgustada: FIN pág. 27 de coqueta. La Condesa suspira: ¡No me hables así! Comprende que bastante disgustada.

139-141 Ella se había... y sonríe como mujer: CO pág. 183, NC, CO2 pág. 200, FLO pág. 149 Ella sonríe, ( ) como mujer.

141 sofá, y sonríe: HA pág. 65 sofá, ( ) sonríe.

Aquiles, habla y se queja con simulada frialdad; con ese acento extraño de los enamorados que sienten muy honda la pasión y procuran ocultarla como vergonzosa laceria; resabio casi siempre de toda infancia pobre de caricias, amargada por una sensibilidad exquisita, que es la más funesta de las precocidades. La condesa le escucha distraída, ajustándose el gorro, poniéndoselo unas veces de frente, otras de soslayo, sin estarse 150 quieta jamás; por último, cansada de oírle se levanta, y comienza a pasearse por la sala con las manos cruzadas a la espalda y el aire de colegial aburrido. Aquiles se indigna: ¡para eso, sólo para eso se ha pasado toda la tarde esperándola! Ella se vuelve sonriente.

—¡Y acaso yo he venido a oírte sermonear! No comprendes que bastante disgustada estoy...

—¡Tú!

—Sí, yo: que siento las penas de los dos; las tuyas y las mías... Pero como me ves amable y risueña con 160 todo el mundo, te figuras... y lo mismo que tú los demás...

Deja de hablar, contrariada por la sonrisa incrédula de su amante; luego clavando en él los ojos claros, y un poco descaradillos como toda su persona, añade irónicamente:

—Desengáñate, rapaz, las apariencias engañan mucho. ¿Quién viéndote a ti podrá sospechar ni remotamente las penurias que pasas?

—Pues hija, el que tenga ojos. Esta vitola no creo 170 que pueda engañar a nadie.

149-150 distraída... de frente: CO pág. 183, NC, CO2 pág. 201, FLO pág. 149 distraída, mirándole unas veces de frente.

155 Ella se vuelve sonriente: CO pág. 183, NC, CO2 pág. 201, FLO pág. 149 Ella sonríe.

160-163 las mías... Deja de hablar: CO2 pág. 210 las mías ( ) / Deja de hablar.

161-163 demás... / Deja de: FIN pág. 27 demás... / Repentinamente deja de.

164-188 amante... Y saca un: FIN pág. 27 amante, ( ) y saca un.

167 Desengáñate, rapaz, las: CO2 pág. 202 Desengáñate, ( ) las.

169-172 pasas?... Aunque: CO2 pág. 202 pasas? / ( ) Aunque.

Aunque herido en su orgullo, el bohemio sonríe atusándose el bigote, mostrando los dientes blancos como los de un negro. La condesa ríe también.

—¡Cállate, sinvergüenza! ¡La verdad, yo no sé cómo he podido quererte, porque eres feo, feo, feo!...

Y semejante a *Flirt*, su lindo galguillo inglés, muerde jugueteando una de las manos del estudiante, mano de hombre, fina, morena, y varonilmente velluda. De (180) pronto se levanta exclamando:

—¿Y mi manguito?

Búscanle por todos los rincones sin resultado, hasta que Aquiles da con él bajo una silla cargada de libros; quiere limpiarlo, y la condesa se lo arrebata de las manos.

—Trae, trae. Aquí tienes lo que me ha hecho venir.

Y saca un papel doblado de entre el tibio y perfumado aforro de la piel.

—¿Qué es ello? (190)

—Una carta evangélica; carta de mi marido. Dice que perdona con tal de no dar escándalo al mundo y mal ejemplo a nuestros hijos.

Por el tono de la condesa es difícil saber qué impresión le ha causado la carta. Aquiles, sin dejar de atusarse el bigote, hacía rodar sus negras y brillantes pupilas de criollo.

174-178 ríe también... lindo: CO2 pág. 202 ríe tambien, y, semejante a su lindo.

178 y semejante a Flirt, su lindo: CO pág. 185, NC, FLO pág. 150 y semejante a su lindo.

182-184 manguito?... Aquiles: CO pág. 185, NC, CO2 pág. 202, FLO pág. 150 manguito? / ( ) Aquiles.

183 Búscanle: HP pág. 23 Búscanlo.

184-185 libros... y la condesa: CO2 pág. 202 libros. ( ) La Condesa.

188-190 perfumado aforro... ¿Qué es: FIN pág. 27 perfumado forro de la piel: Aquí tienes lo que me ha hecho venir. / ¿Qué es.

191-192 marido. Dice que perdona con tal: CO pág. 186, NC, CO2 pág. 203, FLO pág. 150 marido. Me ofrece su perdón con tal.

196 hacía rodar: CO pág. 186, NC, CO2 pág. 203, FLO pág. 150 hace rodar.

—Pues decididamente, Julia, tu marido no morirá atorado.

—¿Por qué? 200

—Phs..., porque se tiene las grandes tragaderas.

Y ríe, con aquella risa silbada que rebosa amarga burlería. La condesa, un poco colorada, hace dobleces al papel. El estudiante, aparentando indiferencia, pregunta:

—¿Y bien, tú que has resuelto?

—Ya sabes que yo no tengo voluntad. Consulté con mi hermano Jacobo y dice que debo...

—¿Pero bueno, tú?

La actitud de Aquiles es tranquila; el gesto entre 210 irónico y desdeñoso; pero la voz, lo que es la voz, tiembla un poco. A todo esto, la condesa baja la cabeza y parece dudosa.

Allá en su hogar todo la insta a romper; las amonestaciones de su madre, el amor de los hijos, y, sin que ella se dé cuenta, ciertos recuerdos de la vida conyugal, que tras dos años de separación, la arrastran otra vez hacia su marido, un buen mozo que la hiciera feliz en los albores del noviazgo. Y sin embargo, duda. Siente

---

196-203 el bigote... La condesa un: FIN pág. 27 el bigote, ( ) sonríe fríamente. La Condesa, un.

197-202 de criollo... Y ríe: CO pág. 186, NC, CO2 pág. 203, FLO pág. 150 de criollo. ( ) Y ríe.

206 ¿Y bien, tú qué has: CO pág. 186, NC, FLO pág. 150 ¿( ) Tú qué has.

207-210 voluntad... La actitud: CO pág. 186, NC, CO2 pág. 204, FLO pág. 150 voluntad. Mi familia me obliga y dice que debo... / .—¡Qué gran institución es la familia! / La actitud.

207-208 Consulté ...y dice: FIN pág. 27 Consulté con mi confesor y dice.

212 poco..., la condesa baja: CO2 pág. 205 poco. ( ) La Condesa baja.

218 hiciera feliz: CO pág. 187, NC, CO2 pág. 205, FLO pág. 150 hizo feliz.

219-241 noviazgo... No diera nunca: FIN pág. 27 noviazgo. ( ) No diera nunca.

su ánimo y su resolución flaquear en presencia del pobre muchacho que tan enamorado se muestra. Pero si a un momento duélese de abandonarle, y como mujer le compadece, a otro momento hácese cargos a sí misma, pensando que es realmente absurdo sentirse conmovida y arrastrada hacia aquel bohemio, precisamente cuando va a reunirse con el conde. Piensa que si es débil, y no se decide a romper de una vez, hallaráse más que nunca ligada a Aquiles, sujeta a sus tiranías, y expuesta a sus atolondramientos. Y entonces el único afán de la condesa es dejar al estudiante en la vaga creencia de que sus amores se interrumpen pero no acaban. Obra así llevada de cierta señoril repugnancia que siente por todos los sentimentalismos ruidosos, los cuales juzgaba siempre plebeyos; y su instinto de coqueta, no le muestra mejor camino para huir la dolorosa explicación que presiente. Ella no aventura nada: apenas llegue su marido, iráse a Madrid, pues el conde aborrece la provincia, y al volver por Brumosa, después de seis o siete meses, quizá de un año, Aquiles Calderón, si aún no ha olvidado, lo aparentará al menos.

No diera nunca la condesa gran importancia a los negocios del corazón. Desde mucho antes de los quin-

---

220-221 del... Pero: CO2 pág. 206 del estudiante. Pero.
223 hacerse cargos: CO pág. 188, NC, CO2 pág. 206, FLO pág. 151 se hace cargos.
226 el conde: CO2 pág. 206 el marido.
226 Piensa: CO pág. 188, CO2 pág. 206, NC, FLO pág. 151 Calcula.
227 y no sé: HA pág. 68 si no sé.
228-229 ligada a... Y entonces: CO2 pág. 206 ligada ( ). Y entonces.
230 la condesa: CO2 pág. 206 la pizpireta.
233-234 ruidosos, ...; y su: CO pág. 188, NC, CO2 pág. 206, FLO pág. 151 ruidosos ( ); y su.
237-239 marido... quizá de un año: CO pág. 188, NC, CO2 pág. 207, FLO pág. 151 marido, dejará la vieja ciudad, y al volver tras larga ausencia, quizá de un año.
241 diera: CO2 pág. 207 había dado.
242 negocios del corazón: CO pág. 189, NC, CO2 pág. 207, FLO pág. 151 equinoccios del corazón.

ce años comenzara la dinastía de sus novios que eran destronados a los ocho días, sin lágrimas ni suspiros, verdaderos novios de quita y pon. Aquella cabecita rubia, aborrecía la tristeza, con un epicureísmo gracioso y distinguido que apenas se cuidaba de ocultar. No quería que las lágrimas borrasen la pintada sombra de los ojos. Era el egoísmo pagano de una naturaleza femenina y poco cristiana que se abroquela contra las 250 negras tristezas de la vida. Momentos antes, mientras subía los ochenta escalones del cuarto de Aquiles, no podía menos de cavilar en lo que ella llamaba «la rotura de la vajilla». Conforme iba haciéndose vieja, aborrecía estas escenas, tanto como las había amado en otro tiempo. Tenía raro placer en conservar la amistad de sus amantes antiguos, y guardarles un rinconcito en el corazón. No lo hacía por miedo ni coquetería, sino por gustar el calor singular de estas afecciones de seducción extraña, cuyo origen vedado la encantaba, y en torno de las cuales percibía algo de la galantería ín- 260 tima y familiar, de aquellos linajudos provincianos, que aún alcanzara a conocer de niña. La condesa aspiraba todas las noches en su tertulia, al lado de algún ex

---

243 comenzara: CO pág. 189, NC, CO2 pág. 207, FLO pág. 151 comenzó.

246 epicureísmo: En la edición de 1895 reza «epicurismo» *(sic)*. Únicamente en *Flores de almendro* pág. 151 reza «epicureísmo».

249-269 de los ojos... en aquel momento: FIN pág. 28 de los ojos. ( ) En aquel momento.

250 y poco cristiana: HP pág. 25 y un poco cristiana.

252 los ochenta escalones: CO2 pág. 208 los derrengados escalones.

253-254 llamaba la rotura de la vajilla. Conforme: CO pág. 190, NC, CO2 pág. 208, FLO pág. 151 llamaba la despedida de las locuras. Conforme.

257 un rinconcito: CO pág. 190, NC, CO2 pág. 208, FLO pág. 152 un lugar.

258 ni coquetería: HP pág. 26, CO pág. 190, NC, CO2 pág. 208 ni por coquetería.

259 estas afecciones: CO pág. 190, HP pág. 26, NC, CO2 pág. 208, FLO pág. 152 esas afecciones.

263-265 ex adorador: CO pág. 190, NC, CO2 pág. 208, FLO pág. 152 antiguo adorador.

adorador que había envejecido mucho más aprisa que ella, este perfume lejano y suave, como el que exhalan las flores secas —reliquias de amoroso devaneo, conservadas largos años entre las páginas de algún libro de versos—. Y sin embargo, en aquel momento supremo, cuando un nuevo amante caía en la fosa, no se vio libre de ese sentimiento femenino, que trueca la caricia en arañazo; esa crueldad, de que aun las mujeres más piadosas suelen dar muestra en los rompimientos amorosos. Fruncido el arco de su lindo ceño; contemplando las uñas rosadas y menudas de su mano, dejó caer lentamente estas palabras: 270

—No te incomodes, Aquiles: considera que a la pobre mamá le doy un verdadero alegrón: yo tampoco he dicho que a ti no te quiera; la prueba está en que he venido a consultarte; pero partiendo de mi marido la insinuación, no hay ya ningún motivo de delicadeza que me impida... ¿A ti qué te parece? 280

Aquiles, que en ocasiones llegaba a grandes extremos de violencia, se levantó pálido y trémulo, la voz embargada por la cólera.

—¿Qué me parece a mí? ¡A mí! ¡A mí! ¿Y me lo preguntas? ¡Eso es propio de una mujerzuela!

La condesa humilló la frente con sumisión de mártir enamorada.

---

272 arañazo: FIN pág. 28 arañazos.

274 fruncido: FIN pág. 28 frunciendo.

277-278 a la pobre...: yo: CO pág. 191, NC, CO2 pág. 209, FLO pág. 152 a mi pobre madre le doy, acaso, su última alegría: yo.

279-280 en que he venido a: CO pág. 191, NC, CO2 pág. 209, FLO pág. 152 en que vengo a.

280-281 la insinuación: FIN pág. 28 la indicación.

284-288 trémulo... La condesa: FIN pág. 28 trémulo: ( ) Me parece perfectamente digno de ti. / La Condesa.

287 Eso es propio de una mujerzuela. / La: CO pág. 192, NC, CO2 pág. 210, FLO pág. 152 Eso, sólo debes consultarlo con tu madre. Ella puede aconsejarte. / La.

288-290 mártir enamorada / .—Ahora: FIN pág. 28 mártir ( ) / .—Ahora.

—¡Ahora, insúltame, Aquiles! 290
—Todavía no te digo lo que mereces. ¿Qué has pensado que era yo?

El estudiante estaba hermoso. Los ojos vibrantes de despecho; la mejilla pálida; la ojera ahondada; el cabello revuelto sobre la frente, que una vena abultada y negra, dividía a modo de tizne satánico.

Aquiles Calderón, que era un poco loco, sentía por la condesa esa pasión vehemente, con resabios grandes de animalidad, que experimentan los hombres fuertes, las naturalezas primitivas cuando llegan a amar; pa- 300 sión combinada en el bohemio con otro sentimiento muy sutil, de sensualismo psíquico satisfecho. La satisfacción de las naturalezas finas condenadas a vivir entre la plebe, y conocer únicamente hembras de germanía, cuando, por acaso, la buena suerte les depara una dama de honradez relativa. El bohemio había tenido esta rara fortuna. La condesa de Cela, aunque liviana, era una señora; tenía viveza de ingenio; y sentía el amor en los nervios, y un poco también en el alma.

Hela allí, la cabeza obstinadamente baja, y el labio 310 inferior entre los dientes. La condesa juega con una de sus pulseras y parece dudosa entre hablar o callarse.

290-293 Aquiles... El estudiante: FIN pág. 28, CO pág. 192, NC, CO2 pág. 210, FLO pág. 152 Aquiles! ( ) / El estudiante.

291 lo que mereces: HP pág. 27 lo que te mereces.

296-312 tizne satánico... pulseras: FIN pág. 28 tizne satánico ( ). La Condesa juega con sus pulseras.

300-301 primitivas... en el bohemio: CO pág. 193, NC, CO2 pág. 211, FLO pág. 153 primitivas, cuando llevan el hierro del amor clavado en la carne... Y la pasión se juntaba en el bohemio.

302 sutil, ...la satisfacción: CO2 pág. 211 sutil ( ), la satisfacción.

305 cuando, por acaso, la buena: CO2 pág. 211 cuando ( ) la buena.

307 La... aunque: CO2 pág. 211 La Condesa ( ), aunque.

309-311 alma... La condesa: CO pág. 194, NC, CO2 pág. 213, FLO pág. 153 alma ( ). / La Condesa.

312 parece dudosa: HA pág. 75 parece dudar.

312-325 o callarse... ¿Has hecho: FIN pág. 28 o callarse. Al fin, se decidió, preguntando en voz muy dulce; ¿Has hecho.

No pasan inadvertidas para Aquiles vacilaciones tales, pero guárdase bien de hacerle ninguna pregunta. Su vidriosa susceptibilidad de pobre le impide ser el primero en hablar. Nada, nada que sea humillante. ¡Aquel bohemio que debe dinero a toda Brumosa, sin pensar nunca en pagarlo; aquel gran arrancado hecho a batirse con todo linaje de usureros, y a implorar plazos y más plazos a trueque de humillaciones sin cuento, considera harto vergonzoso, implorar de la condesa un poco de amor! 320

Ella, más débil o más artera, fue quien primero rompió el silencio, preguntando en muy dulce voz:

—¿Has hecho lo que te pedí, Aquiles? ¿Tienes aquí mis cartas?

Aquiles la miró con dureza, sin dignarse responder; pero como su amiga siguiese interrogándole con la actitud y con el gesto, gritó sin poder contenerse:

—¡Donosa ocurrencia! ¿Pues dónde había de tenerlas? 330

La condesa enderézase en su asiento, ofendida por el tono del estudiante: por un momento pareció que iba a replicar con igual altanería; pero en vez de esto, sonríe echando la cabeza sobre el hombro, en una actitud llena de gracia. Así, medio de soslayo, estúvose

---

317-318 Aquel bohemio... pensar nunca: CO pág. 194, NC, CO2 pág. 213, FLO pág. 153 Aquel estudiante sin libros, que debe dinero sin pensar nunca.

318 aquel gran arrancado: CO pág. 194, NC, CO2 pág. 213, FLO pág. 153 aquel bohemio.

327-348 sin dignarse responder... abrió el cajón: FIN pág. 28 sin ( ) responder. ( ) Se levanto, abrió el cajón.

328 como su amiga: CO pág. 195, NC, CO2 pág. 214, FLO pág. 153 como ella.

330 —¡Donosa ocurrencia! Pues: CO pág. 195, NC, CO2 pág. 214, FLO pág. 153 .—( ) ¡Pues.

332 enderézase: FLO pág. 153 enderezóse.

335 echando: CO pág. 195, NC, CO2 pág. 215, FLO pág. 153 doblando.

336 llena de gracia: En la edición de 1895 reza «lleno (*sic*) de gracia». Es evidentemente una errata que aparece corregida en CO pág. 195, HP pág. 28, HA pág. 76 y en FLO pág. 153.

buen rato contemplando al bohemio, guiñados los ojos, y derramada por todas las facciones una expresión de finísima picardía.

—Pues mira, Aquiles, no debías incomodarte. 340

Hizo una pausa muy intencionada; y sin dejar de dar a la voz inflexiones dulces añadió:

—Bien podían estar mis cartas en Peñaranda. ¡Nada tendría de particular! Vamos a ver, ¿en dónde están el reloj y las sortijas? Si el día menos pensado vas a ser capaz de citarme en el Monte de Piedad. Pero yo no iré, ¡quiá!; correría el peligro de quedarme allí.

Aquiles tuvo el buen gusto de no contestar: abrió el cajón de una cómoda, y sacó varios manojos de cartas atados con listones de seda. Estaba tan emocionado 350 que sus manos temblaban al desatarlos; hizo entre los dedos un ovillo con aquellos cintajos, y los tiró lejos a un rincón.

—Aquí tienes.

La condesa se acercó un poco conmovida.

—Debías ser más razonable, Aquiles; en la vida hay exigencias a las cuales es preciso doblegarse. Yo no quisiera que concluyéramos así; esperaba que fuésemos siempre buenos amigos; me hacía la ilusión de que aun cuando esto acabase... 360

Se enjugó una lágrima, y en voz mucho más baja añadió:

—¡Hay tantas cosas que no es posible olvidar!

Calló, esperando en vano alguna respuesta: Aquiles, no tuvo para ella, ni una mirada, ni una palabra, ni un gesto.

La condesa se quitó los guantes muy lentamente, y

---

340 —Pues mira, Aquiles, no debías: CO pág. 196, NC, CO2 pág. 215, FLO pág. 153 .—( ) Aquiles, no debías.

344 particular... ¿en dónde: CO pág. 196, NC, CO2 pág. 215, FLO pág. 154 particular. ( ) ¿En dónde.

347 iré, ¡quiá!; correría: CO pág. 196, NC, CO2 pág. 215, FLO pág. 154 iré ( ). Correría.

358 concluyéramos: FIN pág. 28 concluyésemos.

364 alguna respuesta: FIN pág. 28 una respuesta.

comenzó a repasar las cartas que su amante había conservado en los sobres con religioso cuidado. Después de un momento, sin levantar los ojos, y con visible esfuerzo llegó a decir: 370

—Yo a quien quiero es a ti, y nunca, nunca, te abandonaría por otro hombre; pero cuando una mujer es madre, preciso es que sepa sacrificarse por sus hijos. El reunirme con mi marido, era una cosa que tenía que ser. Yo no me atrevía a decírtelo; te hacía indicaciones, y me desesperaba al ver que no me comprendías... Hoy mi madre lo sabe todo, ¿voy a dejarla morir de pena?

Cada palabra de la condesa era una nueva herida 380 que inferían al pobre amante aquellos labios adorados, pero ¡ay! tan imprudentes; llenos de dulzuras para el placer, hojas de rosa al besar la carne, y amargos como la hiel, duros y fríos como los de una estatua, para aquel triste corazón, tan lleno de neblinas delicadas y poéticas. Habíase ella aproximado a la lumbre, y quemaba las cartas una a una, con gran lentitud, viéndolas retorcerse en el fuego, cual si aquellos renglones de letra desigual y felina, apretados de palabras expresivas, ardorosas, palpitantes, que prometían amor eterno, 390 fuesen capaces de sentir dolor. Con cierta melancolía vaga, inconsciente, parecida a la que produce el atardecer del día, observaba cómo algunas chispas, brillantes y tenues, cual esas lucecitas que en las leyendas místicas son ánimas en pena, iban a posarse en el pelo

---

374-378 por sus hijos... mi madre: FIN pág. 29 por sus hijos. ( ) Además, mi madre.

379-389 de pena?... aproximado: FIN pág. 29 de pena? / . ( ) Habíase aproximado.

383 hojas de rosa: CO pág. 199, NC, HP pág. 30, FLO pág. 155 hojas de rosas.

386 a la lumbre, y: CO2 pág. 218 a la lumbre del brasero, y.

388 retorcerse en el fuego, cual: CO2 pág. 218 retorcerse ( ), cual.

388 fuego, cual si aquellos: FIN pág. 29 fuego, como si aquellos.

390 ardorosas: FIN pág. 29 amorosas.

394 cual esas: FIN pág. 29 como esas.

del estudiante, donde tardaban un momento en apagarse. Consideraba, con algo de remordimiento, que nunca debiera haber quemado las cartas en presencia del pobre muchacho, que tan apenado se mostraba. ¿Pero qué hacer? ¿Cómo volver con ellas a su casa, al lado de su madre, que esperaba ansiosa el término de entrevista tal? Parecíale que aquellos plieguecillos perfumados como el cuerpo de una mujer galante, mancharían la pureza de la achacosa viejecita, cual si fuese una virgen de quince años. 400

Aquiles, mudo, insensible a todo, miraba fijamente ante sí con ojos extraviados. Y allá en el fondo de las pupilas cargadas de tristeza, bailaban alegremente las llamitas de oro, que, poco a poco, iban consumiendo el único tesoro del bohemio. La condesa, se enjugó los ojos; y afanosa por ahogar los latidos de su corazón de mujer compasiva, arrojó de una vez todas las cartas al fuego. 410

Aquiles se levantó temblando.

—¿Por qué me las arrebatas? ¡Déjame siquiera algo que te recuerde!

Su rostro tenía en aquel instante una expresión de sufrimiento aterradora. Los ojos se conservaban secos, pero el labio temblaba bajo el retorcido bigotejo como el de un niño que va a estallar en sollozos. Desatalentado, loco, sacó del fuego las cartas, que levantaron una llama triste en medio de la vaga oscuridad que empezaba a invadir la sala. 420

La condesa lanzó un grito:

396-406 en apagarse... Aquiles mudo: FIN pág. 29 en apagarse. ( ) Aquiles mudo.

401 el término: CO2 pág. 219 al término.

401-402 de entrevista tal: HP pág. 31 de aquella entrevista tal.

406-407 fijamente ante sí con: FIN pág. 29 fijamente ( ) con.

407 con ojos extraviados: HP pág. 31 con los ojos extraviados.

416-444 te recuerde... La condesa: FIN pág. 29 te recuerde. ( ) La Condesa.

420 Desatalentado: CO2 pág. 222 Desalentado.

—¡Ay! ¿Te habrás quemado? ¡Dios mío, qué locura!

Y le examinaba las manos sin dejar de repetir.

—¡Qué locura! ¡Qué locura!

Aquiles, cada vez más sombrío, inclinóse para recoger las cartas, que, caídas a los pies de la dama se habían salvado del fuego. Ella le miró hacer, muy pálida y con los ojos húmedos. La inesperada resistencia del estudiante, todavía más adivinada que sentida, conmovíala hondamente; faltábale valor para abrir aquella herida, para producir aquel dolor desconocido. Su egoísmo falto de resolución, sumíala en graves vacilaciones sin dejarla ser cruel ni generosa. Apoyada en la chimenea retorciendo una punta del pañolito de encajes, murmuró en voz afectuosa y conciliadora: 430

—Yo te dejaría esas cartas... Sí, te las dejaría... Pero ¡ay! reflexiona de cuántos disgustos pueden ser origen si se pierden. ¿Dime, dime tú mismo si no es una locura? 440

La condesa no ponía en duda la caballerosidad de Aquiles, ¡muy lejos de eso! Pero tampoco podía menos de reconocer que era una cabeza sin atadero; un verdadero bohemio. ¿Cuántas veces no había ella intentado hacerle entrar en una vida de orden? Y todo inútil. Aquel muchacho era una especie de salvaje civilizado; se reía de los consejos, enseñando unos dientes muy 450

---

430 se habían salvado: FIN pág. 29 habíanse salvado.

432-438 ojos húmedos... retorciendo: FIN pág. 29 ojos humedos; ( ) y retorciendo.

433 conmovíala: HP pág. 32 conmovíale.

437-444 generosa... La condesa no: CO2 pág. 222 generosa ( ). La Condesa no.

438 chimenea: CO pág. 203, NC, FLO pág. 156 pared.

440-441 Pero ¡ay! reflexiona: CO pág. 203, NC, FLO pág. 156 Pero ( ) reflexiona.

440-631 dejaría... una sonrisa cruel: FIN pág. 29 dejaría... Pero a mi madre le juré quemarlas./ Aquiles se enderezó mirándola con altivez, arrepentido de haber suplicado. El bigotazo retorcido y galán del estudiante esbozaba una sonrisa cruel.

blancos, y contestaba bromeando, sosteniendo que tenía sangre araucana en las venas.

Él insistía con palabras muy tiernas y un poco poéticas.

—Esas cartas, Julia, son un perfume de tu alma; el único consuelo que tendré cuando te hayas ido. ¡Me estremezco al pensar en la soledad que me espera; soledad del alma, que es la más horrible! Hace mucho tiempo que mis ideas son negras como si me hubiesen pasado por el cerebro grandes brochazos de tinta. 460 Todo a mi lado se derrumba, todo me falta...

Susurraba estas quejas al oído de la condesa, inclinado sobre el sillón, besándole los cabellos con apasionamiento infinito. Sentía en toda su carne un estremecimiento suave al posar los labios y deslizarlos sobre las hebras rubias y sedeñas.

—¡Déjamelas! ¡Son ya tan pocas las que quedan! Haré con ellas un libro, y leeré una carta todos los días como si fuesen oraciones.

La condesa suspira y calla. Había ido allí dispuesta a 470 rescatar sus cartas, cediendo en ello a ajenas sugestiones; creyendo que las cosas se arreglarían muy de otro modo, conforme a la experiencia que de parecidos lances tenía. No sospechara nunca tanto amor por

---

452 sangre araucana: CO2 pág. 224 sangre de reyes indios.

452-453 en las venas. Él insistía con palabras: CO2 pág. 224 en las venas. La Condesa, apoyada en la pared, retorciendo una punta del pañolito de encajes, murmuró en voz afectuosa y conciliadora:

Yo te dejaría esas cartas... Sí, te las dejaría... Pero reflexiona de cuántos disgustos pueden ser origen si se pierden. ¿Dime, dime tu mismo si no es una locura? Aquiles insistía con palabras.

457-458 soledad del alma: HA pág. 80 soledad del corazón.

464-465 estremecimiento suave al: CO pág. 205, HP pág. 33, NC, CO2 pág. 225, FLO pág. 156 estremecimiento ( ) al.

465 los labios: CO pág. 205, HP pág. 33, NC, CO2 pág. 225, FLO pág. 157 sus labios.

467 son ya tan pocas: CO pág. 205, HP pág. 33, NC, CO2 pág. 225, FLO pág. 157 Son ( ) tan pocas.

471-472 sugestiones; creyendo: CO pág. 205, NC, CO2 pág. 225, FLO pág. 157 sugestiones, y creyendo.

parte de Aquiles; y al ver la herida abierta de pronto en aquel corazón que era todo suyo, permanecía sorprendida y acobardada, sin osar insistir; trémula como si viese sangre en sus propias manos. Ante dolor tan sincero, sentía el respeto supersticioso que inspiran las cosas sagradas, aun a los corazones más faltos de fe. 480

Por demás es advertir que no estaba la condesa locamente enamorada de Aquiles Calderón; pero queríale a su modo, con esa atractiva simpatía del temperamento, que tantas mujeres experimentan por los hombres fuertes —los buenos mozos que no empalagan, del añejo decir femenino—. No le abandonaba ni hastiada, ni arrepentida. Pero la condesa, deseaba vivir en paz con su madre: una buena señora de rigidez franciscana que hablaba a todas horas del infierno, y tenía por cosa nefanda los amores de su hija con aquel estu- 490 diante sin creencias, libertino y masón, a quien Dios, para humillar tanta soberbia, tenía sumido en la miseriaEra la gentil condesa de condición tornadiza y débil, sin ambiciones de amor romántico, ni vehemencias pasionales; por manera que en los afectos del hogar, impuestos por la educación y la costumbre, había hallado siempre cuanto necesitar podía su sensibilidad reposada y plebeya. El corazón de la dama no había sufrido esa profunda metamorfosis que en las naturalezas apasionadas se obra con el primer amor. Desco- 500 nocía las tristes vaguedades de la adolescencia. A pesar de frecuentar la catedral como todas las damas linaju-

---

480-481 de fe. / Por demás es advertir que no estaba: CO pág. 206, NC, CO2 pág. 227, FLO pág. 157 de fe. / ( ) No estaba.

490-491 estudiante sin creencias, libertino: CO2 pág. 228 estudiante ( ) libertino.

495 pasionales; por manera que en los afectos: CO pág. 207, NC, CO2 pág. 228, FLO pág. 157 pasionales; ( ) en los afectos.

497-498 sensibilidad reposada y plebeya. Él: CO pág. 207, NC, CO2 pág. 228, FLO pág. 157 sensibilidad reposada, razonable y burguesa. Él.

502-503 linajudas de Brumosa, jamás: CO pág. 208, NC, CO2 pág. 228, FLO pág. 157 linajudas ( ), jamás.

das de Brumosa, jamás había gustado el encanto de los rincones oscuros y misteriosos, donde el alma tan fácilmente se envuelve en ondas de ternura, y languidece de amor místico. Eterna y sacrílega preparación para caer más tarde en brazos del hombre tentador, y hacer del amor humano, y de la forma plástica del amante, culto gentílico y único destino de la vida. Merced a no haber sentido estas crisis de la pasión, que 510 sólo dejan escombros en el alma, pudo la condesa de Cela, conservar siempre por su madre igual veneración que de niña; afección cristiana, tierna, sumisa, y hasta un poco supersticiosa. Para ella, todos los amantes habían merecido puesto inferior al cariño tradicional, y un tanto ficticio, que se supone nacido de ocultos lazos de la sangre.

Pero era la condesa, si no sentimental, mujer de corazón franco y burgués, y no podía menos de hallar hermosa la actitud de su amante, implorando como 520 supremo favor la posesión de aquellas cartas. Olvidaba cómo las había escrito en las tardes lluviosas de un invierno inacabable, pereciendo de tedio, mordiendo el mango de la pluma, y preguntándose a cada instante qué le diría. Cartas de una fraseología trivial y gárrula; donde todo era oropel, como el heráldico timbre de los plieguecillos embusteros, henchidos de zalamerías livianas; sin nada verdaderamente tierno, vívido, de alma a alma. Pero entonces, contagiada del romanticismo de Aquiles, hacíase la ilusión de que todas aque- 530 llas patas de mosca las trazara suspirando de amor.

Con dos lágrimas detenidas en el borde de los párpados, y bello y majestuoso el gesto, que la habitual ligereza de la dama hacía un poco teatral, se volvió al estudiante:

—Sea. ¡Yo no tengo valor para negártelas! ¡Guarda,

---

507 en brazos del: CO pág. 208, HP pág. 34, NC, CO2 pág. 229, FLO pág. 158 en los brazos del.

524 de la pluma: CO pág. 209, HP pág. 35, NC, CO2 pág. 230, FLO pág. 158 de una pluma.

Aquiles, esas cartas, y con ellas, el recuerdo de esta pobre mujer que te ha querido tanto!

Aquiles, que hasta entonces las había conservado, movió la cabeza e hizo ademán de devolvérselas. Con los ojos fijos miraba la nieve que azotaba los cristales, enloquecido, pero resuelto a no escuchar. Y ella, a quien el silencio era penoso, se cubrió el rostro llorando, con el llanto nervioso de las actrices. Lágrimas estéticas que carecen de amargura, y son deliciosas como ese delicado temblorcillo que sobrecoge al espectador en la tragedia.

Aquiles inclinó la cabeza, hasta apoyarla en las rodillas, y así permaneció largo tiempo; la espalda sacudida por los sollozos. Ella, vacilando, con timidez de mujer enamorada, fue sentarse a su lado en el brazo del canapé y le pasó la mano por los cabellos negros y rizosos. Enderezóse él muy poco a poco y le rodeó el talle suspirando, atrayéndola a sí, buscando el hombro para reclinar la frente. La condesa siguió acariciando aquellos hermosos cabellos, sin cuidarse de enjugar las lágrimas que lentas y silenciosas como gotas de lluvia que se deslizan por las mejillas de una estatua, rodaban por su pálida faz y caían sobre la cabeza del estudiante, el cual abatido y como olvidado de sí propio apenas entendía las frases que la condesa suspiraba.

—No me has comprendido, Aquiles mío. Si un momento quise poner fin a nuestros amores, no fue porque hubiese dejado de quererte; quizá te quería más que nunca; pero ya me conoces... Yo no tengo carácter: tú mismo dices que se me gobierna por un cabello. Ya sé que debí haberme defendido; pero estaba celosa, ¡me habían dicho tantas cosas!...

---

541 miraba la nieve: CO pág. 210, NC, FLO pág. 158 miraba a la nieve. CO2 pág. 231 miraba cómo la nieve.

550 por los sollozos. Ella: CO2 pág. 232 por la congoja. Ella.

551 fue sentarse: CO pág. 211, HA pág. 85, NC, CO2 pág. 232, FLO pág. 159 fue a sentarse.

553 poco... y: HA pág. 86 poco ( ) y (prob. errata).

Hablaba animada por la pasión. Su acento era insinuante; sus caricias cargadas de fluido, como la piel de un gato negro. Sentía la tentación caprichosa y enervante de cansar el placer en brazos de Aquiles. En aquella desesperación hallaba promesas de nuevos y desconocidos transportes pasionales; de un convulsivo languidecer, epiléptico como el del león, y suave como el de la tórtola. Colocó sobre su seno la cabeza de Aquiles, ciñóla con las manos enlazadas y murmuró en voz imperceptible: 570

—¿No me crees, verdad? ¡Es muy cruel que lo mismo la que miente, que la que habla con toda el alma, hayan de emplear las mismas palabras, los mismos juramentos!... 580

Y le besaba prodigándole cuantas caricias apasionadas conocía: refinamientos que, una vez gustados, hacen aborrecible la doncella ignorante.

Sin fuerza para resistir el poder de aquellos halagos, Aquiles, la besó cobardemente en el cuello blanco y terso como plumaje de cisne. Entonces la condesa se levantó y sonriendo a través de sus lágrimas con sonrisa de bacante, arrastróle por una mano hasta la alcoba. Él intentó resistir, pero no pudo. Quisiera vengarse despreciándola, ahora, que tan humilde se le ofrecía; pero era demasiado joven para no sentir la tentación, y poco cristiano su espíritu para triunfar en tales combates; y hubo de seguirla, bien que aparentando una frialdad desdeñosa, en que la condesa creía muy poco. 590

---

572 de cansar el placer: FLO pág. 159 de causar el placer.
577-578 ciñóla ...imperceptible: / ¿No: CO pág. 213, NC, CO2 pág. 234, FLO pág. 159 y murmuró ciñéndola con las manos: / ¿No.
583-586 y le besaba... Sin fuerza: CO2 págs. 234-5 y le besaba en ojos y boca. Sin fuerza.
585 doncella: CO pág. 213, NC, FLO pág. 159 doncellez.
586 halagos: En el texto de 1895 reza «alhagos» (*sic*). Tanto CO pág. 213, FLO pág. 160 como CO2 pág. 235 corrigen por «halagos».
590 de bacante: CO2 pág. 235 de enamorada.
593 tentación, y: CO2 pág. 236 tentación de la carne, y.
594-595 combates; y hubo de: CO pág. 214, NC, CO2 pág. 236, FLO pág. 160 combates. ( ) Hubo de.

Actitud falsa y llena de soberbia, con que aspiraba a encubrir lo que a sí mismo se reprochaba como una cobardía, y no era más que el encanto misterioso de los sentidos.

Al encontrarse en brazos de su amante, la condesa tuvo otra crisis de llanto; pero llanto seco, nervioso, cuyos sollozos tenían notas extrañas de risa histérica. Si Aquiles Calderón tuviese la dolorosa manía analista, que puso la pistola en manos de su gran amigo Pedro Pondal, hubiese comprendido con horror que aquellas lágrimas que en su exaltación ansiaba beber en las mejillas de la condesa, no eran de arrepentimiento, sino de amoroso sensualismo, y sabría que en tales momentos no faltan a ninguna mujer. 600

En la vaga oscuridad de la alcoba, unidas sus cabezas sobre la blanca almohada, se hablaban en voz baja, con ese acento sugestivo y misterioso de las confesiones, que establece entre las almas corrientes de intimidad y amor. La condesa suspiraba, presentándose como víctima de la tiranía del hogar. Ella había cedido a las sugestiones maternales; faltárale entereza para desoír los consejos de aquellos labios que la besaban con amor; cuyas palabras manaban dulces, suaves, persuasivas, con perfume de virtud, como aguas de una fuente milagrosa. Pero ahora no habría poder humano capaz de separarlos; morirían, así, el uno en brazos del otro. Y como el recuerdo de su madre no la abandonase, añadió con zalamería, poniendo sobre el pecho desnudo una mano de Aquiles: 610 620

—Guardaremos aquí nuestro secreto, y nadie sabrá nada, ¿verdad?

Aquiles la miró intensamente.

—¡Pero tu madre!

605-606 horror que aquellas: CO2 pág. 236 horror cómo aquellas.

606 exaltación ansiaba: CO2 pág. 236 exaltación romántica ansiaba.

617-618 labios que la besaban con amor cuyas: CO2 pág. 237 labios ( ), cuyas.

—Mi madre tampoco.

El bigotejo retorcido y galán del estudiante, esbozó 630
una sonrisa cruel.

Aquiles aborrecía con todo su ser a la madre de la condesa. En aquel momento parecíale verla recostada en el monumental canapé de damasco rojo, con estampados chinescos; uno de esos muebles arcaicos, que todavía se ven en las casas de abolengo, y parecen conservar en su seda labrada y en sus molduras lustrosas, algo del respeto y de la severidad engolada de los antiguos linajes. Se la imaginaba hablando con espíritu mundano, de rezos, de canónigos y de prelados; lu- 640
ciendo los restos de su hermosura deshecha; una gordura blanca de vieja enamoradiza. Creía notar el movimiento de los labios, todavía frescos y sensuales que ofrecían raro contraste con las pupilas inmóviles, casi ciegas, de un verde neutro y sospechoso de mar revuelto. Encontraba antipática aquella vejez sin arrugas, que aún parecía querer hablar a los sentidos.

El estudiante recordó las murmuraciones de Brumosa y tuvo de pronto una intuición cruel. Para que la condesa no huyese de su lado, bastaríale derribar a la 650
anciana del dorado camarín donde el respeto y la credulidad de su hija la miraban; y arrastrado por un doble anhelo de amor y de venganza, no retrocedió ante la idea de descubrir todo el pasado de la madre a la hija que adoraba en ella.

—¡Pareces una niña, Julia! No comprendo, ni ese

---

633 parecíale verla: FLO pág. 161 parecían verla.

637-638 lustrosas..., y de la: FIN pág. 29 lustrosas ( ), y de la.

639-640 imaginaba... luciendo los: FIN pág. 29 imaginaba ( ) luciendo los.

642-646 enamoradiza... Encontraba antipática: FIN pág. 29 enamoradiza ( ). Encontraba antipática.

648-649 de Brumosa: FIN pág. 29, CO pág. 218, NC, CO2 pág. 240, FLO pág. 161 de la ciudad.

649 una intuición: FIN pág. 29 una intención.

650 bastaríale: FIN pág. 29 bastaría.

652 miraban; y arrastrado por: CO pág. 218, NC, CO2 pág. 240, FLO pág. 161 miraban. ( ) Arrastrado por.

respeto fanático, ni esos temores. Tu madre aparentará que se horroriza, ¡es natural!, pero seguramente cuando tuvo tus años, haría lo mismo que tú haces. ¡Sólo que las mujeres olvidáis tan fácilmente!... 660

—¡Aquiles! ¡Aquiles, no seas canallita!... ¡Para que tú puedas hablar de mi madre necesitas volver a nacer! ¡Si hay santas ella es una!...

—No riñamos, hija. Pero también tú puedes ser canonizada. Figúrate que yo me muero; que tú te arrepientes... ¿No hay en el Año Cristiano alguna historia parecida? A tu madre, que lo lee todos los días, debes preguntárselo.

La condesa le interrumpió:

—No tienes para qué nombrar a mi madre. 670

—¡Bueno! Cuando la canonicen a ella ya habrá la historia que buscamos.

La condesa medio enloquecida, se arrojó del lecho; pero él no sintió compasión ni aun viéndola en medio de la estancia; los rubios cabellos destrenzados, lívidas las mejillas que humedecía el llanto; recogiendo con expresión de suprema angustia, la camisa sobre los senos desnudos. Aquiles sentía esa cólera brutal, que en algunos hombres se despierta ante las desnudeces femeninas. Con clarividencia satánica, veía cuál era la 680 parte más dolorosa de la infeliz mujer, y allí, hería sin piedad, con sañudo sarcasmo.

---

657 madre aparentará: FIN pág. 29 madre ahora aparentará.

658 horroriza, ¡es natural!, pero: FIN pág. 29 horroriza ( ), pero.

664-669 canonizada... interrumpió: FIN págs. 29-30 canonizada: ¡Ya estás en camino de arrepentirte, como tu madre! La Condesa interrumpió.

665 que yo me muero: HP pág. 40 que yo muero.

665 muero, que tú: CO pág. 218, NC, CO2 pág. 241, FLO pág. 161 muero y que tú.

666 Año Cristiano: «La Biblioteca Enciclopédica Popular Ilustrada acaba de dar a luz el volumen 30, que es el del mes de Abril del Año Cristiano, novísima versión Castellana de la obra del P. Juan Croisset...» (*Veinticuatro Diarios,* tomo I, Madrid, CSIC, 1968). Valle-Inclán podría referirse a esta publicación.

670-680 a mi madre... Con clarividencia: FIN pág. 30 a mi madre. Aquiles sentía una cólera sorda. Con clarividencia.

—¡Julia! ¡Julita! También tus hijos dirán mañana que tú has sido una santa. Reconozco que tu madre supo elegir mejor que tú sus amantes. ¿Sabes cómo la llamaban hace veinte años? ¡La Canóniga, hija! ¡La Canóniga!

La condesa horrorizada huyó de la alcoba. Aun cuando Aquiles tardó mucho en seguirla, la halló todavía desnuda, gimiendo monótonamente, con la cara entre las manos. Al sentirle, incorporóse vivamente y empezó a vestirse, serena y estoica ya. Cuando estuvo dispuesta para marcharse, el estudiante trató de detenerla. Ella retrocedió con horror, mirándole de frente. 690

—¡Déjeme usted!

Y con el brazo siempre extendido, como para impedir el contacto del hombre, pronunció lentamente:

—Ahora todo, todo ha concluido entre nosotros! Ha hecho usted de mí una mujer honrada. ¡Lo seré! ¡Lo seré! ¡Pobres hijas mías si mañana las avergüenzan diciéndoles de su madre lo que usted acaba de decirme de la mía!... 700

El acento de aquella mujer era a la vez tan triste y tan sincero, que Aquiles Calderón, no dudó que la perdía. ¡Y sin embargo, la mirada que ella le dirigió desde la puerta, al alejarse para siempre, no fue de odio, sino de amor!...

Veracruz, enero de 1893.

---

683 —¡Julia! ¡Julita! También: FIN pág. 30 ¡Julia! ¡Julia! También.

685-696 mejor... extendido, como: FIN pág. 30 mejor ( ) sus amantes. La Condesa retrocedió con horror, mirándole de frente, pálida como la muerte. Aquiles, repentinamente asustado de su obra quiso acercarse. Ella, con el brazo extendido como.

697-698 lentamente:/.— Ahora: FIN pág. 30 lentamente: déjeme usted. Ahora.

701 diciéndoles: FIN pág. 30 diciéndolas.

701 usted acaba de decirme: FIN pág. 30 usted quiere decirme.

Tula Varona

Los perros de caza, iban y venían con carreras locas, avizorando las matas, horadando los huecos zarzales, y metiéndose por los campos de centeno con alegría ruidosa de muchachos. Ramiro Mendoza, cansado de haber andado todo el día por cuetos y vericuetos, apenas ponía cuidado en tales retozos: con la escopeta al hombro, las polainas blancas de polvo, y el ancho sombrerazo en la mano, para que el aire le refrescase la asoleada cabeza, regresaba a Villa-Julia, de donde había salido muy de mañana. El duquesito, como llamaban a Mendoza en el *Foreigner Club,* era cuarto o quinto hijo de aquel célebre duque de Ordax que murió hace algunos años en París completamente arruinado. A falta de otro patrimonio, heredara la gentil presencia de su padre, un verdadero noble español, quijotesco e ignorante, a quien las liviandades de una reina dieron pasajera celebridad. Aún hoy, cierta marquesa de cabellos plateados —que un tiempo los tuvo de oro, y fue muy bella—, suele referir a los íntimos que acuden a su tertulia los lances de aquella amorosa y palatina jornada.

El duquesito caminaba despacio y con fatiga. A mitad de una cuestecilla pedregosa, como oyese rodar al-

8 refrescase: CO pág. 29, LC, FLO pág. 124 refresque.
14 heredara: CO pág. 30, LC, FLO pág. 124 heredó.
22 caminaba: CO pág. 30, LC, FLO pág. 124 camina.
23 cuestecilla: CO pág. 30, LC, FLO pág. 124 cuesta.

gunos guijarros tras sí, hubo de volver la cabeza. Tula Varona bajaba corriendo, encendidas las mejillas, y los rizos de la frente alborotados.

—¡Eh! ¡Duque! ¡Duque!... ¡Espere usted, hombre!

Y añadió al acercarse:

—¡He pasado un rato horrible! ¡Figúrese usted, que unos indígenas me dicen que anda por los alrededores 30 un perro rabioso!!!

Ramiro procuró tranquilizarla:

—¡Bah! No será cierto: si lo fuese, crea usted que le viviría reconocido a ese señor perro.

Al tiempo que hablaba, sonreía de ese modo fatuo y cortés, que es frecuente en labios aristocráticos. Quiso luego poner su galantería al alcance de todas las inteligencias, y añadió:

—Digo esto porque de otro modo quizá no tuviese... 40

Ella interrumpióle saludando con una cortesía burlona:

—Sí, ya sé de otro modo, quizá no tuviese usted el alto honor de acompañarme.

Se reía con risa hombruna, que sonaba de un modo extraño en su pálida boca de criolla. Llevaba puesto un sombrerete de paja, sin velo ni cintajos, parecido a los que usan los hombres, guantes de perfumada gamuza, y borceguíes blancos, llenos de polvo. Su cabeza era pequeña y rizada; el rostro gracioso, el talle encan- 50

---

24 sí, hubo... Tula: CO pág. 31, LC, FLO pág. 124 sí, se detiene y vuelve la cabeza. Tula.

25 bajaba: CO pág. 31, LC, FLO pág. 124 baja.

27 hombre!... —¡He pasado: CO pág. 31, LC, FLO pág. 124 hombre ( ) / .—¡He pasado.

34 a ese señor perro. Al: CO pág. 31, LC, FLO pág. 124 a un perro tan amable. Al.

41 interrumpióle: CO pág. 32, LC, FLO pág. 125 interrumpió.

45 se reía con: CO pág. 32, LC, FLO pág. 125 ( ) Reía con.

46 pálida: CO pág. 32, LC, FLO pág. 125 cálida.

50-53 encantador... alegre: CO pág. 32, LC, FLO pág. 125 encantador. Usaba corto el cabello, y esto le daba cierto aspecto de andrógino, alegre.

tador. Gastaba corto el cabello, lo cual le daba cierto aspecto alegre y juguetón. Rehízo en el molde de su lindo dedo los ricillos rebeldes que se le entraban por los ojos, y añadió:

—Venga acá la escopeta, duque. Si aparece por ahí ese perro, usted no debe tirarle: es cuestión de agradecimiento. ¡Antes morir!

Riendo y loqueando tomó la escopeta de manos del duquesito, y se puso a marcar el paso. Sus movimientos eran muy graciosos, pero su alegría, demasiado nerviosa, resultaba inquietante como las caricias de los gatos. El duquesito, que se había quedado atrás, la desnudaba con los ojos. ¡Vaya una mujer! Tenía los contornos redondos, la línea de las caderas ondulante y provocativa... El buen mozo tuvo intenciones de cogerla por la cintura y hacer una atrocidad; afortunadamente su entusiasmo halló abierta la válvula de los requiebros:

—¡Encantadora Tula! ¡Admirable! ¡Parece usted Diana cazadora!

Tula, medio se volvió a mirarle.

—¡Ay! ¡Cuantísima erudición! Yo estaba en que usted no conocía íntimamente otra Diana que la artista de Parish.

Era tan maligna la sonrisa que guiñaba sus negros ojos, que el duquesito, un poco mortificado, quiso contestar a su vez algo terriblemente irónico; pero en vano escudriñó los arcanos de su magín. La frase cruel, aquella de tres filos envenenados que debía clavarse en el corazón de la linda criolla, no pareció. ¡Oh! ¡Pobres mostachos, qué furiosamente os retorcieron entonces los dedos del duquesito!

Como cien pasos llevarían andados, y Tula, que caminaba siempre delante, se detuvo esperando a Mendoza:

---

59 duquesito, ... Sus: CO pág. 33, LC, FLO pág. 125 Duquesito, y caminó delante, un poco apresurada. Sus.

—¡Ay! Tengo este hombro medio deshecho. Tome usted la escopeta; ¡es más pesada que su dueño!

El otro la miró, sin abandonar la sonrisilla fatua y cortés. ¡La ironía! ¡La terrible ironía, acababa de ocurrírsele! 90

—Eso..., ¡quién sabe, Tula! Usted aún no me ha tomado al peso.

Y se rió sonoramente, seguro de que tenía ingenio.

Tula Varona le contempló un momento a través de las pestañas entornadas.

—¡Pero, hombre, que sólo ha de tener usted contestaciones de almanaque! Le he oído eso mismo cientos de veces. ¡Y la gracia está en que tiene usted la misma respuesta para los dos sexos! 100

Como iba delante, al hablar volvía la cabeza, ya mirando al duquesito, por encima de un hombro, ya del otro, con esos movimientos vivos y gentiles de los pájaros que beben al sol en los arroyos.

De aquella mujer, de sus trajes y de su tren se murmuraba mucho en Villa-Julia: sabíase que vivía separada de su marido, y se contaba una historia escandalosa. Cuando su doncella, una rubia inglesa, muy al cabo de ciertas intimidades, deslizó en la orejita nacarada y monísima de la señora, algo, como un eco, de 110 tales murmuraciones, Tula se limitó a sonreír, al mismo tiempo que se miraba los dientes en el lindo espejillo de mano que tenía sobre la falda —un espejillo con marco de oro cincelado, que también tenía su historia galante—. Tula Varona reunía todas las excentricidades y todas las audacias mundanas de las criollas que

86 hombro medio deshecho: LC, FLO pág. 126 hombro ( ) deshecho.

88 sonrisilla: HP pág. 48, CO pág. 35 la sonrisa fatua. LC, FLO pág. 126 sonrisa.

92 tomado al peso: HP pág. 48, CO pág. 35, LC, FLO pág. 126 tomado en peso.

109 orejita: CO pág. 36, LC, FLO pág. 126 oreja.

viven en París: jugaba, bebía y tiraba del cigarrillo turco, con la insinuante fanfarronería de un colegial. Al verla apoyada en el taco del billar, discutiendo en medio de un corro de caballeros el efecto de una carambola, o las condiciones de un caballo de carreras, no se sabía si era una dama genial o una aventurera muy experta. 120

Del sombrío caminejo de la montaña, salieron a un gran raso de césped en mitad del cual había una fuentecilla: rodeábanla macizos de flores y bancos de hierro, colocados en círculo, a la festoneada sombra de algunos álamos. Grupos de turistas venían o se alejaban por la carretera. Dos jovencitas, sentadas cerca de la fuente, leían, comentándola, la carta de una amiga; algunas señoras pálidas y de trabajoso andar, llamaban a sus maridos con gritos lánguidos; y una niñera que tenía la frente llena de rizos, contestaba haciendo dengues, las bromas verdes de tres elegantes caballeretes. Se veían muchos trajes claros, muchas sombrillas rojas, blancas y tornasoladas. Tula llenó en la fuente su vaso de bolsillo, una monería de cristal de Bohemia, y lo alzó desbordante: 130

—¡Duque! ¡Brindo por usted!

Bebió entre los cuchicheos de las dos jovencitas que leían la carta. Al acabar estrelló el vaso contra las rocas, y se echó a reír de modo provocativo. 140

—Vámonos, duque; no escandalicemos.

Estaba muy linda: el sol la hería de soslayo, el viento le plegaba la falda.

Desde la explanada, dominábase el vasto panorama de la ría guarnecida de rizos: los tilos del paseo de París

---

122 genial: CO pág. 37, LC, FLO pág. 126 rastacuera.

125-126 césped... macizos: CO pág. 37, LC, FLO pág. 126 césped, que tenía en medio una fuentecilla rodeada por macizos.

130 una amiga: LC, FLO pág. 127 un amigo.

143 Vámonos, duque, no: CO pág. 39, LC, FLO pág. 127 Vámonos ( ) no.

y las torres de la ciudad, destacábanse sobre la faja roja que marcaba el ocaso. Después de un centenar de pasos empezaban los palacetes modernos. Tula se detuvo ante la verja de un jardinillo. Tiró con fuerza de la cadena que colgaba al lado de la puerta; y después, dijo, introduciendo el enguantado brazo por entre los barrotes: 150

—¡He aquí mi nido!

Los rayos del sol, que se ponía en un horizonte marino, cabrilleaban en los cristales. Era un hermoso nido, rodeado de follaje, con escalinata de mármol, y balcones verdes, tapizados de enredaderas. Tula tendió con gallardía la mano al duquesito, y mirándole a los ojos, pronunció con su acariciador acento de criolla: 160

—¿No quiere usted hacerme compañía un momento?... Tomaríamos mate a estilo de América.

El otro, tuvo algún titubeo, y, a la postre, concluyó por animarse. Su amiga le hizo pasar a un saloncito sumido en amorosa penumbra. El ambiente estaba impregnado del aroma meridional y morisco de los jazmines que se enroscaban a los hierros del balcón. Tula indicóle asiento con una graciosa reverencia, y se ausentó velozmente, no sin tornar alguna vez la cabeza para mirar y sonreír al buen mozo. 170

—¡Vuelvo, duque, vuelvo! ¡No se asuste usted!

El duquesito la siguió con la vista. Tula Varona tenía ese andar cadencioso y elástico que deja adivinar unas piernas largas y esbeltas de venus griega. No tardó en aparecer envuelta en una bata de seda azul celeste, guarnecida de encajes. Posado en el hombro, traía un lorito, que salmodiaba el estribillo de un *fado* brasi-

---

148 destacábanse: CO pág. 39, LC, FLO pág. 127 destacaban.

166 animarse... a un saloncito: CO pág. 40, LC, FLO pág. 128 animarse. La criolla le dejó en un saloncito.

170 indicóle asiento con una graciosa: CO pág. 41, LC, FLO pág. 128 indicóle un asiento con graciosa.

179 de un fado brasileño, y: CO pág. 41, LC, FLO pág. 128 de un danzón, y.

leño, y balanceaba a compás su verde caperuza. De 180
aquella traza, recordaba esos miniados de los códices
antiguos, que representan emperatrices y princesas,
aficionadas a la cetrería, con rico brial de brocado, y
un hermoso gavilán en el puño. Dejó el loro sobre la
cabeza de una estatuilla de bronce, capricho artístico
de Pradier, y se puso a preparar el mate sobre una mesa
de bambú, en un rincón del saloncito. De tiempo en
tiempo, volvíase con gentil escorzo de todo el busto,
para lanzar al duque una mirada luminosa, y rápida.
Conocíase que quería hacer la conquista del buen 190
mozo; y adoptaba con él, aires de coquetería afectuosa;
pero en el fondo de sus negras pupilas, temblaba de
continuo una risita burlona, que simulaba contenida
por el marco de aquellas pestañas, rizas y luengas que
al mirar, se entornaban con voluptuosidad americana.

Dejaba pasar pocos momentos sin dirigir la palabra
a su amigo, y cuando lo hacía era siempre de un modo
picado y rápido. Colocaba la yerba en el fondo del
mate, y se volvía sonriente.

—A esto llaman allá cebar... 200

Echaba agua, tomaba un sorbo y añadía:

—Es operación que hacen las negritas.

Y después de otro momento, al poner azúcar:

—No crea usted; tiene sus dificultades.

Cuando hubo terminado, llamó a Ramiro Mendoza,
que en el otro extremo del saloncito, pasaba revista a
una legión de idolillos indios esparcidos a guisa de *bibelots,* sobre un mueble japonés. El buen mozo la felici-
tó campanudamente, por aquella encantadora geniali-
dad. Tula entornó sus aterciopelados ojos: 210

—¡Oh! ¡Muchas gracias!

---

183 con rico brial: HP pág. 51 con un rico brial.

193 risita: CO pág. 42, LC, FLO pág. 128 risa.

198-199 del mate: CO pág. 42, LC, FLO pág. 128 de la matera.

207-208 legión de... sobre: HP pág. 52 legión de bibelots sobre. CO pág. 43 legión de idalillos *(sic)* extendida sobre. LC, FLO pág. 128 legión de idilios *(sic)* extendida sobre.

Los elogios de un hombre tan elegante, no podían menos de serle muy agradables, pero ¡ay! resistíase a creer que fuesen sinceros. Ramiro protestó con mucho calor, y aquella protesta, le valió una de esas miradas femeninas de parpadeo apasionado y rápido.

Para explicarle cómo se tomaba el mate, Tula llevóse a los labios la boquilla de plata y sorbió lentamente. A menudo alzaba los párpados y sonreía. Los rizos, caíanle sobre los ojos, el cuello mórbido y desnudo, graciosamente encorvado parecía salir de una cascada de encajes; la azul y ondulante entreabertura de la manga dejaba ver en incitante clarooscuro, un brazo de tonos algo velados y dibujo intachable, que sostenía el mate de plata cincelada. Tula levantó la cabeza, y murmuró en voz baja e íntima.

—Pruebe usted, Ramiro: pero tiene usted que poner los labios donde yo los he puesto... Tal es la costumbre. ¡La boquilla no se cambia!...

Ramiro la interrumpió: aquello era precisamente lo que él encontraba más agradable. Callóse a lo mejor, viendo entrar un lacayo mulato, que traía una bandeja con pastas y licores. ¡Hay que imaginarse a Trinito! Una figurilla renegrida, manchada de hollín; una librea extravagante; una testa llena de rizos negros y apretados, como virutas de ébano; unos ojos vivos, asomando por debajo de las cejas, crespas y caídas, de enanillo encantador y burlón.

Tula llenó dos copas muy pequeñas.

—Va usted a tomar «Licor de Constantinopla», regalo del embajador turco en París.

Con un gesto le pidió el mate para ponerle más

---

213 pero ¡ay! resistíase: CO pág. 43, LC, FLO pág. 129 pero ( ) resistíase.

223 claro obscuro: CO pág. 44, LC, FLO pág. 129 penumbra.

225 el mate: HP pág. 52, CO pág. 44, LC, FLO pág. 129 la matera.

242 el mate: HP pág. 53, CO pág. 45, LC, FLO pág. 130 la matera.

agua. Antes de volvérselo, dio algunos sorbos, al mismo tiempo que de soslayo, lanzaba miraditas picarescas a Mendoza.

—Ahora supongo que le gustará a usted más...

—¡Naturalmente, Tula!

—No sea usted malicioso. Dígolo porque estará menos amargo.

Después del mate la plática toma carácter más íntimo. El duquesito, cuenta su género de vida en Madrid: su afición a los toros, su santo horror a la política; recuerda las agradables veladas musicales en las habitaciones de la Infanta, los saraos de la condesa de Cela. Sentía él necesidad de hablar con Tula, de contarle cuanto pensaba y hacía. ¡Lo escucha ella con tanto interés! A veces le interrumpe dirigiéndole alguna frase de magistral coquetería y le da golpecitos en las rodillas con un largo abanico de palma, que ha tomado de encima del piano. El duquesito se acaricia la barba maquinalmente, sin ser dueño de apartar los ojos un momento de aquel rostro picaresco y riente, que aún parece adquirir gentileza, bajo el tricornio, hecho con un número antiguo de *Le Fígaro,* que entre burla y coqueteo, la criolla acaba por encasquetarse sobre los rizos, con tan buen donaire, que nunca estudiantillo de la tuna lo tuvo igual. 250 260

—¿Qué tal, duque?

—¡Sublime! ¡Encantadora! ¡Deliciosísima!

En el vestíbulo, tras la puerta de cristales del saloncito, se dibujó el perfil de una señora anciana, la cual, 270

---

243 volvérselo: HP pág. 53, CO pág. 45 volvérsela. LC, FLO pág. 130 devolvérsela.

248 Dígolo: CO pág. 46, LC, FLO pág. 130 Lo digo.

264 de *Le Fígaro,* que: CO pág. 47, LC, FLO pág. 130 de un periódico inglés que.

267 tuna lo tuvo: CO pág. 47, LC, FLO pág. 130 tuna le tuvo.

271 la cual: CO pág. 48, LC, FLO pág. 130 que.

después de haber observado un instante, asomó la cabeza sonriendo cándidamente.

—¿No ha venido el señor Popolasca?

—No tiíta. ¿Pero qué hace que no pasa? Ándele, tomará mate.

La tiíta dio las gracias. Era una señora que tenía siempre grandes quehaceres; y se alejó a saltitos, haciendo cortesías a Ramiro Mendoza, que retorcía entre sus dedos furibundos las guías del bigote a lo matón. 280 Cuando hubo desaparecido la anciana, el duquesito tomó la copa, vacióla de un sorbo, y a tiempo de ponerla sobre la mesa, preguntó:

—Diga usted, Tula, se puede saber quién es ese Popolasca que al parecer viene todos los días.

La criolla no se inmutó.

—Un italiano que me da lecciones de esgrima. ¡Oh! ¡Aquí donde usted me ve, soy gran espadachina!

A todo esto, habíase puesto en pie, y se alisaba los cabellos. 290

—Vamos, ¿quiere usted que le dé unos cuantos botonazos? ¿De verdad quiere usted?

Y señalándole el juego de floretes que había en un rincón, esparcido sobre varias sillas, añadió:

—Allí tiene usted. ¡Y ahora veremos cuántas veces lo mato!

Se pusieron en guardia, riendo de antemano, como si fuesen a representar un paso muy divertido. Tula, con la mano izquierda, recogía la cola hasta mostrar el principio de la redonda y alta pantorrilla. El duquesito, dejóse tocar por cortesía, y luego emprendió uno de 300 esos juegos socarrones de los maestros, envolviendo, ligando, descubriéndose, retrocediendo con la punta

---

283-284 preguntó: ¿Diga: CO pág. 49, LC, FLO pág. 131 preguntó, queriendo mostrarse audaz e indiferente: ¿Diga.

284-285 quién... Popolasca: CO pág. 49, LC, FLO pág. 131 quién sea ese señor Popolasca.

295-296 veces lo mato: CO pág. 50, LC, FLO pág. 131 veces le atravieso el corazón.

del florete en el suelo. Sonreía como un hércules que hace juegos de fuerza ante un público de niñeras y bebés. Tula acabó por enfadarse, y se dejó caer sobre el confidente, jadeante, casi sin poder hablar.

—¡Ay!... Conste que es usted un gran tirador, Ramiro, pero conste también que es usted muy poco galante. 310

Acabó de quitarse el guante y lo arrojó lejos de sí.

—Me ha dado usted un terrible botonazo.

Y señalaba el seno de armonioso dibujo oprimiéndoselo suavemente con las dos manos. El duquesito preguntó sonriendo:

—¿Me permite usted ver?

—¡Hombre, no! Puede usted desmayarse.

Tula recostada en el confidente, suspiraba de ese modo hondo, que levanta el seno con aleteo voluptuoso. Las manos, que conservaba cruzadas, parecían dos 320 palomas blancas, ocultas entre los encajes del regazo azul, en cuya penumbra de nido, el rubí de una sortija lanzaba reflejos sangrientos sobre los dedos pálidos y finos. Algunos pájaros de América modulaban apenas un gorjeo en sus jaulas doradas, que pendían inmóviles entre los cortinajes de los abiertos balcones; y en los ángulos, trípodes de bambú sostenían tibores con enormes helechos de los trópicos.

Ramiro Mendoza miraba a Tula de hito en hito; y atusábase el bigote, sonriendo, con aquella sonrisa fa- 330 tua y cortés, que jamás se le caía de los labios. A su pesar, el buen mozo sentíase fascinado, y temía perder el dominio que hasta entonces conservara sobre sí. Instintivamente se llevó una mano al corazón, cuya celeridad le hacía daño. La criolla mordióse los labios disi-

---

307 el confidente: CO pág. 50, LC, FLO pág. 131 el diván.

309 galante: CO pág. 50, LC, FLO pág. 131 gentil.

318 el confidente: CO pág. 51, LC, FLO pág. 131 el diván.

326 balcones, y en los ángulos: HP pág. 56, CO pág. 52, LC, FLO pág. 132 balcones. ( ) En los ángulos.

333 conservara: CO pág. 52, LC, FLO pág. 132 había conservado.

mulando una sonrisa, al mismo tiempo que con la yema de los dedos se registraba la ola de encajes, que parecía encresparse sobre su pecho; pero no hallando lo que buscaba alzó los ojos hasta el duquesito.

—Eche usted acá un cigarrillo, maestro Cuchillada. 340

Ramiro sacó la petaca, de la que no faltaba el hípico trofeo de la montura inglesa y se la presentó abierta a la criolla.

—No hay más que un cigarro, Tula, ¿le parece a usted que lo fumemos juntos?...

Su sonrisa tenía una expresión extraña; su voz sonaba seca y velada. Extrajo el cigarro con exquisita elegancia y continuó:

—¿Acepta usted, Tula? Lo fumaremos como hemos tomado el mate... Figúrese usted que ahora se pa- 350 gan en esa moneda los derechos al Estado, y que el Estado en este caso soy yo, como aquel rey de Francia.

La criolla replicó con viveza y malicia:

—Pero esta personita no acostumbra a pagar derechos... Ya que para figuraciones estamos, ¡figúrese usted que soy contrabandista!

Sus ojos brillaban con cierto fuego interior y maligno: toda su persona parecía animada de lascivo encanto, como si se hallase medio desnuda, en nido de seda y encajes, tenuemente iluminado por una lámpara de 360 porcelana color rosa. Miró al duquesito de un modo acariciador y tierno, y se echó a reír con tal abandono, que se tiró hacia atrás en el confidente. Como la risa le

---

341 de la que: CO pág. 53, LC, FLO pág. 132 en la que.
350 al Estado, y que el Estado: CO pág. 53, LC, FLO pág. 132 al Estado... ( ) ...El Estado.
357 brillaban: CO pág. 54, LC, FLO pág. 132 brillan.
358 parecía: CO pág. 54, LC, FLO pág. 132 parece.
359 en nido de: HP pág. 57, CO pág. 54, LC, FLO pág. 132 en un nido de.
360-361 iluminado... duquesito: CO pág. 54, LC, FLO pág. 132 iluminado ( ). Mira al duquesito.
362 echó: CO pág. 54, LC, FLO pág. 132 echa.
363 tiró: CO pág. 54, LC, FLO pág. 133 tira.
363 el confidente: CO pág. 54, LC, FLO pág. 133 el diván.

duró mucho tiempo, los ojos del buen mozo pudieron pasar, desde la garganta blanca y tornátil, sacudida por el coro de carcajadas cristalinas, hasta las pantuflas turcas, y las medias de seda negra, salpicadas de mariposillas azul y plata y extendidas sin una arruga sobre la pierna... Tula se incorporó haciendo al duquesito lugar a su lado en el confidente, envolviéndole al mismo tiempo en una mirada sostenida con los ojos medio cerrados. 370

—¡Dios mío! ¡Va usted a creer que soy una loca!

Él se inclinó con gallardía.

—Lo que creo es que el loco acabaría por serlo yo, si tuviese la dicha de permanecer mucho tiempo al lado de mujer tan adorable.

—Pues si usted tiene ese miedo, otra vez le cerraré la puerta.

Sabía ella decir todas estas trivialidades con coquetería insinuante y graciosa. Su charla alegre y burbujeante, parecía libada en una copa llena de vino de Falerno y hojas de rosa; pero el hechizo incomparable de aquella mujer, hallábase en el movimiento provocativo y picaresco de los labios que, en cada frasecilla, engastaban un grano de sal que cristalizaba en forma de diamante. 380

La criolla habla, ríe, se mueve, gesticula, todo a un tiempo, con coquetería vivaz e inquietante. Como al descuido, su pie delicado y nervioso, entretenido en hacer saltar la babucha turca, roza el pie y la polaina 390

---

364 duró: CO pág. 54, LC, FLO pág. 133 dura.
364 pudieron: CO pág. 55, LC, FLO pág. 133 pueden.
369 incorporó: CO pág. 55, LC, FLO pág. 133 incorpora.
370 el confidente: CO pág. 55, LC, FLO pág. 133 el diván.
374 inclinó: CO pág. 55, LC, FLO pág. 133 inclina.
382 libada: HP pág. 58, CO pág. 56, LC, FLO pág. 133 librada *(sic)*.
382 de vino de Falerno y: CO pág. 56, LC, FLO pág. 133 de champaña y.
385 frasecilla: CO pág. 56, LC, FLO pág. 133 en cada palabra.

del duquesito, el cual, espoleado por aquellos rápidos contactos se aventura a rodear con su brazo el talle de la criolla, bien que sin osar estrechárselo. Aprovechando un momento en que ella torna la cabeza, se inclina y la besa en los cabellos furtivamente, con ternura tímida. La criolla lanza un grito trágico.

—¡Me ha besado usted, caballero!...

—¡Tula! ¡Tula!... ¡Perdone usted! ¿No ve usted que estoy loco?... ¡Déjeme usted que la adore!... 400

Habíale cogido las manos, y le besaba la punta de los dedos suspirando. Tula le veía temblar, sentía el roce de sus labios, oía sus palabras llenas de ardimiento, y experimentaba un placer cruel al rechazarle tras de haberle tentado. Arrastrada por esa coquetería peligrosa y sutil de las mujeres galantes, placíale despertar deseos que no compartía. Pérfida y desenamorada, hería con el áspid del deseo, como hiere el indio sanguinario, para probar la punta de sus flechas.

Ramiro Mendoza no pudo contenerse más, y la estrechó con ardor. Ella se desasió rechazándole: 410

—¡Déjeme usted, canalla!

---

392 el cual, espoleado: HP pág. 58 que espoleado. CO pág. 56 que expoliado *(sic)*. LC, FLO pág. 133 que espoleado.

400 loco?... habíale: HA pág. 221, LC, FLO pág. 133 loco? ( ) Habíale.

401 y le besaba: CO pág. 57 y la besaba.

412-413 usted, ...Cogió uno de los: CO págs. 58-63, LC, FLO págs. 134-5 usted! ¡Sea usted caballero!.

Caída sobre el diván solloza con la cara entre las manos. El Duquesito permanece en pie, un poco aturdido:

—¡Perdone usted, Tula!

La criolla lamenta con la voz sofocada:

—¡No es usted mi amigo!... ¡No es usted mi amigo!

El Duquesito se arrodilla a sus pies:

—¡Sí lo soy, Tula!... El único amigo leal... Póngame usted a prueba.

La linda señora, siempre con el rostro oculto, sólo responde con suspiros. Sobre la seda turca del diván, destaca la línea del cuerpo con aquella gracia desnuda que encantaba los ojos de los viejos pintores florentinos, y una de sus manos cuelga como una flor. El Duquesito la levanta con tierna delicadeza:

.—¡Tula, perdóneme usted!

La criolla suspira sin retirar su mano. En la penumbra del salón cantan a un tiempo todos los pájaros de América. Hay como un misterio y un frescor de gruta. Se siente la fragancia del jardín, y la carne adivina con deleite la furia del sol y el resplandor cegador. El Duquesito pone sobre su corazón la mano que la criolla le abandona como muerta. La mano se estremece un momento, y parece oprimir con su blando peso el corazón del galán. Es tan débil y tan amorosa aquella presión, que se diría un fluido. Se pudiera comparar al magnetismo de una mirada. Con la otra mano, Tula se tapa los ojos. Después de un suspiro, comienza a desviarla muy lentamente:

—¡Yo soñaba que fuese usted mi amigo!... ¡Mi verdadero amigo!

El Duquesito le habla con una rodilla en tierra como galán de comedia antigua:

—¿Qué debo hacer para merecerlo, Tula?

Ella mueve la cabeza y entorna los ojos que guardan una lágrima en el fondo:

—¡Ya no!

Se incorpora, y con un gesto melancólico, le señala al buen mozo un sitio a su lado, en el diván.

—Impóngame usted una penitencia, Tula.

—¡Oh no!

—¡Es usted cruel!

—¿Qué penitencia quiere usted que le imponga? ¿No verme? Esa no sería penitencia.

—Sería un suplicio.

—¡Por Dios, Ramiro!

—¡Un suplicio horrible!

—Si no puedo creerlo.

Hablaban mirándose en los ojos: El Duquesito sentía el vértigo como si las pupilas de la criolla fueran abismos, y le besaba las manos en un verdadero frenesí amoroso. Ella, sin retirarlas, suspiraba con apasionado aleteo de los párpados. Decía el buen mozo:

—¡Yo sería su esclavo, Tula!

Y ella replicaba con la melancolía de los treinta años, una melancolía de rosa en la sombra de un jardín:

—Una hora lo sería usted, y el resto de la vida lo sería yo.

Y las manos tenían una suave presión. El Duquesito acercaba su rostro al rostro de la criolla, y abría los ojos con intento de fascinarla, como había visto a un moro magnetizador de serpientes. La boca roja le tentó con la tentación de la sangre, y de pronto se inclino sobre la divina flor de pecado, la besó y la mordió. El cuerpo de la criolla le palpitó entre los brazos, y sintió toda la curva armoniosa revelársele. Pero bajo su beso, la boca roja sólo tuvo un grito:

—¡Déjeme usted!

Él quiso otra vez que fuese suya la divina rosa de sangre, y ella, elástica y felina, se arqueó, hasta poder soltarse. Cogió uno de los floretes...

Cogió uno de los floretes y le cruzó la cara. El duquesito dio un paso, apretando los dientes: ella en vez de huirle, acerada, erguida, con la cabeza alta y los ojos brillantes, como viborilla a quien pisan la cola, le azotó el rostro, una y otra vez, sintiendo a cada golpe, esa alegría depravada de las malas mujeres cuando cierran la puerta al querido que muere de amor y de celos.

—¡Salga usted! ¡Salga usted! 420

Al ruido acudió Trinito; su faz de diablillo ahumado, dibujaba una sonrisa grotesca. Para él, todo aquello era un juego de los señores.

—¿Mi amita, manda alguna cosa?

Tula se volvió blandiendo el florete:

—Sí; enseña la puerta a ese caballero.

El duquesito lívido de coraje, salió atropellando al criado. La criolla, apenas le vio desaparecer hizo una mueca de burla, y se encasquetó el tricornio de papel; luego, saltando sobre un pie, pues en la defensa escu- 430 rriérasele una pantufla, se aproximó al espejo. Sus ojos brillaban, sus labios sonreían, hasta sus dientecillos blancos y menudos parecían burlarse alineados en el rojo y perfumado nido de la boca; sentía en su sangre el cosquilleo nervioso de una risa alegre y sin fin que, sin asomar a los labios deshacíase en la garganta y se extendía por el terciopelo de su carne como un largo beso. Todo en aquella mujer cantaba el diabólico poder de su hermosura triunfante. Insensiblemente em-

---

415 acerada: En la edición de 1895 reza «acerado» *(sic)* Es sin duda una errata. Así en HA pág. 221, HP pág. 59, CO pág. 63, LC, FLO pág. 136 reza «acerada».

432 brillaban: CO pág. 64, LC, FLO pág. 136 brillan.

432 sonreían: CO pág. 64, LC, FLO pág. 136 sonríen.

433 parecían: CO pág. 64, LC, FLO pág. 136 parecen.

434 sentía: CO pág. 64, LC, FLO pág. 136 siente.

436 deshacíase: CO pág. 65, LC, FLO pág. 136 deshace.

437 extendía: CO pág. 65, LC, FLO pág. 136 extiende.

438 cantaba: CO pág. 65, LC, FLO pág. 136 canta.

439 de su hermosura: HP pág. 60, CO pág. 65, LC, FLO pág. 136 de la hermosura.

439 empezó: CO pág. 65, LC, FLO pág. 136 empieza.

pezó a desnudarse ante el espejo, recreándose larga- 440
mente en la contemplación de los encantos que descubría: experimentaba una languidez sensual al pasar la mano sobre la piel fina y nacarada del cuerpo. Habíansele encendido las mejillas, y suspiraba voluptuosamente entornando los ojos, enamorada de su propia blancura, blancura de diosa, tentadora y esquiva...

¡Diana cazadora la llamara el duquesito, bien ajeno al símbolo de aquel nombre!

Pontevedra, septiembre de 1893.

---

440 recreándose: CO pág. 65, LC, FLO pág. 136 se recrea.

441 descubría; experimentaba: CO pág. 65, LC, FLO pág. 136 descubre, experimenta.

443 cuerpo. Habíansele encendido las: CO pág. 65, LC, FLO pág. 136 cuerpo. Tiene dos llamas en las.

444 suspiraba: CO pág. 65, LC, FLO pág. 136 suspira.

447-448 Diana... nombre: CO pág. 65, LC, FLO pág. 136 El Duquesito, bien ajeno al símbolo de aquel nombre, la había llamado Diana cazadora.

Octavia Santino

El pobre mozo permanecía en la actitud de un hombre sin consuelo, sentado delante de la mesa donde había escrito las *Cartas a una querida,* aquellos versos eróticos, inspirados en la historia de sus amores con Octavia Santino. Conservaba la abatida cabeza entre las manos, y sus dedos flacos y descoloridos, desaparecían bajo la alborotada y oscura cabellera, a la cual se asían, de tiempo en tiempo, coléricos y nerviosos. Cuando se levantó para entrar en la alcoba, donde la enferma se quejaba débilmente, pudo verse que tenía los ojos es- 10 caldados por las lágrimas. Hacía un año que vivía con aquella mujer. No era ella una niña, pero sí todavía hermosa; de regular estatura y formas esbeltas; con esa morbidez fresca y sana que comunica a la carne feme-

---

1 El... permanecía: C92, C93, OS El ( ) permanecía. C4 Perico Pondal permanecía.

1 El pobre... actitud: CO pág. 69, NC, FLO pág. 137 Pedro Pondal, un poeta joven y desconocido, hallábase en la actitud.

2-5 consuelo... Conservaba: C4 consuelo. ( ) Conservaba.

3 escrito las... aquellos: CO pág. 69, NC, FLO pág. 137 escrito sus poemas galantes, aquellos.

6-7 dedos..., desaparecían: CO pág. 69, NC, FLO pág. 137 dedos ( ) desaparecían.

7 bajo: C93, OS entre.

7-9 alborotada... se: CO pág. 69, NC, FLO pág. 137 alborotada cabellera. ( ) Cuando se.

7-9 asían, ..., coléricos: C92, C93 asían ( ) coléricos.

11 que vivía con: C4 que estaba casado con.

12 era ella una: NC era ( ) una.

nina el aterciopelado del albérchigo, y le da grato sabor de madurez. Supiera hacerse amar, con ese talento de la querida que se siente envejecer, y conserva el corazón joven como a los veinte años; ponía ella algo de maternal en aquel amor de su decadencia; era el último, se lo decían bien claro los hilillos de plata que asomaban entre sus cabellos castaños, los cuales aún conservaban la gracia juvenil. 20

Un momento se detuvo Perico Pondal en la puerta de la alcoba. Era triste de veras aquella habitación silenciosa, solemne, medio a oscuras; envuelta en un vaho tibio, con olor de medicinas y de fiebre.

La llama viva de la chimenea arrojaba claridades trémulas y tornadizas sobre el contorno suave y lleno de gracia, que el cuerpo de la enferma dibujaba a través de las ropas del lecho. Lo primero que se veía al entrar era una cabeza lívida, de mujer hermosa, reposando sobre la blanca almohada. Pondal sintió que sus ojos volvían a llenarse de lágrimas, ante aquel rostro, que parecía no tener gota de sangre, y en el cual las tintas trágicas de la muerte empezaban a extenderse; pero 30

---

16 madurez... con ese: C92, C93, OS madurez. Había sabido hacerse amar de aquel muchacho, con ese. C4 madurez. Sabia hacerse amar, con ese. CO pág. 70, NC, FLO pág. 137 madurez. Supo hacerse amar con ese.

17 querida: C4 mujer.

19 en aquel amor: C92, C93, OS en este amor.

19 de su: HA pág. 8 de la.

20 decían bien claro: C4 decían ( ) claro.

20-21 hilillos... entre: CO pág. 70, NC, FLO pág. 137 hilos de plata al asomar entre.

21 los cuales: OS, CO pág. 70, NC, FLO pág. 137 que.

23 Un momento ...en la puerta: CO pág. 70, NC, FLO pág. 137 Pedro Pondal se detuvo un momento en la puerta.

23 Perico Pondal: C92, C93 Pedro Pondal. OS Alfredo Pondal. C4 Pondal.

26 de medicinas y de fiebre: C93 de medicina y de fiebre. CO pág. 71 de medicinas y de fiebres.

28 suave: OS juvenil.

31 lívida: OS linda.

35 extenderse: C92, C93, OS perfilarse.

vio que Octavia le miraba, llamándole a su lado con una triste sonrisa, y trató de sonreír también, para tranquilizarla. Llegóse al lecho; y tomando dulcemente la mano que la enferma dejaba colgar fuera, la retuvo entre las suyas, besándola en silencio, porque la emoción apenas le dejaba hablar. Ella le acarició la mejilla como a un niño, murmurando: 40

—¡Pobre pequeño!... ¡Cuánto siento dejarte!...

—¡No, no; tú no me dejas, porque yo me iré contigo!...

En el rostro del joven se reflejaban las sacudidas nerviosas que le costaba no estallar en sollozos. Octavia le miró un momento, y atrayéndole a sí, prodigóle las palabras más tiernas. Después, devorándole con sus ojos febriles, y oprimiéndole la mano murmuró: 50

—¿Sabes qué día es mañana, Pedro?

Él contestó con la voz llena de lágrimas:

—No; ¿qué día es?

—¡Mañana hace dos años que nos hemos conocido! ¿Te acuerdas? ¡Quién te había de decir entonces, que tendrías que cuidarme, mi pobre pequeño!... ¡Pero por

---

35-36 pero vio que Octavia: CO pág. 71, NC, FLO pág. 138 Pero ( ) Octavia.

38-39 tomando dulcemente la mano: CO pág. 71, NC, FLO pág. 138 tomando ( ) la mano.

42-43 niño, murmurando: Pobre: CO pág. 72, NC, FLO pág. 138 niño ( ): Pobre.

44 No, no; tú no: CO pág. 72, NC, FLO pág. 138 No. ( ) ¡Tú no.

45 En el... se: CO pág. 72, NC, FLO pág. 138 En el rostro trastornado de aquel pobre muchacho se.

46 nerviosas... estallar: C92, C93, OS nerviosas que experimentaba para no estallar.

49-72 tiernas... si no debes: C92, C93, OS tiernas:/ ( ).—Mira pequeño; si no debes.

49-50 con sus ojos: C4 con ( ) ojos.

50 la mano: CO pág. 72, NC, FLO pág. 138 las manos.

54 hace dos años que: CO pág. 72, NC, FLO pág. 138 hace otro año que.

55 acuerdas: FLO pág. 138 recuerdas.

56 tendrías que... Pero por: CO págs. 72-73, NC, FLO pág. 138 tendrías que amortajarme mi pobre cuerpo ¡Pero por.

Dios, no te aflijas! ¡Háblame! ¡Háblame!... ¡Dime que te acuerdas de todo!...

En el silencio y la oscuridad de la alcoba, el murmullo de la voz tenía algo de la solemnidad de un rezo. 60
Perico muy conmovido gritó:

—¡Sí, me acuerdo! ¡Me acordaré todo la vida!!!

Fue aquel un grito salido de lo más hondo del alma. Desde entonces ya no pudo contenerse por más tiempo, y se puso a sollozar como un niño.

—¡Octavia! ¡Octavia!... ¡Alma mía!... ¡Queridita mía!... ¡No me dejes solo en el mundo!

Y sellaba con pasión sus labios, sobre la mano de la enferma, una mano hermosa y blanca, húmeda ya por los sudores de la agonía. 70

Ella cerraba los ojos, suplicándole que callase.

—Mira, encanto; si no debes sentirme de ese modo. ¿Qué era yo para ti más que una carga? ¿No lo comprendes? Tú tienes por delante un gran porvenir. Ahora, luego que yo me muera, debes vivir solito; no creas que digo esto porque esté celosa; ya sé que a muertos y a idos... Te hablo así, porque conozco lo que ata una mujer. Tú, si no te abandonas, tienes que subir muy alto. Créeme a mí. Pero Dios que da las alas, las da para volar uno sólo. ¡Sí, mi hijito! Después de que 80
hayas triunfado, te doy permiso para enamorarte...

---

57 Háblame... Dime: CO pág. 73, NC, FLO pág. 138 Háblame, ( ) Dime.

61 Perico: CO pág. 73, NC, FLO pág. 138 Pedro Pondal.

67-68 ¡Octavia! ¡Octavia!... No me: C4 ¡Octavia! ¡Octavia! ( ) No me.

67-68 Alma mía... No me: CO pág. 73, NC, FLO pág. 138 Alma mía. Toda mía. No me.

70-72 agonía... / .—Mira: CO pág. 74, NC, FLO pág. 138 agonía ( ) / .—Mira.

75 yo me muera: CO pág. 74, NC, FLO pág. 138 yo ( ) muera.

75 solito: CO pág. 74, NC, FLO pág. 138 sólo.

76 esté: C93 estoy.

77 hablo así porque: NC hablo ( ) porque.

80 sólo... Después de: CO pág. 74, NC, FLO pág. 138 sólo ( ) después de.

81-83 enamorarte... mano: C92, OS enamorarte. ( ) Pondal le puso

Intentó sonreír para quitar a sus palabras la amargura que rebosaban. Pondal le puso una mano en la boca.

—No hables así, Octavia, porque me desgarras el corazón. Tú vivirás, y volveremos a ser felices.

—¡Aunque viviese, no lo seríamos ya!

Su voz era tan débil que no parecía sino que ya hablaba desde el sepulcro. En aquella conversación agónica, que podía ser la última, todo el pasado de sus re- 90 laciones volvía a su memoria, y a pesar de la sonrisa resignada, que contraía sus labios descoloridos, conocíase cuánto la hacía sufrir este linaje de recuerdos. Perico, sentado al borde de la cama, con la cabeza entre las manos, suspiraba en silencio. Él también recordaba otros días, días de primavera, azules y luminosos; mañanas perfumadas; tardes melancólicas; horas queridas: paseos de enamorados que se extravían en las avenidas de los bosquecillos, cuando los insectos zumban la ardiente canción del verano, florecen las rosas, 100 y las tórtolas se arrullan sobre las reverdecidas ramas de los robles. Recordaba los albores de su amor, y todas las venturas que debía a la moribunda. Sobre aquel seno de matrona, perfumado y opulento, ¡había reclinado tantas veces en delicioso éxtasis, su testa orlada de rizos, como la de un dios adolescente! ¡Aquellas pobres manos, que ahora se enclavijaban sobre la sábana, tenían jugado tanto con ellos!... Y al pensar en que iba

---

la mano. C93 enamorarte cuanto quieras. ( ) Pondal le puso una mano.

86-193 Tú vivirás... sintió un ahogo: OS Tú vivirás, tú vivirás, tú vivirás. / Se sentía ahogado. Octavia no pudo reprimir un gemido. Sintió un ahogo.

86-193 a ser felices... Sintió un ahogo: C92, C93 a ser felices. ( ) Octavia no pudo reprimir un gemido. Sintió un ahogo.

88-89 débil... desde el: CO pág. 75, NC, FLO pág. 139 débil, que ya parecía hablar desde el.

88-89 que ya hablaba: C4 que ( ) hablaba.

93-94 Perico: CO pág. 76, NC, FLO pág. 139 Pondal.

103-107 moribunda... ¡Aquellas pobres: C4 moribunda. ( ) ¡Aquellas pobres.

a verse solo en el mundo; que ya no tendría regazo donde descansar la cabeza, ni labios que le besasen, ni brazos que le ciñesen, ni manos que le halagasen, tropel de gemidos y sollozos subíale a la garganta, y se retorcía en ella, como rabiosa jauría. 110

—¡Señor! ¡Señor!... ¡No me la lleves! ¡Sé bueno!...

Y Perico, conteniendo trabajosamente las lágrimas, se puso a rezar, como un niño que era. ¿Por qué no había de hacer Dios un milagro? Y esta esperanza postrera, tan incierta, tan lejana, apoderándose de su pobre corazón, le trajo, como un perfume de incienso, el recuerdo de la infancia en el hogar paterno, donde todas las noches se rezaba el rosario... ¡Ay, fue al deshacerse aquel hogar, cuando conociera a Octavia Santino!... 120

Aunque mozo de veinte años, Perico Pondal, no pasaba de ser un niño triste y romántico, en quien el sentimiento adquiriría sensibilidad verdaderamente enfermiza. De estatura no más que mediana; ademán frío, y continente tímido y retraído, difícilmente agradaba la primera vez que se le conocía —él mismo, solía dolerse de ello, exagerándolo como hacía con todo—. Apuntábale negra barba, que encerraba, a modo de marco de ébano, un rostro pálido y quevedesco. La frente era más altiva que despejada; los ojos más ensoñadores que brillantes. Aquella cabeza prematuramente pensativa, parecía inclinarse impregnada de una tristeza misteriosa y lejana. Su mirar melancólico, era el mirar de esos adolescentes que, en medio de una gran ignorancia de la vida, parecen tener como la visión de sus dolores y de sus miserias. 130

Octavia parecía dormitar; inmóvil, pálida como la muerte, con los cabellos sueltos sobre la almohada. En 140

114-115 lleves!... Y Perico: C4 lleves! ( ) Y Perico.
115 Y Perico conteniendo: CO pág. 77, NC, FLO pág. 140 Y ( ) conteniendo.
123 Perico: CO pág. 78, NC, FLO pág. 140 Pedro.
127 tímido: CO pág. 78, NC, FLO pág. 140 huraño.
139 Octavia... inmóvil: CO pág. 79, NC, FLO pág. 140 Octavia, hundida la cabeza, dormitaba, inmóvil.

los labios de Perico, vagaba el mosqueo igual y continuado de un rezo. Poco a poco su amiga abrió los ojos, y los fijó en él con vago espanto.

—¿Qué haces?... ¿Rezas?

Perico dijo que no; y la enferma procurando sonreír, le hizo seña de que se acercase:

—Esta mañana, poco después de haber salido tú, he tenido una visita... Las hijas del general Rojas; dos niñas de quienes fui institutriz.

Aquí tuvo que hacer una pausa y luego añadió: 150

—Una de ellas, Isabelita, viendo tu retrato, me preguntó si era mi novio... Las inocentes no saben que vivo contigo... Venía con ellas un sacerdote: el capellán de la casa según creo... Se sentó ahí, donde tú estás, y me estuvo hablando largo rato. ¡Si vieras qué trabajos pasé para engañarle!... Luego temía que tú llegases y te viesen...

Hubo de interrumpirse nuevamente. Suspirando, clavó los ojos en un crucifijo que había a los pies del lecho, y sin desviarlos ya, acabó en voz mucho más 160 apagada:

—¡Ah!, es un santo ese sacerdote. ¡Con tanto cariño me indicaba que debía confesarme!... Decía que no se debe esperar al último momento; que conviene hacerlo aun cuando el mal no sea grave... ¡Te digo que es un santo!...

Perico, encorvándose sobre ella, preguntóle con afán:

141-142 de Perico... continuado: CO pág. 79, NC, FLO pág. 140 de Pondal, vagaba el mosqueo continuado.

142 poco su amiga abrió: C4 poco la enferma abrió. CO pág. 79, NC, FLO pág. 140 poco Octavia abrió.

143 fijó en él con: CO pág. 79, NC, FLO pág. 140 fijó ( ) con.

145 Perico: CO pág. 80, NC, FLO pág. 140 El.

145-146 enferma... le hizo: C4 enferma ( ) le hizo.

145-192 sonreír... exánime y: CO pág. 80, NC, FLO pág. 140 sonreír, volvió a cerrar los ojos: ¡Amor mío! Exánime y.

145-230 acercarse... quiero: C4 acercarse. ( ) / Quiero.

162 santo ese sacerdote: HP pág. 122 santo ( ) sacerdote.

—¿Entonces, quieres que venga un confesor? Yo también había pensado en ello... Gravedad no la hay, eso no... 170

La enferma vaciló un momento; luego volviendo a él los hermosos ojos, nublados por la calentura, exclamó con dolorosa resolución:

—¡No, no!... Prefiero condenarme así... ¡Anda, dame un beso!

Y exhalando un gemido, avanzaba el rostro, y le presentaba la boca. Perico la miró asombrado.

—¿Pero por qué no quieres?

Octavia sollozó: 180

—¡Ay! Cuando entrase el sacerdote, tú tendrías que irte; que salir de esta casa; que no volver ya... Diría que es pecado... ¡No ves que soy tu querida!... Y yo quiero verte, tenerte siempre a mi lado... ¡Pedirte perdón! ¡Lo demás no me importa nada!

Quiso arrojarse del lecho y Perico la sujetó suplicándole que se calmase. Sollozaba prometiendo casarse con ella.

—¿Ves? Este es el resultado... ¡Ya me lo temía! ¿Pero qué tienes? ¿No comprendes que así te pones peor? ¡Dios mío! ¡Dios mío! Yo tengo la culpa. 190

Octavia exánime y jadeante, había caído sobre la almohada. Sintió un ahogo que la privó de respiración un instante, y ocultando la frente en las almohadas, rompió a llorar amargamente. En vano su amante trató de consolarla. Ella sentíase conmovida ante el afec-

---

186-190 calmase... ¿Pero qué: C4 calmase: ( ) / ¿Pero qué.

194-195 ocultando..., rompió: HP pág. 123 ocultando la faz ( ) rompió. CO pág. 80, NC, FLO pág. 140 ocultando la cara ( ), rompió.

195-196 vano... Ella sentíase: C92, C93 vano trataba de consolarla. / ¿Ves? Este es el resultado de tus... ¡Ya yo me lo temía! ¿Pero qué tienes? ¿No comprendes que así te pones peor? / ( ) Ella sentíase.

OS vano trataba de consolarla. / ¿Ves? Este es el resultado de tus... ¡Ya yo me lo temía! ¿Pero qué tienes? ¡Comprende que así te pones peor! / ( ) Ella sentíase.

195 su amante: C4 Perico.

196 ante el...; y la: C92 ante el cariño de aquel hombre; y la. C93 ante el cariño de aquel muchacho; y la.

to de aquel niño; y la conciencia le remordía, como si no le hubiese amado bastante. Cediendo a sus ruegos descubrió el rostro, y las lágrimas siguieron cayendo de aquellos ojos de tan puro azul, pero silenciosas, sin gemidos ni sollozos. Se miraron inmóviles los dos, con las manos enlazadas, como si fuesen a hacerse un juramento. La mirada que cambiaron era la despedida muda, solemne, angustiosa que se dan dos almas al separarse; era la evocación de sus recuerdos; todo el pasado de aquel amor, al cual iba a poner término la muerte. Las lágrimas corrieron más abundantes de los ojos de Octavia, y algo intolerable y mortificante sintió en el corazón: 200

—¡Qué no haría yo para que no me llorase mi pobre pequeño!... 210

Había vuelto a esconder la cabeza en las almohadas, sollozando tan bajito, que apenas se la oía.

Pondal se inclinó y puso sus labios en los cabellos de Octavia, besándolos suavemente, recorriendo toda la trenza. Estuvo así larguísimo rato, susurrando palabras cariñosas que producían en la enferma estremecimientos convulsivos y dolorosos. Se inclinó un poco más, y levantando con cuidado, como una reliquia, aquella adorada cabeza, la obligó a que le mirase. Ella clavó en él con extraordinaria tristeza las pupilas, que 220

196-197 OS ante el cariño de aquel hombre ( ) Cediendo a sus ruegos.

198 amado bastante: C4 amado lo bastante.

198 a sus ruegos: CO pág. 80, NC, FLO pág. 140 a los ruegos.

200 de tan puro: OS de ( ) puro.

200 pero silenciosas, sin: C93 pero ( ) sin.

202 enlazadas: OS cruzadas.

202-203 fuesen a... La mirada: C93 fuesen a hacerse un juramento de amor. La mirada.

210-212 para que... pequeño. Había: C92, C93 para que no me sintieses, mi poverino fanciullo. / Había. OS para que no me sintieses. / Había.

213 bajito: CO pág. 81, NC, FLO pág. 141 quedo.

214 sus labios: OS los labios.

216-217 palabras cariñosas que: C93 palabras ( ) que.

parecían más grandes y más bellas por efecto de la demacración del rostro, y los dos permanecieron mudos, tratando de leerse los más escondidos pensamientos: Perico fue el primero en hablar.

—¿Qué tienes? ¿No me dices?

Los labios de la enferma se agitaron apenas.

—Pedro...

—¿Qué, mi pobrecita?

—¡Quiero que me prometas una cosa! 230

—Cuantas quieras.

—Que en ningún caso me dejarás morir sola.

—¿Qué dices, Octavia?

—¿Lo juras?

—¡Lo juro!... ¡Pero eso es una locura que a nada viene!

—¡Cállate, por Dios! Me haces un daño horrible... ¡Calla!

Se cubrió los ojos, como si la llama de la chimenea le molestase, y añadió: 240

—Después te diré eso... No quiero que mi muerte te haga sufrir.

Creyó Pondal que la enferma deliraba, y nada dijo. Ella siguió musitando:

---

225 Perico: C92, C93, OS El.
225 Perico: CO pág. 82, NC, FLO pág. 141 Pedro Pondal.
228 Pedro: OS Alfredo.
228-230 Pedro... que me: CO pág. 82, NC, FLO pág. 141 Pedro... / ¿Di mi pobre amor? / Que me.
231-234 quieras... sola: CO pág. 82, NC, FLO pág. 141 quieras /. —¿No me dejarás morir sola?
235-237 locura... por Dios: CO pág. 83, NC, FLO pág. 141 locura ( ) / .—Calla, por Dios.
237 ¡Cállate por Dios!: OS ¡Callate por la virgen!
239 ojos, como si: C93 ojos con las manos, como si.
241 Después... No: CO pág. 83, NC, FLO pág. 142 Después te lo confesaré todo... No.
244 musitando: C93 meditando.
245 te he amado mucho: CO pág. 83, NC, FLO pág. 142 te quise mucho.
245 Pedro: OS Alfredo.

—¡Sin embargo, te he amado mucho, Pedro!... ¡Mucho! ¡Mucho!... ¡Bien lo sabe Dios!...

—¡Y yo también lo sé!...

—¡No, no!... ¡Tú no lo sabes!...

Experimentó una rápida conmoción, y se quedó lívida y distendida, como si fuese a morir. Cuando hubo 250 cobrado ánimo, añadió:

—¡Hubiese sido yo tan feliz sin este torcedor! No; no quiero que me llores; no quiero...

—Pero Octavia, ¿qué tienes? ¡Tú deliras! Te suplico que calles, ¿no me oyes, Octavia querida? Te lo suplico...

Se dejó caer en el sillón que había arrimado al lecho, y tomó la mano que Octavia tenía sobre el arrugado doblez de la sábana.

—Ahora te prohíbo hablar, y si no me obedeces, ya 260 lo sabes, me voy.

Octavia oprimió suavemente la mano de su amigo procurando sonreír, pero la mueca que hizo en la tentativa, resultó espantable. Después quedóse como dor-

---

246-249 sabe Dios... Experimentó: C92, C93, OS sabe Dios./.—Y yo! / .—Tú más a mí; por eso sufro tanto. / Experimentó.

248 —¡No, no!... ¡Tú: CO pág. 83, NC, FLO pág. 142 No, ( ) Tú.

250-251 hubo... añadió: C92, C93, OS hubo recobrado ánimo, dijo:

252 sido yo tan: C93 sido ( ) tan.

254 Octavia... deliras!: CO pág. 83, NC, FLO pág. 142 Octavia ( ) tú deliras!

255-257 que calles... Se dejó: C93 que calles ( ) se dejó.

255 oyes?... Te lo: CO pág. 84, NC, FLO pág. 142 oyes? ( ) Te lo.

260 hablar, y si no: C93 hablar, ( ) si no.

262 oprimió: C92, OS oprimía.

262-263 Octavia... procurando: CO pág. 84, NC, FLO pág. 142 Octavia le oprimió suavemente la mano procurando. C4 Octavia le oprimió nuevamente la mano procurando.

264-265 espantable... abrió los ojos: C92, C93, OS espantable. / En aquella conversación agónica, que podía ser la última, todo el pasado de sus relaciones volvía a su memoria, y conocíasele en las alteraciones del rostro cuánto la hacía sufrir este linaje de recuerdos. De pronto abrió los ojos.

mida, pero sólo fue un momento; en seguida abrió los ojos sobresaltada, como si saliese de una pesadilla, y extendió las manos palpando con avidez la cabeza de su amante.

—¿Estás ahí, Perico? ¡No te veo!

—¡Sí, aquí estoy, mi vida! 270

Perico separó los cabellos empapados de sudor que oscurecían la frente de la enferma, y depositó en ellos un largo beso, lleno de amor y de tristeza. Después, volviendo a sentarse, empezó a decir:

—Esta mañana encontré a Corsino Infante, que me preguntó por ti; le dije que no estabas bien, y prometió venir a verte.

Octavia gimió sordamente.

—¡No, no! ¡Que no venga!

—¿Pero por qué, hija? ¡Vamos, no seas así! Si no 280 quieres hacer lo que él recete no lo haces... Verdaderamente no viene más que como amigo... Yo, sin embargo, entre Corsino y tu doctor Cuevas, no vacilaría... Ya has visto lo que pasó en mi enfermedad; Corsino fue el único que estuvo un poco acertado... ¡El doctor Cuevas es un practicón, nada más; e Infante ha estudiado mucho!...

Y Perico, endulzaba la voz para no disgustar a la enferma.

—Pero tú no le quieres bien, y eres ingrata; de verdad que sí. 290

267-269 avidez... ¿Estás ahí: C4 avidez ( ) / ¿Estás ahí.

269 ahí, Perico? No te: CO pág. 85, NC, FLO pág. 142 ahí? ( ) No te.

269 Perico: C92, C93, Pedro. OS Alfredo.

270-297 mi vida!... que dormía: C92, C93, OS mi vida! / En la habitación no se oía más que el chisporroteo de la lumbre. Un enorme gato de color barcino que dormía.

271 Perico: CO pág. 85, NC, FLO pág. 142 Pedro.

273-292 de tristeza... parecía: CO pág. 85, NC, FLO pág. 142 de tristeza. ( ) Octavia, que parecía.

283 y tu doctor: C4 y el doctor.

Octavia, que parecía sufrir mucho, balbuceó con creciente anhelo:

—¡Calla!... ¡Calla! ¡Por la Virgen María no me acongojes!!!

Un enorme gato de pelambre chamuscada y amarillenta, que dormía delante de la chimenea, despertóse, enarcó el lomo erizado, sacó las uñas, giró en torno con diabólico maleficio los ojos fosforescentes y fantásticos, y huyó con menudo trotecillo. Octavia estremecióse, poseída de uno de esos terrores supersticiosos que experimentan las imaginaciones enfermas, y se incorporó, apoyada en el borde del lecho, mirando anhelante; fue menester que Pondal, a la fuerza, la obligase a acostarse, colocándole suavemente la cabeza en el centro de la almohada; ella parecía no verle; tenía la mirada vaga, y respiraba fatigosa, con el semblante contraído. Su amante la miraba, sin ser dueño de contener las lágrimas; por un formidable esfuerzo de la voluntad se serenó, para preguntarle qué tenía; no contestó Octavia, y él insistió: 300 310

—¿Sufres mucho?

La enferma abrió los ojos, que se fijaron con extravío en los objetos; agitáronse sus labios, pero fueron tan apagadas y confusas las palabras que salieron de ellos, que casi no rozó su aliento el rostro de Perico,

---

293-296 anhelo: / ...Un enorme: CO pág. 85, NC, FLO pág. 142 anhelo: / ¡Virgen María, no me abandones! / Un enorme.

300-301 Octavia estremecióse poseída: C92, C93 Octavia ( ) poseída.

301 supersticiosos: C92, C93, OS pueriles.

302 enfermas, y se: C93 enfermas, ( ) se.

304 Pondal, a la fuerza, la: CO pág. 86, NC, FLO pág. 142 Pondal, por fuerza, la. OS Pondal ( ) la.

305 colocándole: CO pág. 86, NC, FLO pág. 143 colocándola.

308 Su amante: C4 Perico.

308 miraba: C93 contemplaba.

311-312 él insistió: ¿Sufres: C92, C93 él volvió a repetir la misma pregunta: / ¿Sufres.

316 Perico: C92, C93, OS, CO pág. 87, NC, FLO pág. 143 Pondal.

que se inclinaba sobre ella, para oír mejor; sin embargo, a él le pareció que Octavia decía:

—¡No puedo! ¡No puedo!... Me remuerde...

Y la vio temblar en el lecho; el rostro demudado y convulso. Luego quedó estirada, rígida, indiferente; la cabeza torcida; entreabierta la boca por la respiración, el pecho agitado. Pondal permanecía en pie; irresoluto, sin atreverse ni a llamarla, ni a moverse, por no turbar aquel reposo que le causaba horror. Entenebrecido y suspirante volvió a sentarse junto al lecho, la barbeta apoyada en la mano, el oído atento al más leve rumor. Allá abajo, se oía el perpetuo sollozo de la fuentecilla del patio, unas niñas jugaban a la rueda; y los vendedorcillos de periódicos pasaban pregonando las últimas noticias de un crimen misterioso. La habitación empezaba a quedarse completamente a oscuras, y Pondal se levantó para entornar los postigos del balcón que estaban cerrados. Era la tarde de esas adustas e invernales, de barro y de llovizna, que tan triste aspecto prestan a la vieja ciudad. Siniestras ráfagas plomizas y lechosas pasaban lentamente ante los cristales que la ventisca azotaba con furia. Dos aguadores sentados sobre sus cubas, aguardaban la vez, entonando una canción de su país. Perico no entendía la letra, que tenía

320

330

340

---

318 pareció: OS parecía.

321 convulso... estirada: CO pág. 87, NC, FLO pág. 143 convulso. Ha quedado estirada.

325 reposo: C92 rostro.

327 la barbeta: HP pág. 128, CO pág. 87, NC, FLO pág. 143 la frente.

331 misterioso: OS lastimoso.

331-332 habitación... completamente: C93 habitación iba quedando completamente.

333-334 balcón... Era: C92 balcon ¡Qué día tan triste! penso mirando el cielo. Era la tarde. C93 balcón que estaban cerrados del todo ¡Qué día tan triste! pensó mirando el cielo. Era la tarde. OS balcón que estaban cerrados ¡Qué día tan triste! pensó mirando el cielo. Era la tarde.

335 invernales, ..., que tan: C93, OS invernales, ( ) que tan.

336 plomizas: OS obscuras.

340 Perico: CO pág. 88, NC, FLO pág. 143 Pedro Pondal. C92, C93, OS Pondal.

una cadencia lánguida y nostálgica, pero, con aquella música, sentía poco a poco penetrar en su alma supersticioso terror. Creyó oír la voz de Octavia, y volvió vivamente la cabeza. La enferma se había incorporado en las almohadas, y le llamaba con la angustia pintada en el semblante. Él corrió al lado de ella.

—¿Qué tienes?

—Creo que voy a morirme. Escucha, no debes llorarme, porque...

Calló temblando; la huella de sus ojeras se difundió 350 por toda la mejilla; agitáronse sus labios como si fuese a llorar, sus facciones acentuáronse cada vez más cadavéricas y los dientes se entrechocaron; pero luego, levantándose loca, gritó:

—¡No; no debes quererme! ¡Te he engañado! ¡He sido mala!

Pondal la miró estúpidamente, mientras en sus labios, trémulos y sin color, se dibujaba esa sonrisa tirante y angustiosa que algunos reos tienen sobre el cadalso; pero aquello no duró más que un momento, 360 porque en seguida, como si volviese en sí gritó:

—¿Qué dices Octavia? ¡Eso no puede ser! ¡Es imposible!

—No, no; ¡pero espera! ¡Te quiero!... ¡Me lo has prometido!...

Pondal, encorvado sobre la moribunda, la sacudía brutalmente por los hombros, repitiendo:

---

342 supersticioso: C92, C93 incontrastable.

343 vivamente: C4 lentamente.

348 morirme: C93 morir.

356-362 mala!... ¿Qué dices: C92, C93 mala! ( ) / .—¿Qué dices.

356-357 labios... se dibujaba: OS labios, un poco trémulos, se.

358 tirante: OS forzada.

359 cadalso; pero aquello: CO pág. 90, NC, FLO pág. 144 cadalso. ( ) Aquello.

362 ser! ¡Es imposible!: C4 ser! ¡Eso es imposible!

364 quiero!... me lo: C92, C93, OS, C4 quiero! ¡No te vayas! Me lo.

367 brutalmente... repitiendo: C93 brutalmente ( ), repitiendo.

—¡Habla! ¡Habla! ¡Dime que no es verdad! ¡Dime quién es él! ¡Habla!

Octavia le miró con expresión sobrehumana, dolorida, suplicante, agónica; quiso hablar, y su boca sumida y reseca por la fiebre se contrajo horriblemente; giraron en las cuencas, que parecían hundirse por momentos, las pupilas dilatadas y vidriosas; volviósele azulenca la faz; espumajaron los labios, el cuerpo enflaquecido estremecióse, como si un soplo helado lo recorriese, y quedó tranquilo, insensible a todo, indiferente, lleno del reposo de la muerte. 370

Pedro Pondal, clavándose las uñas en la carne, y sacudiendo furioso la melena de león, sin apartar los ojos del cuerpo de su querida, repetía enloquecido: 380

—¿Por qué? ¿Por qué quisiste ahora ser buena?

Nublóse la Luna, cuya luz blanquecina entraba por el balcón; agonizó el fuego de la chimenea, y el lecho, que era de madera, crujió...

México, julio de 1892.

---

371 suplicante, agónica; quiso: C93 suplicante; ( ) quiso.
372 giraron: C92, C93, OS giró.
373 hundirse: C93 ahondarse.
374-375 vidriosas... cuerpo: OS vidriosas ( ) y el cuerpo. C92, C93 vidriosas; ( ) espumajáronle los labios, y el cuerpo.
376 estremecióse: En la edición de 1895 reza «extremecióse» *(sic)*: C93 se estremeció.
376 enflaquecido... y: OS enflaquecido estremecióse al soplo de la muerte que lo recorría, y.
377 soplo helado lo: C92, C93 soplo de la muerte lo.
377-378 indiferente, lleno: C92, C93, OS indiferente, lo mismo al amor que al odio, lleno.
379 Pedro: OS Alfredo.
379 Pondal, ...y sacudiendo: C93 Pondal, ( ) sacudiendo.
379-380 carne, y sacudiendo furioso: HP pág. 130 carne, ( ) sacudiendo furioso. CO pág. 91, NC, FLO pág. 144 carne, sacudía furioso.
380 león, sin: CO pág. 91, NC, FLO pág. 144 león, y, sin.
380-381 león... repetía: C4 león, ( ) repetía.
383 entraba por: C92 entraba ya por.

La Niña Chole

(Del libro *Impresiones de Tierra Caliente,*
por Andrés Hidalgo)

Hace bastantes años, como final a unos amores desgraciados, me embarqué para México en un puerto de las Antillas españolas. Era yo entonces mozo y algo poeta, con ninguna experiencia y harta novelería en la cabeza; pero creía de buena fe en muchas cosas de que dudo ahora; y libre de escepticismos, dábame buena prisa a gozar de la existencia. Aunque no lo confesase, y acaso sin saberlo, era feliz con esa felicidad indefinible que da el poder amar a todas las mujeres. Sin ser un donjuanista, he vivido una juventud amorosa y apasionada; pero de amor juvenil y bullente, de pasión equilibrada y sanguínea. Los decadentismos de la generación nueva no los he sentido jamás; todavía hoy, después de haber pecado tanto, tengo las mañanas triunfantes, como dijo el poeta francés. 10

El vapor que me llevaba a México era el *Dalila,* hermoso barco que después naufragó en las costas de Galicia. Aun cuando toda la navegación tuvimos tiempo de bonanza, como yo iba herido de mal de amores, los

---

3 Antillas españolas: TCT Antillas que fueron españolas.
7 existencia... confesase: TCT existencia. Sin que lo confesase.
17-18 Galicia: TCT Bretaña.

primeros días apenas salí del camarote ni hablé con nadie. Cierto que viajaba para olvidar, pero hallaba tan novelescas mis cuitas, que no me resolvía a ponerlas en olvido. En todo me ayudaba aquello de ser *yankee* el pasaje, y no parecerme tampoco muy divertidas las conversaciones por señas. 20

¡Cuán diferente mi primer viaje a bordo del *Masniello*, que conducía viajeros de todas las partes del mundo! Recuerdo que al segundo día, ya tuteaba a un príncipe napolitano. No hubo entonces damisela mareada, a cuya pálida y despeinada frente, no sirviese mi mano de reclinatorio. Érame divertido entrar en los corrillos que se formaban sobre cubierta, a la sombra de grandes toldos de lona, y aquí chapurrear el italiano con los mercaderes griegos, de rojo fez y fino bigote negro; y allá, encender el cigarro en la pipa de los misioneros mormones. Había gente de toda laya; tahúres que parecían diplomáticos; cantantes con los dedos cubiertos de sortijas; comisionistas barbilindos, que dejaban un rastro de almizcle, y generales americanos, y toreros españoles, y judíos rusos, y grandes señores ingleses. ¡Una farándula exótica y pintoresca, cuya algarabía causaba vértigo y mareo!... 30 40

El amanecer de las selvas tropicales, cuando sus macacos aulladores y sus verdes bandadas de loritos saludan al Sol, me ha recordado muchas veces la cubierta de aquel gran trasatlántico, con su feria babélica de tipos, de trajes y de lenguas; pero más, mucho más, me lo recordaron las horas untadas de opio que constituían la vida a bordo del *Dalila.*

---

20 del camarote: TCT de mi camarote.

24-26 el pasaje. ¡Cuán diferente: TCT el pasaje ( ) ¡Cuán diferente.

26-27 Masniello: TCT Masaniello.

31-32 corrillos: TCT corros.

34 de rojo fez y: TCT de roja tez *(sic)* y.

46 aquel gran trasatlántico: HP pág. 86, FLO pág. 248 aquel ( ) trasatlántico.

48 recordaron: TCT recordaban.

Por todas partes asomaban rostros pecosos y bermejos, cabellos azafranados, y ojos perjuros. ¡*Yankees* en el comedor; *yankees* en el puente; *yankees* en la cámara! ¡Cualquiera tendría para desesperarse! Pues bien, yo lo llevaba muy en paciencia. Mi corazón estaba muerto, ¡tan muerto, que no digo la trompeta del juicio, ni siquiera unas castañuelas le resucitarían! Desde que el pobrecillo diera las boqueadas, yo parecía otro hombre: habíame vestido de luto; y en presencia de las mujeres, a poco lindos que tuviesen los ojos, adoptaba una actitud lúgubre, de poeta sepulturero y doliente, actitud que no estaba reñida con ciertos soliloquios y discursos que me hacía harto frecuentemente, considerando cuán pocos hombres tienen la suerte de llorar una infidelidad a los veinte años... 50 60

Por no ver aquella taifa de usureros *yankees,* apenas salía de mi camarote; solamente cuando el Sol declinaba iba sentarme a popa, y allí, libre de importunos, pasábame las horas viendo borrarse la estela del *Dalila.* El mar de las Antillas, cuyo trémulo seno de esmeralda penetraba la vista, me atraía, me fascinaba, como fascinan los ojos verdes y traicioneros de las hadas que habitan palacios de cristal en el fondo de los lagos. Pensaba siempre en mi primer viaje. Allá, muy lejos, en la lontananza azul donde se disipan las horas felices, percibía como en esbozo fantástico, las viejas placenterías. El lamento informe y sinfónico de las olas, 70

50-51 pecosos y bermejos, cabellos: TCT pecosos, ( ) cabellos.
56-65 resucitarían!... Por no ver: TCT resucitarían. ( ) Por no ver.
66 camarote; solamente: TCT camarote ni hablaba con nadie; solamente.
67 iba sentarme: FLO pág. 248 iba a sentarme.
69 trémulo: TCT tremendo.
70-71 como fascinan: TCT como atraen y fascinan.
72 habitan palacios de cristal en el: HP pág. 87, FLO pág. 249 habitan ( ) en el.
72-159 lagos... singular mujer: TCT lagos ( ). También algunas veces venía a sentarse en la popa del *Dalila* una singular mujer.
En la línea 90 (Los barqueros) se inicia el párrafo de BT y PT.

despertaba en mí un mundo de recuerdos; perfiles desvanecidos; ecos de risas; murmullo de lenguas extranjeras, y los aplausos, y el aleteo de los abanicos mezclándose a las notas de la tirolesa que en la cámara de 80
los espejos cantaba Lili. Era una resurrección de sensaciones; una esfumación luminosa del pasado; algo etéreo, brillante, cubierto de polvo de oro, como esas reminiscencias que los sueños nos dan a veces de la vida...

A los tres días de viaje, el *Dalila* hizo escala en un puerto de Yucatán. Recuerdo que fue a media mañana, bajo un sol abrasador que resecaba las maderas y derretía la brea, cuando dimos fondo en aquellas aguas de bruñida plata. Los barqueros indios, verdosos 90
como antiguos bronces, asaltan el vapor por ambos costados, y del fondo de sus canoas, sacan exóticas mercancías: cocos esculpidos, abanicos de palma, y bastones de carey que muestran, sonriendo como mendigos, a los pasajeros que se acodan sobre la borda. Cuando levanto los ojos hasta los peñascos de la ribera, que asoman la tostada cabeza entre las olas, distingo grupos de muchachos desnudos que se arrojan desde ellos, y nadan grandes distancias, hablándose a medida que se separan y lanzando gritos; otros descansan 100
sentados en las rocas, con los pies en el agua, o se encaraman, para secarse al sol, que ya decae, y los ilumina de soslayo, gráciles y desnudos como figuras de un friso del Partenón. Visto con ayuda de los gemelos del capitán, Progreso recuerda esos paisajes de caserío in-

---

90-96 Los barqueros... Cuando levanto: BT, PT Los barqueros indios, asaltan el vapor por ambos costados, pero yo, prefiero pasar esta última noche a bordo, y permanezco escribiendo sin moverme de la toldilla. Cuando levanto.

99 ellos, y nadan: HP pág. 88, FLO pág. 249 ellos, ( ) nadan.

104-105 Partenón... caserío: BT Partenón. Veracruz, vista desde el mar, tiene algo de esos paisajes con caserío. PT Partenón. Veracruz, vista desde el mar, recuerda esos paisajes con caserío.

105 recuerda esos paisajes: HP pág. 88, FLO pág. 249 recuerda ( ) paisajes.

verosímil que dibujan los niños precoces; es blanco, azul, encarnado; de todos los colores del iris. Una ciudad que sonríe, como señorita vestida con trapos de primavera, que sumerge la punta de los piececillos lindos en la orilla del puerto. Algo extraña resulta con 110
sus azoteas enchapadas de brillantes azulejos y sus lejanías límpidas, donde la palmera recorta su gallarda silueta que parece hablar del desierto remoto, y de caravanas fatigadas que sestean a la sombra propicia.

Por huir el enojo que me causaba la compañía de los *yankees,* decidíme a desembarcar. No olvidaré nunca las tres horas mortales que duró el pasaje desde el *Dalila* a la playa. Aletargado por el calor, voy todo este tiempo echado en el fondo de la canoa de un negro africano, que mueve los remos con lentitud desespe- 120
rante. A través de los párpados entornados veía erguirse y doblarse sobre mí, guardando el mareante compás de la bogada, aquella figura de carbón, que unas veces me sonríe con sus abultados labios de gi-

---

106 dibujan: BT iluminan.

106 es blanco... de todos: BT es azul, encarnada, verde... de todos.

PT es blanca, azul, encarnada; de todos.

108 señorita: BT, PT, HP pág. 89, FLO pág. 249 niña.

110 Algo: BT Un poco.

111 azulejos y sus: BT azulejos, ( ) sus.

112-479 su gallarda... estremecimientos voluptuosos.: BT su majestuosa silueta; por poco más, creeríamos que en vez de hallarnos anclados en el Golfo Mexicano, estamos en la costa de África; a la puerta de ese sombrío imperio del Mogrebhs; pues tiene algo de musulmán el paisaje, lo mismo que el melancólico silencio de estos indígenas, verdosos, como estatuas antiguas modeladas en bronce.

Acabamos de anclar. El horizonte ríe bajo el hermoso sol. Siéntense en el aire estremecimientos voluptuosos....

114-479 sombra propicia... estremecimientos voluptuosos: PT sombra propicia. El paisaje es tan africano, que a poco más, creeríamos hallarnos en la costa de África a la puerta de ese sombrío imperio del Mohgreb.

Acabamos de anclar. El horizonte ríe bajo un hermoso sol. Siéntense en el aire estremecimientos voluptuosos....

115 Por huir el *(sic)* enojo: Así en HP pág. 89, FLO pág. 250.

120 con lentitud: HP pág. 89, FLO pág. 250 con una lentitud.

gante, y otras silba esos aires cargados de hipnótico y religioso sopor, una tonata compuesta solamente de tres notas tristes, con que los magnetizadores de algunas tribus salvajes adormecen a las grandes culebras. Así debía de ser el viaje infernal de los antiguos en la barca de Carón: sol abrasador; horizontes blanquecinos y calcinados; mar en calma, sin brisas ni murmullos; y en el aire todo el calor de las fraguas de Vulcano. 130

Aun a riesgo de perder el vapor me aventuré hasta Mérida. De este viaje a la ciudad maya conservo una impresión somnolente y confusa, parecida a la que deja un libro de grabados hojeado perezosamente en la hamaca, durante el bochorno de la siesta; hasta me parece que cerrando los ojos el recuerdo se aviva y cobra relieve; vuelvo a sentir la angustia de la sed y el polvo; atiendo el despacioso ir y venir de aquellos indios ensabanados como fantasmas; oigo la voz melosa de aquellas criollas, ataviadas con graciosa ingenuidad de estatuas clásicas, el cabello suelto, los hombros desnudos, velados apenas por rebocillo de transparente seda. 140

Almorcé en el *Hotel Cuahutemoc,* que tiene por comedor fresco claustro de mármol, sombreado por toldos de lona, a los cuales la fuerte luz cenital comunica tenue tinte dorado, de marinas velas. Los cínifes zumbaban en torno de un surtidor que gallardeaba al sol su airón de plata, y llovía, en menudas irisadas gotas, sobre el tazón de alabastro. En medio de aquel ambiente encendido, bajo aquel cielo azul, donde la palmera abre su rumoroso parasol, la fresca música del agua recordábame de un modo sensacional y remoto las fatigas del desierto, y el deleitoso sestear en los oasis. 150

Allí, en el comedor del hotel, he visto por vez primera, una singular mujer, especie de Salambó, a quien

130 Carón: FLO pág. 250 Caronte.
131 ni: HP pág. 89, FLO pág. 250 y.
145 rebocillo: FLO pág. 250 rebociño.

sus criados indios, casi estoy por decir, sus siervos, lla- 160
maban dulcemente la niña Chole. Almorzaba en una mesa próxima a la mía, con un inglés joven y buen mozo, al cual tuve por su marido. El contraste que ofrecía aquella pareja era por demás extraño: él atlético, de ojos azules y rubio ceño, de mejillas bermejas y frente blanquísima; ella una belleza bronceada, exótica, con esa gracia extraña y ondulante de las razas nómadas; una figura hierática y serpentina, cuya contemplación evocaba el recuerdo de aquellas princesas hijas del Sol, que en los poemas indios resplandecen con el 170
doble encanto sacerdotal y voluptuoso. Vestía, como todas las criollas yucatecas, albo hipil, recamado con sedas de colores —vestidura indígena semejante a una tunicela antigua— y zagalejo andaluz, que en aquellas tierras, ayer españolas, llaman todavía con el castizo y jacaresco nombre de fustán. El negro cabello caíale suelto, el hipil jugaba sobre el clásico seno. Por desgracia, desde donde yo estaba, solamente podía verla el rostro aquellas raras veces que lo tornaba a mí: y la niña Chole, tenía esas bellas actitudes de ídolo; esa 180
quietud estática y sagrada de la raza maya; raza tan antigua, tan noble, tan misteriosa, que parece haber emigrado del fondo de la India. Pero a cambio del rostro, desquitábame en lo que no alcanzaba a velar el rebocillo, admirando, como se merecía, la tornátil morbidez de los hombros, y el contorno del cuello. ¡Válgame Dios! Parecíame que de aquel cuerpo, bruñido por el

161-166 dulcemente... una belleza bronceada: TCT dulcemente niña Chole. Era una belleza bronceada.

168 figura hierática: HP pág. 91, FLO pág. 251 figura a la vez hierática.

168-169 serpentina... evocaba: TCT serpentina que evocaba.

177-181 seno... la niña Chole, tenía: TCT seno. ( ) La Niña Chole, tenía.

181-182 antigua... que: TCT antigua, noble y misteriosa, que.

183-679 India... cuando se abre: TCT Era ya de noche cuando el Dalila dio fondo en las aguas de Yucatán. Hallábame yo entonces en mi camarote tendido en la litera y fumando una pipa, cuando se abre.

184-185 rebocillo: FLO pág. 251 rebociño.

ardiente sol de Yucatán se exhalaban lánguidos efluvios, y que yo los aspiraba, los bebía, que me embriagaba con ellos... 190

Un criado se acerca a levantar los manteles; la niña Chole se aleja sonriendo. Entonces, al verla de frente, el corazón me dio un vuelco. ¡Tenía la misma sonrisa de Lili! ¡Aquella Lili no sé si amada, si aborrecida!...

Mientras el tren corría hacia Progreso, por dilatados llanos que empezaba a invadir la sombra, yo pensaba en la desconocida del *Hotel Cuahutemoc;* aquella Salambó de los palacios de Mixtla.

Verdaderamente la hora era propicia para tal linaje 200 de memorias. El campo se hundía lentamente en el silencio amoroso y lleno de suspiros de un atardecer ardiente; por las ventanillas abiertas penetraba la brisa aromada y fecunda de los crepúsculos tropicales; la campiña toda se estremecía, cual si acercarse sintiese la hora de sus nupcias, y exhalaba de sus entrañas vírgenes un vaho caliente de negra enamorada, potente y deseosa. Aquí y allá, en la falda de las colinas, y en lo hondo de los valles inmensos, se divisaban algunos jacales que entre vallados de enormes cactus, asomaban 210 sus agudas techumbres de cáñamo gris medio podrido. Mujeres de tez cobriza y mirar dulce salían a los umbrales, e indiferentes y silenciosas, contemplaban el tren que pasaba silbando y estremeciendo la tierra. La actitud de aquellas figuras broncíneas revelaba esa tristeza trasmitida, vetusta, de las razas vencidas. Su rostro era humilde y simpático, con dientes muy blan-

---

205 sintiese: HP pág. 92, FLO pág. 252 sintiera.

208-236 Aquí y ...vagón. Esta descripción aparece en el texto de X pero fragmentada y en contexto distinto. Anoto únicamente las diferencias entre los párrafos comunes de *Femeninas* y X.

209-211 divisaban... sus agudas: X divisaban algunas rancherías y jacales que asomaban entre vallados de enormes cautos *(sic),* sus agudas.

212 salían a los: X asomaban en los.

215 broncíneas: X amarillas.

cos, y grandes ojos negros, selváticos, poderosos y velados. Parecían nacidas para vivir eternamente en los aduares, y descansar al pie de las palmeras y de los ahuehuetles. 220

El calor era insoportable. El tren, que traza curvas rapidísimas, recorría extensas llanuras de tierra caliente; plantíos que no acaban nunca, de henequén y caña dulce. En la línea del horizonte se perfilaban las colinas de configuración volcánica, montecillos chatos, revestidos de maleza espesa y verdinegra. En la llanura los chaparros tendían sus ramas formando una a modo de sombrilla gigantesca, a cuya sombra, algunos indios, vestidos con zaragüelles de lienzo, devoraban 230 la miserable ración de tamales. En el coche las conversaciones hacíanse cada vez más raras. Se cerraron algunas ventanillas, se abrieron otras; pasó el revisor pidiendo los billetes; apeáronse en una estación de nombre indio, los últimos viajeros y todo fue silencio en el vagón. Adormecido por el ajetreo, el calor y el polvo, soñé como un árabe que imaginase haber traspasado los umbrales del paraíso. ¿Necesitaré decir, que las siete huríes con que me regaló el profeta, eran siete yucatecas vestidas de fustán e hipil, y que todas siete tenían 240 la sonrisa de Lili y el mirar de la niña Chole? ¡Verdaderamente aquella desconocida empezaba a preocuparme demasiado! Estoy seguro que acabaría por enamorarme locamente de sus lindos ojos si tuviese la desgracia de volver a verlos; pero afortunadamente, las mujeres que así tan súbito nos cautivan suelen no aparecerse más que una vez en la vida. Pasan como sombras, envueltas en el misterio de un crepúsculo ideal.

---

222 El calor: X Era la hora de la siesta, y todos los viajeros parecían sentir, si no sueño, sopor y pesadez.

Las conversaciones se hicieron cada vez más raras. Se cerraron algunas ventanillas, se abrieron otras; pasó el revisor pidiendo los billetes, y todo quedó en silencio en el vagón. El calor.

224 henequén: X maíz.

227 de maleza: X de una maleza.

230 indios, vestidos: X indios de las haciendas, vestidos.

Si volviesen a pasar, quizá desvaneceríase el encanto. Y a qué volver, si una mirada suya basta a comunicarnos todas las secretas melancolías del amor... 250

Bien puede presumirse que no me detuve entonces a analizar mis sensaciones. Recuerdo vagamente haberme sorprendido murmurando dos estrofas de cierta canción americana, que Nieves Agar, la amiga querida de mi madre, me enseñaba hace muchos años, allá en tiempos que yo era rubio como un tesoro, y solía dormirme en el regazo de las señoras que iban a mi casa de tertulia. Esta afición a dormir en un regazo femenino, la conservo todavía. ¡Pobre Nieves Agar, cuántas veces me has mecido en tus rodillas al compás de aquel danzón criollo!: 260

Al par que en la falda, reposa una mano,
Con la otra abanicas el rostro gentil,
Arrulla la hamaca, y el cuerpo liviano,
Dibuja entre mallas, tu airoso perfil.

Son griegas tus formas, tu tez africana,
Tus ojos hebreos, tu acento español,
La arena tu alfombra, la palma tu hermana,
Te hicieron morena los besos del sol. 270

¡Oh!, románticos enamoramientos, pobres hijos del ideal, nacidos durante algunas horas de ferrocarril, o en torno de la mesa de una fonda, ¿quién ha llegado a viejo, y no ha sentido estremecerse el corazón, a la caricia de vuestra ala blanca? ¡Yo guardo en el alma tantos de estos amores! Aun hoy, con la cabeza llena de canas, viejo prematuro, no puedo recordar sin melancolía, un rostro de mujer, entrevisto cierta madrugada, entre Cádiz y Sevilla, a cuya Universidad me enviaba mi padre; una figura de ensueño, pálida y suspirante, 280 que flota en lo pasado y esparce sobre todos mis recuerdos de adolescente el perfume ideal de esas flores secas que, entre cartas y rizos, guardan los enamorados y, en el fondo de algún cofrecillo, parecen exhalar el cándido secreto de los primeros amores. ¡Los ojos de la niña Chole, habían removido en mi alma tan lejanas memorias, tenues como fantasmas, blancas como bañadas por luz de luna! Aquella sonrisa, evocadora de la sonrisa de Lili, había encendido en mi sangre tumultuosos deseos, y en mi espíritu ansia vaga de amar. Rejuvenecido y feliz, con cierta felicidad melancólica, suspiraba por los amores ya vividos, al mismo tiempo que me embriagaba con el perfume de aquellas rosas abrileñas que tornaban a engalanar el viejo tronco. El corazón, tanto tiempo muerto, sentía con la ola de savia juvenil que lo inundaba nuevamente, la nostalgia de viejas sensaciones: sumergíase en la niebla del pasado, y saboreaba el placer de los recuerdos —placer de moribundo que amó mucho, y en formas muy diversas—. ¡Ay, era delicioso aquel delicado temblorcillo que la imaginación excitada comunicaba a los nervios!...

Y en tanto la noche detendía por la gran llanura su sombra llena de promesas apasionadas; un vago olor marino, olor de algas y brea, mezclábase por veces al mareante de la campiña; y allá muy lejos, en el fondo oscuro del horizonte, se divisaba el resplandor rojizo de la selva, que ardía... La naturaleza lujuriosa y salvaje, aún palpitante del calor de la tarde, semejaba dormir el sueño profundo y jadeante de una fiera fecundada. En aquellas tinieblas pobladas de susurros misteriosos, nupciales, y de moscas de luz que danzan, entre las altas hierbas, raudas y quiméricas, parecíame respirar una esencia suave, deliciosa, divina: la esencia que la primavera vierte, al nacer, en el cáliz de las flores y en los corazones.

La locomotora silba, ruge, jadea, retrocede. Por las

---

303 detendía: del francés «Etendre» con la acepción de «estirarse el caballo en la carrera pegando el vientre al suelo». Así en *Sonata de Estío,* 1933, pág. 33: «Y en tanto la noche detendía».

310-311 fecundada: HP pág. 96, FLO pág. 254 fecunda.

válvulas abiertas escápase la vida del monstruo, con estertor entrecortado y asmático. Henos ya en Progreso. Un indio ensabanado abre la portezuela del coche y 320
asoma la oscura cabeza.

—¿No tiene mi amito alguna cosita que llevá?...

De un salto estoy en el andén.

—Nada, nada...

El indio hace ademán de alejarse.

—¿Ni precisa que le guíe, niño?

—No preciso nada.

Mal contento y musitando, embózase mejor con la sábana que le sirve de clámide, y se va...

Éramos tan pocos los viajeros que en el tren veníamos, que la puerta de la estación hallábase desierta. 330
Vime, pues, fuera sin apreturas ni trabajos, y al darme en rostro la brisa del mar avizoréme, pensando si el vapor habría zarpado. En estas dudas iba camino de la playa, cuando la voz mansa y humilde del maya llega nuevamente a mi oído:

—Cuatro por medio
Y ocho por un real,
Mirando que el tiempo
Está tan fatal. 340

Vuelvo la cabeza, y le descubro a pocos pasos. Venía a la carrera, y cantaba, pregonando las golosinas alineadas en una banasta que llevaba bajo el brazo.

333' en rostro: FLO pág. 255 en el rostro.

Nota: Valle-Inclán usa varias veces esta construcción con el sentido de «en frente, de frente». Así en *Sonata de invierno,* 1933, pág. 75 «Al darme en rostro el aire»; en *Flor de santidad,* 1904, «Caminaba rostro a».

avizoréme: Es frecuente encontrar en las obras de Valle este verbo con el sentido de alertarse, ponerse al acecho. Así en *Sonata de Estío,* 1933 pág. 133 «Avizorado miraba alternativamente a la puerta y a la gran reja de la sacristía» o en *Sonata de otoño,* 1913, pág. 226 «descendía avizorado un milano». Casares en su obra *Crítica Profana,* Madrid, 1916 critica con más ejemplos el uso de este verbo.

—¡Mi alma los alfajores!
Para pobre y para rico,
De leche de mantequilla:
Las traigo de a medio,
Y también de a cuartilla.

En este tiempo me dio alcance, y murmuró emparejándose: 350

—¿De verdad, niño, no me lleva un realito de gelatinas, de alfajores, de charamuscas? ¡Ándele mi jefe, un realito!

El hombre empieza a cansarme y me resuelvo a no contestarle. Esto sin duda le anima, porque sigue renuente acosándome buen rato de camino. Calla un momento, y luego en tono misterioso añade:

—¿No quiere que le lleve junto a una chinita mi jefe?... Una tapatía de quinse año ¡muy chula! que vive

---

344 alfajores: En la edición de 1895 reza «aljafores». No cabe duda de que es una errata. FLO pág. 255 alfajores.

351 niño: Americanismo que se emplea como tratamiento de respeto.

352 de alfajores: HP pág. 97 de aljafores.

charamuscas: En México confitura en forma de tirabuzón.

Ándele: Americanismo. Voz de iniciativa o estímulo.

352 jefe: En México tratamiento de respeto.

358 Chinita: Americanismo diminutivo de China, mujer criolla. «Las chinas vienen a ser lo que en España las chulas o manolas» (Sánchez Somoano).

359 tapatía: tapatío/a persona originaria de Guadalajara, México.

muy: HP pág. 97, FLO pág. 255 mu.

chula: «De todo lo que es bonito se dice allí (en México) que es chulo o chulísimo» (Sánchez Somoano).

360 merito: Valle lo emplea con el sentido de «aquí mismo, al lado». Así Sánchez Somoano: «Así por ejemplo dicen: está en la merita esquina».

Ándele: véase nota 325.

jarabe: danza popular en la zona central y sur de México, así como en el estado de Jalisco. En algunas versiones la mujer danza alrededor de un sombrero que el hombre arroja en el suelo. Tiene su origen en la época colonial a partir de la música popular española así como bailes del tipo de la seguidilla y el fandango, junto con la influencia de bailes mexicanos que imitan el cortejo de las palomas..

aquí merito. Ándele niño, verá bailar el jarabe, Todavía no hase un mes que la perdió el amo del ranchito de Huaxila, niño Nacho, ¿no sabe?... 360

De pronto se interrumpe, y con un salto de salvaje, plántaseme delante, en ánimo y actitud de cerrarme el paso: encorvado, la banasta en una mano, a guisa de broquel, la otra echada fieramente atrás, armada de una faca ancha y reluciente, ¡siniestramente reluciente! Confieso que me sobrecogí. El paraje era a propósito para tal linaje de asechanzas: médanos pantanosos cercados de negro charco donde se reflejaba la Luna; y allá lejos, una barraca de siniestro aspecto, cuyos resquicios iluminaba la luz de dentro. Quizá me dejo robar entonces, si llega a ser menos cortés el ladrón, y me habla torvo y amenazante, jurando arrancarme las entrañas, y prometiendo beberse toda mi sangre. Pero en vez de la intimación breve e imperiosa que esperaba, le escucho murmurar con su eterna voz de esclavo: 370

—¡No se llegue mi amito, que puede clavarse!...

Oírle y recobrarme, fue obra de un instante. El indio ya se recogía, como un gato montés, dispuesto a saltar sobre mí. Parecióme sentir en la médula el frío del acero; tuve horror a morir apuñalado; y de pronto me sentí fuerte y valeroso. Con ligero estremecimiento en la voz, grité al truhán adelantando un paso apercibido a resistirle: 380

—¡Andando o te dejo seco!

El indio no se movió. Su voz de siervo parecióme llena de ironía.

—¡No se arrugue valedor!... Si quiere pasar, ahí

---

361 hase: HP pág. 98, FLO pág. 255 hace.

362 Niño: véase nota 351.

377 murmurar: En la edición de 1895 «murar» *(sic)*: En HP pág. 98 también reza «murar» *(sic)*. En FLO pág. 256 «murmurar» que es sin duda lo correcto..

389 arrugue: En México «tener miedo, asustarse».

valedor: Americanismo por «amigo, compañero, camarada». «Es término socialmente desestimado y frecuente entre la gente inculta o hampona» (M. Morínigo).

merito, sobre esa piedra, arríe la plata: ándele luego, luego. 390

Otra vez volví a tener miedo; así y todo murmuré entre dientes:

—¡Ahora vamos a verlo, bandido!

No tenía armas; pero en Mérida, a una india joven que vendía pieles de jaguar, cocos delicadamente esculpidos, idolillos marinos, y qué sé yo cuántas cosas raras y exóticas, había tenido el capricho de comprarle un bastón de ébano que me encantó por la rareza de sus labores. Téngolo sobre la mesa mientras escribo: parece el cetro de un rey negro —¡tan oriental, y al 400 mismo tiempo tan ingenua y primitiva es la fantasía con que está labrado!—. Me afirmé los quevedos, requerí el palo, y con gentil compás de pies, como diría un bravo de ha dos siglos, adelanté hacia el ladrón que dio un salto, procurando herirme de soslayo. Por ventura mía la Luna dábale de lleno, y advertí el ataque en sazón de evitarlo. Recuerdo confusamente que intenté un desarme con amago a la cabeza y golpe al brazo, y que el indio lo evitó jugándome la luz con destreza de salvaje. Después no sé. Sólo conservo una impresión 410 angustiosa como de pesadilla. El médano iluminado por la Luna; la arena negra y movediza, donde se entierran los pies; el brazo que se cansa; la vista que se turba; el indio que desaparece, vuelve, me acosa, se encorva y salta con furia fantástica de gato embrujado y

---

Andele: véase nota 352.

merito: véase nota 360.

plata: Americanismo por «dinero».

390 luego, luego: Forma americana empleada aquí con el valor de «inmediatamente, enseguida».

396 idolillos marinos y que: HP pág. 99, FLO pág. 256 idolillos de Mixtla, caracoles marinos y que.

399 mientras: HP pág. 99, FLO pág. 256 que.

406 lleno, y advertí: HP pág. 99, FLO pág. 257 lleno, ( ) advertí.

411 En la edición de 1895 reza «pasadilla» *(sic)*. Es una errata corregida (pesadilla) en HP pág. 99 y en FLO pág. 257.

macabro; y cuando el palo va a desprenderse de mi mano, un bulto que huye, y el brillo de la faca que pasa sobre mi cabeza, y queda temblando, como víbora de plata, clavada en el árbol negro y retorcido de una cruz hecha de dos troncos chamuscados... 420

Quedéme un momento azorado, y sin darme cuenta cabal del suceso. Como a través de niebla muy espesa, vi abrirse sigilosamente la puerta de la barraca, y salir dos hombres a catear la playa. Recelé algún encuentro como el pasado, y tomé a buen paso camino del muelle; llegué a punto que largaba un bote del *Dalila,* donde iban el segundo de a bordo y el doctor: gritéles, me conocieron, y mandaron virar para recogerme. Ya con el pie sobre la borda exclamé:

—¡Buen susto!... 430

A contar iba la aventura con el indio, cuando sin saber por qué, cambié de propósito; y me limité a decir:

—¡Buen susto a fe! ¡Creí que el vapor habría zarpado!...

Y el segundo, que era brusco, como buen escocés, tornando a colocar la caña del timón, repuso en mal español y sin volverse:

—Hasta mañana a la noche...

Arrastró una alfombrilla, y doblando el cuerpo, como el jinete que quiere dar ayudas al caballo, gritó: 440

—¡Avante!

Seis remos cayeron en el mar, y el bote arrancó como una flecha.

Llegado que fui al vapor, recogíme a mi camarote y, como estuviese muy fatigado, me acosté en seguida. Cátate que no bien apago la luz, empiezan a removerse las víboras mal dormidas del deseo que desde todo el día llevaba enroscadas al corazón, apercibidas a mor-

427 A bordo: En la edición de 1895 reza «abordado» *(sic)* FLO página 257 a bordo.
437 volverse: FLO pág. 257 moverse.

derle. Al mismo tiempo, sentíame invadido por una gran melancolía, llena de confusión y de misterio, la melancolía del sexo, germen de la gran tristeza humana. El recuerdo de la niña Chole perseguíame con mariposeo ingrávido y terco. Su belleza índica, y aquel encanto sacerdotal, aquella gracia serpentina; y el mirar sibilino, y las caderas ondulosas, la sonrisa inquietante, los pies de niña, los hombros desnudos, todo cuanto la mente adivinaba, cuanto los ojos vieran, todo, todo era hoguera voraz en que mi carne ardía. Me figuraba que las formas juveniles y gloriosas de aquella Venus de bronce florecían entre céfiros, y que veladas primero se entreabrían turgentes, frescas, lujuriosas, fragantes, como rosas de Alejandría en los jardines de tierra caliente. Y era tal el poder sugestivo del recuerdo que, en algunos momentos, creí respirar el perfume voluptuoso que al andar esparcía su falda, con ondulaciones suaves.

Poco a poco, cerróme los ojos la fatiga, y el arrullo monótono y regular del agua acabó de sumirme en un sueño amoroso, febril e inquieto, representación y símbolo de mi vida. Despertéme al amanecer con los nervios vibrantes, cual si hubiese pasado la noche en un invernadero entre plantas exóticas, de aromas raros, afroditas y penetrantes. Sobre mi cabeza sonaban voces confusas y blando pataleo de pies descalzos, todo ello acompañado de mucho chapoteo y trajín. Empezaba la faena del baldeo. Me levanté y subí al puente. Heme ya respirando la ventolina que huele a brea y algas. En aquella hora el calor es deleitante. Percíbense en el aire estremecimientos voluptuosos; el horizonte ríe bajo un hermoso sol; ráfagas venidas de las selvas vírgenes, tibias y acariciadoras como alientos de mujeres ardientes, juegan en las jarcias, y penetra, y enlanguidece el alma el perfume que se eleva del

457-458 vieran... era: FLO pág. 258 vieran, todo, ( ) era.
459 gloriosas: FLO pág. 258 graciosas.
464 creí: HP pág. 101, FLO pág. 258 creía.

oleaje casi muerto. Dijérase que el dilatado golfo mexicano, sentía en sus verdosas profundidades, la pereza de aquel amanecer cargado de pólenes misteriosos y fecundos, como si fuese el serrallo del Universo.

Envuelto en el rosado vapor que la claridad del alba extendía sobre el mar azul adelantaba un esquife. ¡Y era tan esbelto, ligero y blanco, que la clásica compa- 490 ración con la gaviota y con el cisne veníale de perlas! En las bancas traía hasta seis remeros. Bajo un palio de lona levantado a popa se guarecían del sol dos bultos vestidos de blanco. Cuando el esquife tocó la escalera del *Dalila,* ya estaba yo allí, en confusa espera de no sé qué gran ventura. Una mujer venía sentada al timón. El toldo solamente me deja ver el borde de la falda, y los pies de reina calzados con chapines de raso blanco, pero mi alma la adivina. ¡Es ella! ¡La niña Chole! ¡La Salambó de los palacios de Mixtla!... Sí, era ella, más 500 gentil que nunca, con su blusa de marinero, y la gorrilla de soslayo. Hela en pie sobre una de las bancas, apoyada en los hercúleos hombros de su marido, aquel inglés que la acompañaba en Mérida; el labio abultado y rojo de la yucateca sonríe con la gracia inquietante de una egipcia, de una turania; sus ojos, envueltos en la sombra de las pestañas, tienen algo de misterioso, de quimérico y lejano, algo que hace recordar las antiguas y nobles razas que en remotas edades fundaron grandes imperios en los países del Sol... El esquife cabecea 510 al costado del vapor. La criolla, entre asustada y divertida se agarra a los blondos cabellos del gigante, que

---

483 que se eleva del: BT, PT que se siente subir del.

484 Dijérase: PT Parece.

484-485 mexicano, sentía en: BT mexicano, también lleva en. PT mexicano, también siente en.

485-486 pereza... pólenes: BT, PT pereza de aquella atmósfera de fuego, cargada de pólenes.

487-595 Universo... abrasada playa: BT, PT Universo. Desde la toldilla contemplo con emoción profunda la abrasada playa.

507-508 tienen..., de quimérico.: HP pág. 103 tiene ( ) algo de quimérico. FLO pág. 259 tienen ( ) algo de quimérico.

impensadamente la toma al vuelo, y se lanza con ella a la escala. Los dos ríen envueltos en un salsero que les moja la cara. Ya sobre cubierta, el inglés la deja sola un momento, y se aparta secreteando con el contramaestre.

Yo gano la cámara por donde necesariamente han de pasar. Nunca el corazón me latiera con más violencia. Recuerdo perfectamente que el gran salón estaba 520 desierto y un poco oscuro; las luces del amanecer cabrilleaban en los cristales. Tomé una revista inglesa que estaba sobre el piano, y me situé en la puerta aparentando leer:

Pasa un momento. Oigo voces y gorjeos; un rayo de sol más juguetón, más vivo, más alegre, ilumina la cámara, y en el fondo de los espejos se refleja la imagen de la niña Chole. Majestuosa y altiva se acercaba con lentitud, dando órdenes a una india joven que escuchaba con los ojos bajos, y respondía en lengua yucateca, 530 esa vieja lengua que tiene la dulzura del italiano y la ingenuidad pintoresca de los idiomas primitivos. Yo me hice vivamente a un lado plegando el periódico. Ella pasó. Creo que me miró un momento como queriendo hacer memoria, y que su boca fresca y sana insinuó una sonrisa. ¡Aquella sonrisa con que me enloquecía Lili!

La esperanza de ver en alguna parte a la yucateca, trájome toda la mañana avizorado y errabundo: fue vana esperanza. En cambio su marido no cesó de pa- 540 searse a lo largo del puente. Visto con espacio, parecióme un hombre recio y altivo: peinábase como el príncipe de Gales, y no usaba barba ni bigote: tenía los ojos de un azul descolorido y neutro; y al mirar entornaba los párpados. Sin duda alguna, presumía de aris-

---

527 refleja la imagen de la Niña: HP pág. 103, FLO pág. 259 refleja ( ) la Niña.
542 recio: HP pág. 104, FLO pág. 260 necio.

tócrata. Recorría el puente a grandes trancos, con los brazos caídos, y una pipa corta entre los dientes; a veces se detenía para echar tabaco o escupir en el mar. En toda la mañana, no le vi sonreírse ni hablar con nadie. 550

A las diez, una campana anunció el almuerzo. Bajé a mi camarote, y me peiné con más cuidado y detenimiento que suelo: en seguida pasé al comedor. Aunque no bajarían de cien las personas que se sentaban en torno de aquellas dos largas mesas cubiertas por blanquísimos manteles, y adornadas de flores como para un festín, ni el murmullo de una conversación se escuchaba. Reinaba allí un silencio de iglesia, sólo turbado por el ruido de los tenedores, y las tácitas pisadas de los camareros que con el pecho echado fuera de sus 560 fraques, daban vueltas por detrás de los comensales. Todos aquellos criados eran buenos mozos, rubios y patilludos, como príncipes alemanes. Tomé asiento; y mis ojos buscaron a la niña Chole. Allí estaba, al otro extremo de la mesa sonriendo a un señorón *yankee* con cuello de toro y grandes barbazas rojas, barbas de banquero, que caían llenas de gravedad sobre los brillantes de la pechera. Al mismo tiempo reparé que el blondo gigante miraba a su mujer y sonreía también. ¡Cuánto me preocupó aquella sonrisa, tan extraña, tan 570 enigmática en labios de un marido! Ella volvió la cabeza, hizo un gesto imperceptible, y sus ojos, sus hermosos ojos de mirar hipnótico y sagrado, continuaron acariciando al banquero. Tuve tan vivo impulso de celos y de ira, que me sentí palidecer. Despechado arrojé la servilleta sobre el plato y dejé la mesa. No comprendía que un marido tolerase tal. ¿De qué estofa era aquel coloso que dejaba a su mujer el libre ejercicio de los ojos? ¡Y de unos ojos tan lindos!...

---

551 campana: HP pág. 104, FLO pág. 260 campanada.

554-555 en torno: HP pág. 104 en redor. FLO pág. 260 en rededor.

Desde la puerta volvíme para lanzarles una mirada 580
de desprecio. ¡Oh! Si a tener llego entonces el poder
del basilisco, allí se quedan hechos polvo. No lo tenía,
y el señorón *yankee* pudo seguir acariciándose las barbazas color de buey, y resoplar dentro de su chaleco
blanco, poniendo en conmoción los dijes de una gran
cadena que, tendida de bolsillo a bolsillo, le ceñía la
panza; y ella, la Salambó de los palacios de Mixtla,
pudo dirigirle aquella sonrisa de reina indulgente que
yo había visto y amado en otros labios...

Tres días después, ¡días tediosos e interminables, 590
durante los cuales no salió de su camarote la yucateca!,
dio fondo el *Dalila* en las aguas de la Villa Rica de la
Veracruz.

Presa el alma de religiosa emoción, contemplé la
abrasada playa, donde desembarcaron antes que pueblo alguno de la vieja Europa, los aventureros españoles, hijos de Alarico el bárbaro y de Tarik el moro. Vi
la ciudad que fundaron, y a la que dieron abolengo de
valentía, espejarse en el mar quieto y de plomo, como
si mirase fascinada la ruta que trajeron los hombres 600
blancos: a un lado, sobre desierto islote de granito,
baña sus pies en las olas, el castillo de San Juan de
Ulúa, sombra romántica que evocaba un pasado feudal que allí no hubo, y a lo lejos, la cordillera del Orizaba, blanca como la cabeza de un abuelo, dibújase con

---

581 si a tener llego: FLO pág. 261 si llego a tener.
583-584 barbazas: HP pág. 105, FLO pág. 261 barbas.
589-590 labios... Tres días: HP pág. 106, FLO pág. 261 labios. Borráronse en lontananza las costas de Yucatán, y tres días....
592-593 Villa Rica de la Veracruz: HP pág. 106, FLO pág. 261 Villa Rica de Veracruz.
597 Vi: BT, PT veo.
601 blancos: a un: BT, PT blancos; y a un.
602 baña: BT, PT bañando.
604 allí: BT, PT aquí.
605 blanca: BT nevada.
605 dibújase: BT, PT dibujarse.

indecisión fantástica sobre un cielo clásico, un cielo de azul tan límpido y tan profundo como el cielo de Grecia. Y recordé lecturas casi olvidadas que, niño aún, me habían hecho soñar con aquella tierra hija del Sol, narraciones medio históricas, medio novelescas, en que siempre se dibujaban hombres de tez cobriza, tristes y silenciosos, como cumple a los héroes vencidos, y selvas vírgenes, pobladas de pájaros de brillante plumaje, y mujeres como la niña Chole, ardientes y morenas, símbolo de la pasión, que dijo el poeta. La imaginación exaltada me fingía al aventurero extremeño poniendo fuego a sus naves, y a sus hombres esparcidos por la arena, atisbándole de través, los mostachos enhiestos al antiguo uso marcial, y sombríos los rostros varoniles, curtidos y con pátina como las figuras de los cuadros muy viejos. Y como no es posible renunciar a la patria, yo, español, sentía el corazón henchido de entusiasmo, y poblada de visiones gloriosas la mente, y la memoria llena de recuerdos históricos. ¡Era verdad que iba a desembarcar en aquella playa sagrada! Oscuro aventurero, sin paz y sin hogar, siguiendo los impulsos de una vida errante, iba a perderme, quizá para siempre, en la vastedad del viejo imperio

610

620

608 Y recordé: BT, PT ( )/Recuerdo.
609 habían: BT, PT han.
aquélla: BT, PT ésta.
612 vencidos, y selvas: BT vencidos, que esperaban la muerte con valor estoico; y selvas.
614 como..., ardientes: BT, PT como Atala, ardientes.
615-617 la imaginación... fuego a: BT Ahora, por uno de esos saltos que da la imaginación, veo al aventurero extremeño poner fuego a.
PT Ahora, por uno de esos saltos que da la imaginación, creo estar viendo al aventurero extremeño poner fuego a.
618 la arena: BT las playas. PT la playa.
621 viejos. Y: BT viejos; lo veo todo, pero desvanecido, sin esa fuerza plástica que sólo presta la realidad. Y.
622 sentía: BT, PT siento.
627 vida errante: BT vida desconsolada y errante.
627-628 perderme... en la: BT perderme ( ) en la.
628 del viejo imperio: En la edición de 1895 «de *(sic)* viejo imperio». Errata corregida en HP pág. 107 y en FLO pág. 262.

azteca, imperio de historia desconocida, sepultada para siempre con las momias de sus reyes, pero cuyos restos ciclópeos, que hablan de civilizaciones, de cultos y de razas que fueron, sólo tienen par en ese misterioso cuanto remoto oriente. 630

¡Oh! ¡Cuán bellos son esos países tropicales! El que una vez los ha visto, no los olvidará jamás. Aquella calma azul del mar y del cielo; aquel sol, que ciega y quema; aquella brisa cargada de todos los aromas de la «tierra caliente» como ciertas queridas muy amadas, dejan en la carne, en los sentidos, en el alma, reminiscencias tan voluptuosas, que el deseo de hacerlas revivir, sólo se apaga en la vejez. Mi pensamiento rejuvenece hoy, recordando la inmensa extensión plateada de ese Golfo mexicano, que no he vuelto a surcar. Por mi memoria desfilan las torres de Veracruz; los bosques de Campeche; las arenas de Yucatán; los palacios de Palenque; las palmeras de Tuxpan y Laguna... ¡Y siempre, siempre unido al recuerdo de aquel hermoso país lejano, el recuerdo de la niña Chole, tal como la vi por vez primera, suelto el cabello, y vestido el blanco hipil de las antiguas sacerdotisas mayas!... 640 650

Apenas anclamos, sale en tropel de la playa una gentil flotilla compuesta de esquifes y canoas. Desde muy lejos, se oye el son monótono del remo. Centenares de cabezas asoman sobre la borda del *Dalila,* y abigarrada muchedumbre hormiguea, se agita y se desata en el entrepuente. Háblase a gritos el español, el inglés, el chino. Los pasajeros hacen señas a los barqueros indios para que se aproximen: ajustan, disputan, regatean, y al cabo, como rosario que se desgrana, van cayendo en el fondo de las canoas que rodean la esca- 660

633-669 remoto oriente... La noche: BT, PT remoto oriente. ( ) La noche.

641 sólo... Mi: HP pág. 107 sólo se extinguen *(sic)* con la muerte. Mi. FLO pág. 262 sólo se extingue *(sic)* con la muerte. Mi.

646-647 Y siempre... recuerdo: HP pág. 108, FLO pág. 262 Y siempre, siempre unido al recuerdo.

lera, y esperan ya con los remos armados. La flotilla se dispersa. Todavía a larga distancia vese una diminuta figura, moverse y gesticular como polichinela, y se oyen sus voces que destaca y agranda la quietud solemne de aquellas regiones abrasadas. Ni una sola cabeza se ha vuelto hacia el vapor, para mandarle un adiós de despedida. Allá van, sin otro deseo que tocar cuanto antes la orilla. Son los conquistadores del oro.

La noche se avecina. En esta hora del crepúsculo, el deseo ardiente que la niña Chole me produce, se aquilata y purifica, hasta convertirse en ansia vaga de amor ideal y poético. Todo oscurece lentamente: gime la brisa; riela la Luna; el cielo azul turquí se torna negro, de un negro solemne, donde las estrellas adquieren una limpidez profunda. 670

Es la noche americana de los poetas.

Acababa de bajar a mi camarote, y hallábame tendido en la litera fumando una pipa, y quizá soñando con la niña Chole, cuando se abre la puerta y veo aparecer a Julio César —un rapazuelo mulato que el año anterior habíame regalado en Jamaica cierto aventurero portugués que, andando el tiempo, llegó a general y ministro en la República Dominicana—. Julio César se detiene en la puerta, bajo el pabellón que forman las cortinas. 680

---

662 Todavía a larga: HP pág. 108, FLO pág. 263 Todavía a la larga.

669-676 avecina... de los poetas: BT, PT avecina lentamente. En esta hora del crepúsculo la impresión saudosa de la patria ausente, se acentúa y llega a convertirse en verdadera pena. Al fin el cielo azul turquí se torna negro, de un negro solemne, donde las estrellas adquieren una limpidez profunda.

Es la noche americana de los poetas.

677 Aquí comienza el texto TC.

677-679 Acababa... cuando se abre: TC Ya de noche, el Dalila dio fondo frente a Yucatán. Hallábame yo en mi camarote, tendido en la litera, y fumando una pipa, cuando se abre.

680 mulato que: TC, TCT, HP pág. 109, FLO pág. 263 mulato con que.

—¡Mi amito! A bordo viene un moreno que mata lo tiburone en el agua, con el trinchete. ¡Suba, mi amito, no se dilate!...

Y desaparece velozmente, como esos etíopes, carceleros de princesas, en los castillos encantados. Yo espoleado por la curiosidad salgo tras él. Heme en el puente, que ilumina la plácida claridad del plenilunio. Un negro colosal, con el traje de tela chorreando agua, se sacude como un gorila, en medio del corro que a su rededor han formado los pasajeros, y sonríe, mostrando sus blancos dientes de animal familiar. A pocos pasos, dos marineros encorvados sobre la borda de estribor, halan un tiburón medio degollado, que se balancea fuera del agua, al costado del *Dalila*. Mas de ahí, que de pronto rompe el cable, y el enorme cetáceo desaparece en medio de un remolino de espumas. El negrazo musita apretando los labios elefanciacos.

—¡Pendejos!

Y se va, dejando, como un rastro, en la cubierta del navío, las huellas húmedas de sus pies descalzos. Una voz femenil le grita desde lejos:

—¡Che, moreno!...

—¡Voy horita, niña!... No me dilato.

La forma de una mujer blanquea en el negro fondo de la puerta de la cámara. ¡No hay duda, es ella! ¿Pero

690 700 710

---

686 A bordo: En la edición de 1895 reza «abordo» *(sic)*: HP pág. 109, FLO pág. 263 A bordo.

moreno que: TCT moreno de marinero que.

688 dilate: En México «tardar, retrasarse».

695 rededor: TC redor. TCT, HP pág. 109, FLO pág. 263 alrededor.

702 labios elefanciacos: TC dientes elefantiacos. TCT labios elefantiacos.

703 pendejos: Americanismo por «cobarde, tonto, estúpido».

704 como un rastro, en: TCT como una estela en.

705 las huellas húmedas: TCT la huella húmeda.

707 Che: Voz americana para atraer la atención de una persona o para llamarla.

708 horita: En México «inmediatamente, en este instante».

709-710 blanquea en el negro fondo de la puerta: TCT blanquea sobre negro fondo en la puerta.

cómo no la he adivinado? ¿Qué hacías tú, corazón burgués, corazón prosaico, que no me anunciabas su presencia? ¡Oh! ¡Con cuánto gusto hubiérate entonces puesto bajo sus lindos pies para castigo!

El marinero se acerca.

—¿Mandaba alguna cosa la niña Chole?

—Quiero verte matar un tiburón.

El negro sonríe, con esa sonrisa blanca de los salvajes, y pronuncia lentamente, sin apartar los ojos de las olas, que argenta la Luna: 720

—No puede ser, mi amita: se ha juntado una punta de tiburones, ¿sabe?

—¿Y tienes miedo?

—¡Qué va!... Aunque fácilmente, como la sazón está peligrosa... Vea su merced no más...

La niña Chole no le dejó concluir.

—¿Cuánto te han dado esos señores?

—Veinte tostone: dos centine, ¿sabe?

Oyó la respuesta el contramaestre, que pasaba ordenando una maniobra, y con esa concisión ruda y franca de los marineros curtidos, sin apartar el pito de los labios ni volver la cabeza, apuntóle. 730

—¡Cuatro monedas y no seas guaje!

El negro pareció dudar. Asomóse al barandal de estribor y observó un instante el fondo del mar donde temblaban amortiguadas las estrellas. Veíanse cruzar argentados y fantásticos peces que dejaban tras sí estela de fosforescentes chispas y desaparecían confundidos

---

710-742 de la cámara... El marinero: TC de la cámara. ( ) El marinero. TCT de la cámara. Yo reconocí a Niña Chole. El marinero.

716 cosa la Niña Chole?: TC, TCT cosa ( ), niña ( )?

718-719 sonríe, ...y pronuncia: TCT sonríe, con sonrisa de salvaje, y pronuncia.

726 La niña Chole: TC, TCT La criolla.

728 centine: FLO pág. 264 centene.

Nota: debe de ser «centenes/centene».

732 ni: TCT sin.

736-747 las estrellas... ¿le apetece: TC, TCT las estrellas ( ). Cuatro centine ¿le apetece.

en los rieles de la Luna; mientras en la zona de sombra que sobre el azul de las olas proyectaba el costado del *Dalila*, esbozábase la informe mancha de una cuadrilla de tiburones. El marinero se apartó reflexionando. Todavía volvióse una o dos veces a mirar las dormidas olas, como penetrado de la queja que lanzaban en el silencio de la noche. Picó un cigarro con las uñas, y se acercó a la criolla. 740

—Cuatro centenes, ¿le apetece a mi amita?

La niña Chole, con ese desdén patricio que las americanas opulentas sienten por los negros, volvió a él su hermosa cabeza de reina india; y en tono tal, que las palabras parecían dormirse cargadas de tedio en el borde de los labios murmuró: 750

—¿Acabarás?... ¡Sean los cuatro centenes!...

Los labios hidrópicos del negro esbozaron una sonrisa de ogro avaro y sensual: seguidamente, despojóse de la camiseta, desenvainó el cuchillo que llevaba en la cintura, y como un perro de Terranova tomóle entre los dientes, y se encaramó, sobre la borda. El agua del mar relucía aún en aquel torso desnudo, que parecía de barnizado ébano. Inclinóse el negrazo sondando con los ojos el abismo, y luego se volvió a mí. 760

—¿No me da su mersé alguna cosita, para hasé subir esos guachinango?

Dile yo, por no tener otra cosa a mano, mi gorra de viaje, que él cuidó de ahuecar, a fin de que nadase; y cuando los tiburones salieron a la superficie, le vi erguirse negro y mitológico sobre el barandal que iluminaba la Luna; y con los brazos extendidos, echarse de

---

748 La niña Chole: TC La dama.

748-749 americanas: TC, TCT criollas.

749 a él: TCT hacia él.

757 cintura, y como: TC, TCT cintura, ( ) como.

757-758 entre los dientes: HP pág. 111, FLO pág. 265 entre ( ) dientes.

761-766 abismo... y cuando: HP pág. 111, FLO pág. 265 abismo ( ), y cuando.

761-766 el abismo.. le vi: TC, TCT el abismo. ( ) Luego le vi.

cabeza, y desaparecer buceando. Tripulación y pasajeros, cuantos se hallaban sobre la cubierta del *Dalila* 770 agolpáronse a las bordas. Sumiéronse los tiburones en busca del negro; y todas las miradas quedaron fijas en un remolino de espumas que no tuvo tiempo a borrarse, porque casi incontinenti, una mancha de burbujas rojas coloreó el mar; y en medio de los hurras de la marinería, y el vigoroso aplaudir de las manos coloradotas y burguesas de los *yankees*, salió a flote la testa chata y lanuda del marinero, quien nadaba, ayudándose de un sólo brazo, mientras con el otro sostenía entre aguas un tiburón degollado por la garganta donde aún 780 traía clavado el cuchillo. Tratóse en tropel de izar al negro; arrojáronse cuerdas, ya para el caso prevenidas, y cuando levantaba medio cuerpo fuera del agua, rasgó el aire un alarido horrible, y le vimos abrir los brazos, y desaparecer, sorbido por los tiburones...

No tuviera yo lugar a recobrarme, cuando sonó a mi espalda una voz que decía en inglés:

—Sir, présteme usted cuatro libras.

Al mismo tiempo, alguien tocó suavemente en mi hombro. Volví la cabeza y halléme con la niña Chole. 790 Vagaba cual siempre por su labio inquietante sonrisa; y abría y cerraba velozmente una de sus manos, en cuya palma, vi lucir varias monedas de oro. Rogóme con cierto misterio que la dejase sitio; y, doblándose

---

769 desaparecer buceando. Tripulación: HP pág. 112, FLO pág. 265 desaparecer bajo el haz de una ola que, mansa y quejumbrosa, vino a quebrarse en el costado del *Dalila*.

770-771 cubierta del *Dalila* agolpáronse: HP pág. 112, FLO pág. 265 cubierta ( ) agolpáronse.

771-772 bordas... todas las: TC, TCT bordas. ( ) Todas las.

773-774 tiempo a borrarse: TCT tiempo de borrarse.

774-777 incontinenti, ...salió: TC, TCT incontinenti ( ) salió.

775 coloreó: HP pág. 112, FLO pág. 265 tiñó.

778 marinero, quien nadaba: TC, TCT marinero ( ). Nadaba.

786 lugar: TC, TCT, HP pág. 112, FLO pág. 265 tiempo.

789 tocó: TCT tocaba.

suavemente en mi: TC, TCT suavemente ( ) mi.

790-793 con la... Rogóme: TC, TCT con la criolla. ( ) Rogóme.

sobre la borda, arrojólas al océano lo más lejos que pudo. En seguida, volvióse a mí con gentil escorzo de todo el busto.

—¡Ya tiene para el flete de Carón!...

Yo debía estar pálido como la muerte; pero como ella fijaba en mí sus hermosos ojos y sonreía, vencióme 800 el encanto de los sentidos, y mis labios aún trémulos pagaron aquella sonrisa cínica con la risa humilde del esclavo, que aprueba cuanto hace su señor. La irónica crueldad de la criolla me horrorizaba y me atraía: nunca como entonces me pareciera tentadora y bella. Del mar oscuro y misterioso subían murmullos y aromas, a que el blanco lunar prestaba no sé qué rara voluptuosidad. La trágica muerte de aquel coloso negro; el mudo espanto que se pintaba aún en todos los rostros; un violín que lloraba en el gran salón, todo en aquella no- 810 che, bajo aquella Luna, era para mí objeto de voluptuosidad depravada y sutil...

Alejóse la yucateca, con ese andar rítmico y ondulante que recuerda al tigre; y al desaparecer, una duda cruel mordióme el corazón. Hasta entonces no había reparado que a mi lado, casi hombro con hombro, estaba el judío *yankee,* de la barba roja y perjura. ¿Sería a él a quien mirasen los ojos de la Salambó de Mixtla; aquellos ojos, en cuyo fondo parecía dormir el enigma de algún antiguo culto licencioso, cruel y diabólico?... 820

795-796 borda... En seguida: TC borda, arrojó al océano, lo más lejos que pudo, cuatro monedas de oro. En seguida.

TCT el mismo párrafo con la variante «arrojó al mar».

798 Carón: FLO pág. 266 Caronte.

799 estar... la muerte: TC, TCT estar más pálido que la muerte.

800 ella: TC, TCT la criolla.

802 cínica: TC, TCT cruel.

risa: TC, TCT sonrisa.

En la pág. 134 línea 29 (señor) terminan TC y TCT.

808 muerte de aquel coloso: HP pág. 113, FLO pág. 266 muerte del coloso.

811-812 aquella... luna: HP pág. 113, FLO pág. 266 aquella ( ) luna.

¡De cualquier suerte que fuese, yo no debía verlos más!

Al día siguiente, con las primeras luces del alba desembarqué en Veracruz. Tuve miedo de aquella sonrisa, la sonrisa de Lili, que ahora se me aparecía en boca de otra mujer. Tuve miedo de aquellos labios, los labios de Lili, frescos, rojos y fragantes como las cerezas de nuestro huerto, que ella gustaba de ofrecerme en ellos. ¡Ay! Aun cuando el corazón tenga veinte años, si el pobrecillo es liberal y dio hospedaje al amor más de 830 una y de dos veces; y gustó sus contadas alegrías, y sus innumerables tristezas, no pueden menos de causarle temblores, miradas y sonrisas, cuando los ojos y los labios que las prodigan son como los de la niña Chole. ¡Yo he temblado entonces, y temblaría hoy que la nieve de tantos inviernos cayó sin deshelarse sobre mi cabeza!...

París, abril de 1893.

---

831 y de dos: HP pág. 114, FLO pág. 266 y ( ) dos.

La Generala

Cuando el general don Miguel Rojas hizo el disparate de casarse, ya debía pasar mucho de los sesenta. Era un veterano muy simpático, con grandes mostachos blancos, un poco tostados por el cigarro; alto, enjuto y bien parecido, aun cuando se encorvaba un tanto al peso de los años. Crecidas y espesas tenía las cejas; garzos y hundidos los ojos; cetrina y arrugada la tez, y cana casi que del todo la escasa guedeja que peinaba con sin igual arte para encubrir la calva. La expresión amable de aquella hermosa figura de veterano atraía 10 amorosamente. La gravedad de su mirar, no exento de placidez; el reposo de sus movimientos; la nieve de sus

---

1-5 Cuando... aun cuando: AC pág. 3 Cuando el famoso Corregidor don Alonso Solís acordó tomar estado ya pasaba mucho de los sesenta. Era un anciano con grandes mostachos blancos, alto, enjuto y bien parecido, aun cuando.

1 hizo el disparate: CO pág. 145, NC, CO2 pág. 247 aquel disparate.

2 pasar mucho de: CO pág. 145, NC, CO2 pág. 247 pasar ( ) de.

4 alto, enjuto: CO pág. 145, NC, CO2 pág. 247 alto y enjuto. parecido: CAN proporcionado.

8 cana casi que del todo: HP pág. 133 cana casi del todo. CO pág. 145, NC, CO2 pág. 247 cana del todo.

8 guedeja: CAN cabellera.

8-9 guedeja... la expresión: AC pág. 3 guedeja. ( ) La expresión.

10 amable: AC pág. 3 noble.

10 veterano: CAN viejecito.

10-11 veterano... La: AC pág. 3 de veterano de Flandes atraía. La.

11-12 mirar... reposo: CO pág. 146, NC, CO2 pág. 247 mirar, el reposo.

canas; en suma, toda su persona, estaba dotada de un carácter marcial y aristocrático que se imponía en forma de amistad franca y noble. Su cabeza de santo guerrero parecía desprendida de algún antiguo retablo. Tal era, en fin, en rostro y talle el santo varón que dio su nombre a Currita Jimeno, la hija menor de los condes de Casa-Jimeno.

Currita era una muchacha delgada, morena, muy elegante, muy alegre, muy nerviosa; rompía los abanicos, desgarraba los pañuelos con sus dientes blancos y menudos, de gatita de leche, insultaba a las gentes... ¡Oh!, aquello no era mujer, era un manojo de nervios, como decía su mamá; los amigos decían algo más duro y la habían puesto «mona inquieta». Nadie al verla creería que aquel elegante diablillo se hubiese educado entre rejas, sin sol y sin aire, obligada a rezar siete rosarios cada día, oyendo misas desde el amanecer, y durmiéndose en los maitines con las rodillas doloridas, y la tocada cabecita apoyada en las rejas del coro. No pa-

---

14 marcial: CAN reverente.
17 era en fin en: CO pág. 146, NC, CO2 pág. 247 era ( ), en.
17-21 el santo... Rompía: AC pág. 4 el Corregidor Don Alonso de Solís cuando celebró sus bodas con Doña Paquita Araujo. / Doña Paquita era una muchacha muy delgada, muy morena y muy casquivana. Rompía.
18-19 Jimeno... Currita: CO pág. 146, NC, CO2 pág. 248 Jimeno. ( ) Currita.
21 nerviosa; rompía: CAN muy nerviosa, sobre todo esto último; rompía.
21-23 abanicos, desgarraba: AC pág. 4 abanicos, le daban soponcios y desgarraba.
23 gatita: CO pág. 146, NC, CO2 pág. 248 gata.
23-26 leche... Nadie: AC pág. 4 leche. ( ) Nadie.
24 era mujer: CAN era una mujer.
25 amigos: CAN demás.
24-26 nervios... Nadie: CO pág. 146, NC, CO2 pág. 249 nervios. ( ) Nadie.
26-69 mona inquieta... Currita y el general: CAN mona inquieta. ( ) En fin que Currita y el general.
27 que... se hubiese: AC pág. 4 que aquella elegante damisela se hubiese.
31 cabecita: AC pág. 4 frente.

recía, en verdad, haber pasado diez años de educanda al lado de una tía suya, encopetada abadesa de un convento de nobles, allá en el riñón de Castilla la Nueva.

Cuando los condes fueron por Currita, para sacarla definitivamente de aquel encierro y presentarla al mundo, la muchacha creyó volverse loca. Llenó de flores el altar de Santa Rita —tutelar del convento y fundadora de la orden—. Casualmente acababa de hacerle una novena pidiéndole aquello mismo, y la Santa 40 ¡tan buena! que se lo concedía sin hacerla esperar más tiempo. No bien llegó la parentela, Currita se lanzó fuera del locutorio, gritando alegremente, sin curarse de las *madres,* que se quedaban llorando la partida de su *periquito.*

—¡Viva Santa Rita!

Y se arrancó la toca, descubriendo la cabeza pelona, que le daba cierto aspecto de muchacho, acrecentado

---

32-42 años... se lanzó: AC pág. 4 años al lado de doña Brianda Solís, encopetada abadesa de un convento de nobles. Doña Paquita amaba la libertad como los pájaros, y creyó volverse loca el día que su tío y tutor Don Alonso fue a sacarla definitivamente de aquel encierro para casarse con ella. No bien llegó la parentela se lanzó.

33 al... encopetada: CO2 pág. 249 al lado de Sor María del Perpetuo Remedio, una tía suya, encopetada.

34-35 allá... para sacarla: CO pág. 147, NC, CO2 pág. 249 allá en una vieja ciudad de las Castillas. Currita era la hija menor de los condes de casa Jimeno. Cuando sus padres fueron por ella para sacarla.

37 loca. Llenó: CO pág. 147, NC, CO2 pág. 249 loca, y llenó.

38 altar... tutelar: CO pág. 147, NC, CO2 pág. 249 altar de la santa tutelar.

40-41 y la santa... se lo: CO pág. 148, NC, CO2 pág. 250 y la santa ( ) se lo.

42 No... Currita se: CO pág. 148, NC, CO2 pág. 250 Currita, no bien llegó la parentela se.

43-44 sin curarse de las madres: HP pág. 134 sin cuidarse de las madres. CO pág. 148, NC, CO2 pág. 250 sin cuidarse de las buenas Madres.

48 muchacho: AC pág. 5 mozuelo.

49 macabra: AC pág. 5 magra. CO pág. 250 andrógina.

49 catorce: AC pág. 5 diez y seis. CO pág. 148, NC, CO2 pág. 250 quince años.

por la esbeltez, un tanto macabra, de sus catorce años. 50

Este amor a la libertad, tan desenfadadamente expresado con el viva dado a la Santa de Casia, lo conservó Currita hasta la muerte. Mientras los hombres de la República pasaban a la Monarquía, ella, lanzando carcajadas y diciendo donaires picarescos caminaba resuelta hacia la demagogia. ¡Pero qué demagogia la suya!, llena de paradojas y de atrevimientos inconcebibles; elaborada en una cabecita inquieta y parlanchina, donde apenas se asentaba un cerebro de colibrí pintoresco y brillante, borracho de sol y de alegría. Era de- 60 sarreglada y genial como un bohemio; tenía supersticiones de gitana ¡y unas ideas sobre la emancipación femenina! ¡Válganos Dios! Si no fuese porque salían de aquellos labios que derramaban la sal y la gracia como gotas de agua los botijos moriscos, sería cosa de echarse a temblar y vivir en triste soltería esperando el fin del mundo.

Pero ya se sabe que los militares españoles son los más valientes del orbe. Currita y el general Rojas se casaron, y desde aquel día la muchacha cambió comple- 70

50-84 años... de miembros: AC págs. 5-7 años. Las monjas parecieron escandalizadas, y la noble y severa abadesa, doña Brianda, murmuró al oído de su hermano D. Alonso: / .—¡Piensa lo que haces! / Don Alonso respondió: / .—Pensado lo tengo. /

Desde antiguo solía visitar a D. Alonso un ahijado suyo, estudiante de Filosofía y Humanidades. Era un mancebo de miembros.

51-54 Este amor... ella, lanzando: CO pág. 148-49, NC, CO2 págs. 250-51 Currita conservó hasta la muerte este amor a la libertad, tan desenfadadamente expresado con el viva a la Santa de Casia. Mientras los graves varones republicanos se arrepentían y daban golpes de pecho ante el altar y el trono, ella, lanzando.

57-58 inconcebibles; elaborada: CO pág. 149, NC, CO2 pág. 251 inconcebibles, como elaborada.

58 cabecita: CO pág. 149, NC, CO2 pág. 251 cabeza.

62-63 gitana... Si no: CO pág. 149, NC, CO2 pág. 252 gitana e ideas de vieja miss sobre la emancipación femenina. Si no.

69 valientes... Rojas: CO pág. 150, NC, CO2 pág. 252 valientes para todo aquello que no sea función de guerra. Currita y el General Don Miguel Rojas.

tamente, y cobró unos ademanes tan señoriles y severos que parecía toda una señora generala. Bastaba verla para comprender que no había salido de la clase de tropa; llevaba los tres entorchados como la gente de colegio. Los que al leer en *La Época* el notición de aquella boda, habían exclamado: «¡Pobre don Miguel!», casi estuvieron por achacar a milagro la mudanza de la niña de Casa-Jimeno. La verdad es que fácil explicación no tenía, y como la condesa se comía los Santos, y la tía abadesa estaba en olor de santidad, 80
¡velay!

Tenía por ayudante el general a cierto ahijado suyo, recién salido de un colegio militar. Era un caballerete de miembros delicados, y no muy cumplido de estatura: pareciera un niño, a no desmentir la presunción el bozo que se picaba de bigote, y el pliegue a veces enérgico y a veces severo de su rubio entrecejo de damisela. Este tal, llegó a ser comensal casi diario en la mesa de don Miguel Rojas. La cosa pasó de un modo algo raro.

---

71 cobró unos ademanes: CO pág. 150, NC, CO2 pág. 252 cobró ( ) ademanes.

72-75 generala... Los que: CAN generala. ( ) Los que.

75 leer en *La Época* el notición: CAN leer en *La Época* la noticia. CO pág. 150, NC, CO2 pág. 253 leer ( ) el notición.

77 estuvieron por achacar: NC estuvieron para achacar.

78 la niña de Casa Jimeno: CO pág. 150, NC, CO2 pág. 253 la ( ) Casa Jimeno.

80-81 los santos... ¡velay!: CAN los santos ( ) ¡velay!

80-81 santidad, ¡velay! Tenía: CO pág. 150, NC, CO2 pág. 253 santidad ( ). / Tenía.

82 Tenía por ayudante el general a: CO pág. 151, NC, CO2 pág. 253 Tenía el General por ayudante a.

a cierto ahijado: CAN a un ahijado.

83 un caballerete de: CO pág. 151, NC, CO2 pág. 253 un teniente bonito de.

83 caballerete: AC pág. 7 mancebo.

88 Este tal, llegó: CO pág. 151, NC, CO2 pág. 253 Este lindo galán, llegó.

87-90 damisela Currita: CAN damisela. Era el tal diestro bailarín y afamado director de cotillones. Currita.

89 Don Miguel Rojas: AC pág. 7 del Corregidor.

89 algo raro. Currita: CO pág. 152, NC, CO2 págs. 253-4 algo raro,

Currita no dejaba fumar a su marido; decía, haciendo aspavientos, que el cigarro irritaba el catarro crónico que padecía el buen señor; únicamente cuando había convidados se humanizaba la generala. Habíase vuelto tan cortés desde que entrara en la milicia, que, naturalmente, deponía parte de su enojo, y la furibunda oposición de cuando comía a solas con su marido, reducíase a un gracioso gestecillo de enfado. Sonreíase socarronamente don Miguel, y como no podía pasarse sin humear un habano después del café, concluyó por invitar todos los días a su ayudante. 90 100

Currita, que en un principio había tenido al oficialito por un quídam —era su frase predilecta—, acabó por descubrir en él tan soberbias prendas, y le cayó tan

---

con rareza pueril y vulgar, donde todas las cosas parecen acordadas como en una comedia moderna. Currita.

90 Currita: AC pág. 7 Doña Paquita.

90 a su marido: AC pág. 7 al buen Don Alonso.

90 decía: AC pág. 7 Aseguraba.

90-109 a su marido... Una tarde: CAN a su marido más que cuando había convidados: decía que el cigarro irritaba el catarro crónico que padecía el buen señor; y como el general no podía pasarse sin tabaco, el ayudante vino a ser comensal casi diario. Una tarde.

91-92 irritaba... buen señor: CO pág. 152, NC, CO2 pág. 254 irritaba el catarro y las gloriosas cicatrices del buen señor.

91-92 irritaba... había: AC pág. 7 irritaba los humores. Únicamente había.

93-95 la generala... y la: AC pág. 7 la Corregidora ( ), y la.

94-95 que, naturalmente, deponía: CO pág. 152, NC, CO2 pág. 254 que ( ) deponía.

96-97 con su marido, reducíase: CO pág. 152, NC, CO2 pág. 254 con el veterano esposo, reducíase.

96-97 cuando... reducíase: AC pág. 8 cuando comían a solas reducíase.

98 Don Miguel: CO pág. 152, NC, CO2 pág. 254 el héroe. AC pág. 8 Don Alonso.

99 humear... concluyó: AC pág. 8 humear aquella rica hierba de las Indias, concluyó.

100 ayudante: AC pág. 8 ahijado.

101-102 Currita... acabó: AC pág. 8 Doña Paquita, que en un principio le tuviera por un currutaco presumido, acabó.

101-102 tenido... acabó: CO pág. 152, NC, CO2 pág. 254 tenido por un quídam al sonrosado teniente, acabó.

103-114 prendas... y al: AC pág. 8 prendas, que últimamente más

en gracia el muchacho que, últimamente, no se sabía si era ayudante de órdenes de don Miguel o de la dama; a todas partes la acompañaba, de día y de noche, y hasta una vez llegó la generala a imponerle un arresto, según ella misma contaba riendo a sus amigas.

Una tarde, ya levantados los manteles, dijo la generala al ayudante: 110

—¡Si supiese usted cuánto me aburro, Sandoval! ¿No tendría usted una novela que me prestase?

Sandoval, hecho almíbar, le prometió no una, sino ciento; y al día siguiente llevó a Currita un libro del cual hizo grandes elogios. Era *Lo que no muere,* del célebre Barbey d'Aurevilly.

---

parecía ahijado de la Corregidora. Una tarde, ya levantados los manteles, dijo Doña Paquita al estudiante: / .—Señor D. Lope, si supieseis cuánto me enojo a solas. ¿No tendríais algún libro de apacible entretenimiento que me prestaseis? / Don Lope, hecho un almibar, le prometió no uno sino ciento, y al.

104 gracia... que: CO pág. 153, NC, CO2 pág. 255 gracia ( )

105-106 órdenes... a todas: NC, CO pág. 153, NC, CO2 pág. 255 órdenes de la dama o del héroe del Cagigal; a todas.

Nota: en NC reza «de Cagigal» en vez de «del Cagigal».

106 la acompañaba, de día: CO pág. 153, NC, CO2 pág. 255 acompañaba a la señora de día.

107 generala: CO pág. 153, NC, CO2 pág. 255 Currita.

109 tarde, ya levantados: CAN tarde, ( ) levantados.

109-111 manteles... ¡Si: CO pág. 153, NC, CO2 pág. 257 manteles, tras alguna mirada de flirteo concluyó la Generala: ¡Si.

113 hecho almibar, le: CO pág. 153, NC, CO2 pág. 257 hecho un hilo de miel, le.

113-114 sino ciento; y: CAN sino cuantas quisiese; y.

114-117 llevó... azar, y fijó: CO pág. 154, NC llevó a la dama un libro del célebre Barbey d'Aurevilly. Tenía el libro un bello título: «Lo que no muere». Currita abrió al azar y fijó.

CO págs. 257-58 llevó a la dama una novela francesa. Tenía el libro un bello título: «Lo que no muere». Currita, al azar, fijó.

114 Currita: AC pág. 8 Doña Paquita.

115-157 elogios... Y le dio: AC págs. 8-9. Doña Paquita abrióle al azar y fijó los ojos distraída sobre una página / .—¡Oh! ¡Qué lástima! / Don Lope la miró con extrañeza / .—¿Lástima de qué, señora Corregidora? / .—Ya os tengo dicho que no quiero que me llaméis así ¡Habrá majadero! Llamadme doña Paquita. / Y le dio.

Currita abrió el libro al azar y fijó los ojos, distraída, en las páginas satinadas, pulcras, elegantes, como para ser vueltas por manos blancas y perfumadas de duquesas y mundanas. 120

—¿Pero de qué trata esa novela? ¿Qué es lo que no muere?

—La compasión en la mujer... Una idea originalísima: figúrese usted...

—No; no me lo cuente. ¿Y no tiene usted ninguna novela de Daudet? Es mi autor predilecto; dicen que es realista, de la escuela de Zola; a mí no me lo parece. ¿Usted leyó *Jak*? ¡Qué libro tan sentido! No puede una por menos de llorar leyéndolo. ¡Qué diferente de *Germinal* y de todas las novelas de López Bago! 130

Sandoval, que tenía una migaja de gusto literario y, además, había leído los *Paliques* de Clarín, repuso escandalizado:

—¡Oh, oh, generala, es que no pueden compararse Zola y López Bago!

Currita, sonriendo con el gracioso desenfado de las señoras, que hablan de literatura como de modas, contestó:

---

115 Era *Lo que no muere* del: CAN Era «Les diaboliques» del.

116 Aurevilly... de pronto: CAN Aurevilly, que acababa de morir. Currita que está hojeando el libro, exclama de pronto.

119-21 duquesas y mundanas. ¿Pero: CO pág. 154, NC, CO2 pág. 258 duquesas o cocotas. ¿Pero.

121 esa novela: CO2 pág. 258 esta novela.

128 *Jak:* CO2 pág. 258 Jack.

130 López Bago: «López Bago, Eduardo. Fecundo novelista que trasladó hace años su residencia a las repúblicas centro-americanas; colaborador de *La Familia* (1875) y de *La Ilustración Española y Americana*».

Ossorio y Bernard, Manuel: *Ensayo de un catálogo de periodistas españoles del siglo XIX*, 1903.

130-139 Bago!... Pues se parecen: CO pág. 155, NC, CO2 pág. 259 Bago! El hermoso ayudante, como era asturiano también era algo crítico. Pero Currita sonreía con el gracioso desenfado de las señoras que hablan de literatura como de modas: / .—Pues se parecen.

131-133 Sandoval... escandalizado: CO pág. 155, NC, CO2 pág. 258 Sandoval, repuso escandalizándose:.

—Pues se parecen mucho; no me lo negará usted.

Aquellas herejías producían un verdadero dolor al ayudante; él quisiera que la generala no pronunciase más que sentencias; que tuviese el gusto tan delicado y elegante como el talle. Aquella carencia de esteticismo recordábale a las modistillas pizpiretas, apasionadas de los folletines, con quienes había tenido algo que ver; criaturas risueñas y cantarinas, cabecitas llenas de claveles, pero ¡ay! horriblemente vacías; sin más meollo que los canarios y los jilgueros que alegraban sus guardillas. 140

Currita, que estaba hojeando la novela, exclamó de pronto: 150

—¡Qué lástima!...

Sandoval la miró con extrañeza.

—¿Lástima de qué, generala?

—Ya le he dicho a usted que no quiero que me llame así. ¡Habrá majadero! Llámeme usted Currita.

Y le dio un capirotazo con el libro; luego poniéndose seria:

—¿Sabe usted, Sandoval? Me parece éste un francés muy difícil, y yo he sido siempre de lo más torpe 160

---

141 la generala: CO pág. 155, NC, CO2 pág. 259 la dama.

144 las modistillas pizpiretas, apasionadas: CO pág. 155, NC, CO2 pág. 259 las modistas apasionadas.

146 cantarinas... horriblemente: CO pág. 155, NC cantarinas, gentiles cabezas llenas de claveles, pero horriblemente.

CO2 pág. 259 cantarinas, gentiles cabezas llenas de peines, pero horriblemente.

150 estaba: CO pág. 156, NC está, CO2 pág. 260 seguía.

150 exclamó: CO pág. 156, NC exclama.

152 Qué lástima: CO pág. 156, NC, CO2 pág. 260 Sí es lástima.

153 miró: CO pág. 156, NC, CO2 pág. 260 mira.

156-157 majadero!... Y le: CAN majadero!/ ( ) Y le.

158-162 seria... y le: AC pág. 9 seria, añadió: / Señor D. Lope, habéis querido burlaros de mí, porque este libro no está en castellano, y bien sabéis que yo nunca supe otra lengua... / Y le.

159 ¿Sabe... Me: CO pág. 157, NC, CO2 pág. 260 ¡Sabe usted! ( ) Me.

160-161 torpe... idiomas. Y: CO pág. 157, NC, CO2 pág. 260 torpe para esto de las lenguas. / Y.

que Dios pudo haber criado para esto de idiomas.

Y le alargaba el libro, mirándole al mismo tiempo con aquellos ojos chiquitos como cuentas, vivos y negros, los cuales bien pudieran recibirse de doctores en toda suerte de guiños y coqueteos.

—¿Si usted quisiese?...

Él la miraba, sin acertar con lo que había de querer. La generala siguió:

—Es un favor que le pido.

—Usted no pide, manda, y se concluyó. 170

—Pues entonces vendrá usted a leerme un rato todos los días, ¿verdad? El general se alegrará mucho cuando lo sepa.

Colgósele del brazo, como una chiquilla, y le arrastró hasta el sofá, donde le hizo sentar a su lado.

—Empiece usted. Aprovechemos el tiempo.

---

164 cuales bien pudieran: HP pág. 139, CO pág. 157, NC, CO2 pág. 260 cuales ( ) pudieran.

166-167 ¿Si... la miraba: AC pág. 9 ¡Si vos quisieseis! / El estudiante la miraba.

168 La generala: AC pág. 9 la Corregidora.

170-176 Usted... Aprovechemos: AC pág. 10 Vos no pedís. Vos mandáis y yo obedezco. / .—Pues entonces vendréis a leerme un rato todos los días. Vuestro padrino se alegrará mucho cuando lo sepa. / Tomóle de la mano y le condujo hasta el canapé, donde le hizo sentar a su lado / .—Empezad. Aprovechemos.

170 manda, y se concluyó. / —Pues: CAN manda, y se concluyó, señora. CO pág. 157, NC, CO2 pág. 261 manda como reina.

171 vendrá usted a leerme un: CAN vendrá a verme un.

172 días ¿verdad? El general: CO pág. 157, NC, CO2 pág. 261 días ( ). El general.

173-175 sepa ...hizo: CO pág. 157, NC, CO2 pág. 261 sepa. / Y puso su mano donde brillaba la alianza de oro, sobre la mano del ayudante, y así le arrastró hasta el sofá y le hizo.

174 le: AC pág. 9 os.

176-177 tiempo. Al día: CAN tiempo mientras viene mi marido. Hoy come usted con nosotros. Al día.

176-180 tiempo... adoptaba para: CO pág. 158, NC tiempo. / Sandoval fue lector de la Generala. ¡Y no sabía qué pensar del modo como la dama le trataba, aquel blondo ahijado de Apolo y Marte! La Casa Jimeno había momentos en que adoptaba para.

CO2 pág. 262 El mismo párrafo con la variante de «el blondo ahijado» en vez de «aquel blondo ahijado».

Al día siguiente, y al otro, y al otro, fue Sandoval a leer *Lo que no muere* a la generala. El pobre muchacho no sabía qué pensar de Currita y del modo como le trataba. Había momentos en que la dama adoptaba para 180 hablarle una corrección y formalidad excesivas, que contrastaban con la llaneza y confianza antiguas; en tales ocasiones, jamás, ni aun por descuido, le miraba a la cara. Aun cuando la idea de pasar plaza de tímido mortificaba atrozmente al ayudante, los cambios de humor que observaba en la generala manteníanle en los linderos de la prudencia.

De las fragilidades de ciertas hembras algo se le alcanzaba, pero de las señoras, de las verdaderas señoras, estaba a oscuras completamente. Creía que para ena- 190 morar a una dama encopetada lo primero que se necesitaba eran pelos en la cara en forma de bigote o barba corrida, y tocante a esto, el ayudante estaba muy necesitado. Tantas fueron sus cavilaciones sobre punto tal,

---

177-179 fue... no sabía: AC pág. 11 fué D. Lope a cumplir sus oficios de lector con la señora Corregidora. El pobre estudiante no sabía.

178 *Lo que no muere:* CAN «Les diaboliques».

179 Currita: AC pág. 11 Doña Paquita.

179-180 le trataba... de las fragilidades: CAN le trata. La idea de pasar plaza de tímido le mortificaba atrozmente. De las fragilidades.

181-182 hablarle... con la: AC pág. 11 hablarle con un engolamiento y cortesía tan rigurosa, que contrastaban por demás con la.

182-183 antiguas; en tales: AC pág. 11 antiguas. Doña Paquita, en tales.

185 ayudante: AC pág. 11 estudiante.

186 generala: CO pág. 159, NC, CO2 pág. 262 señora. AC pág. 11 Corregidora.

191 encopetada: CAN principal.

191-193 primero... y tocante: CAN primero se necesitaba pelos y en lo tocante.

191-193 necesitaba... el ayudante: CO pág. 159, NC, CO2 pág. 262 necesitaba era un alarde varonil en forma de mostacho de mosquetero, o barba de capuchino, y de todo ello, el ayudante.

193 el ayudante... muy: AC pág. 12 el estudiante hallábase muy.

194-195 cavilaciones... que: CO pág. 159, NC, CO2 pág. 263 cavilaciones ( ) que.

194-195 sobre punto tal, que: CAN sobre este punto, que.

que cayó en la flaqueza de oscurecerse, con tintes y menjurjes de un cómico su amigo el vello casi incoloro del incipiente bozo.

Las cosas así, leía una tarde a la generala las últimas páginas de la novela. Currita estaba cerca de él, sentada en una silla baja; a veces sus rodillas rozaban las del 200 lector, que se estremecía; pero cual si ninguno de los dos advirtiese aquel contacto, permanecían largo rato con ellas unidas. La generala escuchaba muy conmovida; de tiempo en tiempo su seno se alzaba para suspirar; con ojos inmóviles, y como anegados en llanto, contemplaba al joven, que sentía el peso de aquella mirada fija y poderosa como la de un sonámbulo, y seguía leyendo, sin atreverse a levantar la cabeza.

195-196 oscurecerse ...el vello: CAN oscurecerse, con no sé qué tintas, el vello.

196 menjurjes: FLO pág. 217 menjunjes.

196 menjurjes... el vello: CO2 pág. 263 menjurjes, ( ) el vello.

196 cómico: AC pág. 12 comediante.

196 de un cómico su amigo: CO pág. 159, NC de una cómica su amiga.

197-199 bozo... últimas páginas: CO pág. 159, NC bozo. Miróse en el espejo roto que había en el cuarto de la suripanta, hizo ademán de retorcerse los garabatos invisibles de un mostacho, y salió anhelando ser héroe en batallas de amor. / Una tarde leían juntos las últimas páginas.

CO2 pág. 263 el mismo párrafo con la variante «roto que tenía en el cuarto del hospedaje, hizo».

198 generala: AC pág. 12 Corregidora.

199 páginas... sentada: AC pág. 12 páginas del libro. Doña Paquita estaba a su lado, sentada.

199 cerca de él, sentada: CO pág. 160, NC, CO2 pág. 265 cerca del ayudante, sentada.

201 cual: CAN como.

203 generala: AC pág. 12 Corregidora.

206 al joven, que: CO pág. 160, NC, CO2 pág. 266 al sonrosado teniente, que.

206 joven: AC pág. 13 estudiante.

207 sonámbulo: AC pág. 13 extático.

207-272 sonámbulo... lanzó: CAN sonámbulo. ( ) Se impresiona usted mucho, será mejor dejarlo —dijo Sandoval cerrando el libro. La verdad es que estaba tan nervioso que apenas podía leer. / Currita suspirando se pasó el pañuelo por los ojos. / —Sí, sí, amigo mío. / Ellos se mira-

Las últimas páginas del libro eran terriblemente dolorosas; exhalábase de ellas el perfume de unos sentimientos extraños, a la par pecaminosos y místicos. Era hondamente sugestivo aquel sacrificio de la condesa Iseult; aquella su compasión impúdica, pagana como diosa desnuda; aquella renunciación de sí misma, que la arrastraba hasta dar su hermosura de limosna y sacrificarse en aras de la pasión y del pecado de otro. 210

La generala, con las rodillas unidas a las del ayudante y la garganta seca, escuchaba conmovida la novela del anciano dandy. Sandoval, con voz a cada instante más velada, leía aquella página que dice: 220

...«La condesa Iseult halló todavía fuerzas para murmurar:

»—Pues bien; si reviviese, esta piedad dos veces maldita, inútil para aquellos en quien fue empleada, y vacía del más simple deber para los que la han sentido, esta piedad no me abandonaría, y volvería a seguir sus impulsos, a riesgo de volver a incurrir en mi desprecio. Si Dios, me dijese: *He ahí el fin que ignoras:* y en su misericordia infinita, pusiese al alcance de mi mano el conseguirlo, yo no le escucharía y precipitaríame 230

---

ban en silencio. De pronto Currita, con esa impresionabilidad de los caracteres nerviosos, lanzó.

209-215 dolorosas... hermosura: AC pág. 13 dolorosas ( ). Era hondamente sugestivo aquel sacrificio de la heroína. La princesa Rosalinda, que, arrastrada por la compasión, llegaba hasta dar su hermosura.

212-213 de la condesa Iseult; aquella: CO pág. 161, NC, CO2 pág. 266 de la heroína; aquella.

217 generala: AC pág. 13 Corregidora.

217 ayudante: AC pág. 13 estudiante.

218-219 conmovida... voz: AC pág. 13 conmovida. D. Lope, con la voz.

221 condesa Iseult: AC pág. 13 princesa Rosalinda.

223 esta: AC pág. 13 esa.

224 inútil: AC pág. 13 pecado.

225-226 y vacía... piedad: AC pág. 14 y pecado para mí, esa piedad.

226-227 sus impulsos: AC pág. 14 su impulso.

227-228 incurrir... Si: AC pág. 14 incurrir en el pecado. Si.

228 *ahí*: AC pág. 14 aquí.

como una loca en esa piedad, que no es siquiera una virtud, y que sin embargo es la única que yo he tenido...»

La generala, sin ser dueña de sí por más tiempo, empezó a sollozar, con esa estentoreidad que los sentimientos contenidos, adquieren al desatarse en las mujeres nerviosas.

—¡Qué criatura tan rara esa condesa Iseult! ¿Habrá mujeres así?

El ayudante, conmovido por la lectura, y animado, casi irritado, por el contacto de las rodillas de la generala, contestó: 240

—¿Qué, usted no sería capaz de hacer lo que ella hizo por Allán, al dársele por compasión?

Y sus ojos bayos, trasparentes como topacios quemados, tuvieron al fijarse en Currita el mirar insistente, osado y magnético del celo.

La generala púsose muy seria y contestó con la dignidad reposada de una de aquellas ricas hembras castellanas que criaron a sus pechos los más gloriosos jayanes de la Historia: 250

—Yo, señor ayudante, no puedo ponerme en ese caso. La principal compasión en una mujer casada debe ser para su marido.

---

234 generala: AC pág. 14 Corregidora.

235-237 sollozar... mujeres nerviosas: CO pág. 162, NC, CO2 pág. 268 sollozar con esa explosión de cristales rotos que tienen las lágrimas en las mujeres nerviosas.

238 condesa Iseult: AC pág. 14 princesa Rosalinda.

240 ayudante: AC pág. 14 estudiante.

241-243 la generala... capaz: AC págs. 14-15 la Corregidora contestó: / ¿Vos no serías capaz.

244 hizo... por: CO pág. 163, NC, CO2 pág. 268 hizo al darse por.

244 Allán: AC pág. 15 el paje Aladino.

246 tuvieron... el mirar: CO pág. 163, NC, CO2 pág. 268 tuvieron ( ) el mirar.

246 Currita: AC pág. 15 Doña Paquita.

248 generala: AC pág. 15 Corregidora.

252 ayudante: AC pág. 15 D. Lope.

253-254 compasión... debe: AC pág. 15 compasión de las damas honradas debe.

Sandoval calló, arrepentido de su atrevimiento. La generala era una virtud. Alrededor del cuello de Currita, en vez de los encajes que adornaban el peinador azul celeste, veía el alférez —con los ojos de la imaginación, por supuesto— los tres entorchados, sugestivos, inflexibles, imponiendo el respeto a la ordenanza. 260
Después de un momento, todavía con sombra de enojo, la generala se volvió al ayudante:

—¿Quiere usted seguir leyendo, señor Sandoval?

Y él, sin osar mirarla:

—Se impresiona usted mucho. ¿No sería mejor dejarlo?

La generala suspirando, se pasó el pañuelo por los ojos.

—Casi tiene usted razón.

Ellos se miraban en silencio. De pronto Currita, 270
con la impresionabilidad infantil de tantas mujeres, lanzó una alegre carcajada.

---

255 Sandoval: AC pág. 15 D. Lope.
255 calló: CO pág. 164, NC, CO2 pág. 269 calla.
255 generala: AC pág. 15 Corregidora.
256-257 Alrededor... en vez: CO pág. 164, NC, CO2 pág. 269 Alrédedor de su cuello en vez.
256-261 virtud... todavía: AC pág. 15 virtud. Después de un movimiento, todavía.
257 el peinador: CO pág. 164, NC, CO2 pág. 269 la tunicela.
veía el alférez: En la edición de 1895 reza «veía al *(sic)* alférez; también en CO pág. 164 y NC. En cambio en CO2 pág. 269 reza «veía el alférez» que es evidentemente lo correcto. Por otra parte nótese que en CO2 pág. 253 el grado del ayudante es de teniente: «Era un teniente bonito...».
258-259 imaginación... tres: CO pág. 164, NC, CO2 pág. 269 imaginación ( ) tres.
262 la generala: AC pág. 15 Doña Paquita. CO pág. 164, NC, CO2 pág. 269 Currita.
262-267 al ayudante... suspirando: AC págs. 15-16 al estudiante. / .—¿Queréis hacerme la merced de seguir leyendo, Sr D. Lope? / D. Lope, sin osar mirarla, repuso: / .—Se impresiona mucho mi señora Doña Paquita ¿No sería mejor dejarlo? / Doña Paquita suspirando.
269 Casi... razón: AC pág. 16 Casi tenéis razón.
270 miraban: CO pág. 165, NC, CO2 pág. 270 miraron.
Currita: AC pág. 16 Doña Paquita.

—¡Cómo le ha crecido a usted el bigote! ¡Pero si se lo ha teñido! ¡Ja, ja, ja! ¡Se lo ha teñido!

Sandoval, un poco avergonzado, reía también.

—Me dará usted la receta para cuando tenga canas. ¡Ja, ja, ja!

La generala mordía el pañuelo. Luego, adoptando un aire de señora formal, que le caía muy graciosamente, exclamó: 280

—Eso, hijo mío, es una... vamos, no quiero decirle lo que es; pero ya verá cómo en el pecado se lleva la penitencia.

Salió velozmente, para volver a poco con una aljofaina que dejó sobre el primer mueble que halló a mano.

—Venga usted aquí, caballerito.

Era muy divertida aquella comedia en la cual él hacía de chiquitín travieso y ella de abuela regañona. Currita se levantó un poco las mangas para no mojarse, y 290

273-274 Cómo... teñido: CO pág. 165, NC Cómo le han crecido a usted los bigotes ¡Pero si se los ha teñido! Ja, Ja, Ja ¡Se los ha teñido! CO2 pág. 270 Cómo le han crecido a usted los bigotes ¡Pero si se los ha teñido!

273 usted: AC pág. 16 su merced.

276 Me ...receta: AC pág. 16 Me daréis la receta.

tenga: AC pág. 16 peine.

276 canas. ¡Ja, Ja, Ja!: CO pág. 165, NC, CO2, pág. 270 canas! ( ).

278 La... Luego: AC pág. 16 La Corregidora mordía el pañolito de encaje. Luego.

279 formal: AC pág. 16 mayor.

281 Eso... es: AC pág. 16 eso, sr D. Lope, es.

281-282 decirle... es: AC págs. 16-17 decirle a su merced lo que eso es.

pecado: CAN castigo.

286-289 mano... hacía: AC pág. 17 mano. / .—Llegaos acá, sr D. Lope / Era muy divertido aquel entremés, en el cual D. Lope hacía.

289 de chiquitín travieso y: CO pág. 166, NC, CO2 pág. 271 de rapaz y.

289 y ella de: AC pág. 17 y Doña Paquita de.

289-290 Currita: AC pág. 17 La Corregidora.

290 levantó un poco las: CO pág. 166, NC, CO2 pág. 271 levantó ( ) las.

empezó a lavar los labios al presumido ayudante, quien no pudo menos de besar aquellas manos blancas que tan lindamente le refregaban la jeta.

—Tenga usted formalidad, o si no...

Y le dio en la mejilla un golpecito que quedó dudoso entre bofetada y caricia. Se enjugó Sandoval atropelladamente, y asiendo otra vez las manos de la generala, crubriólas de besos voraces, frenéticos, delirantes. Ella gritaba:

—¡Déjeme usted! ¡Déjeme usted! ¡Nunca lo creería! 300

—¡Curra! ¡Currita! ¡Yo la adoro!... ¡La...!

Sus ojos se encontraron, sus labios se buscaron golosos y se unieron con un beso.

—¡Mi vida!

—¡Payaso!

Los tres entorchados, ya no le inspiraban más respeto que unos galones de cabo.

---

291 ayudante: AC pág. 17 estudiante.
pudo menos: CAN pudo por menos.

292 aquellas manos: CO pág. 166, NC, CO2 pág. 270 las manos.
blancas: AC pág. 17 blandas.

293-294 jeta... si no: AC pág. 17 jeta. / .—Sr D. Lope, tened formalidad, porque si no.

293-295 jeta... Y le: HP pág. 143 jeta. ( ) / Y le. CO pág. 166, NC, CO2 pág. 271 jeta / .—¡Formalidad niño! / Y le.

296 Sandoval: AC pág. 17 D. Lope.

298 cubriólas: CAN se las cubrió.

298-299 besos... Ella: CO2 pág. 271 besos. ( ) Ella.

298-300 delirantes... ¡Déjeme: CAN delirantes ( ) / .—¡Déjeme.

299-302 gritaba... sus ojos: AC pág. 18 gritaba: / .—¡Dejadme! ¡Dejadme! Nunca lo hubiera creído de vos / .—¡Doña Paquita! ¡Paquita! ¡Yo os adoro! / Sus ojos.

300 Déjeme... creería: CAN Déjeme usted! ¡Déjeme! Nunca lo creería. CO2 pág. 271 Déjeme usted. ¡Nunca lo creería!

301-302 creería... Sus: HP pág. 143, CO pág. 167, NC, CO2 pág. 271 creería. ( ) / Sus.

303-304 beso / ¡Mi: CAN beso sensual y alegre como prenda de amorosa juventud. / ¡Mi.

305-312 Payaso... No contestes: AC pág. 18 ¡Payaso! / Pocos momentos después se oían pasos en el corredor, y el que llegaba se detenía en la puerta, llamando con dos golpes discretos. El estudiante murmuró al oído de la Corregidora: / .—No contestes.

Desde fuera dieron dos golpecitos discretos en la puerta.

Sandoval, mordiendo la orejita menuda y sonrosada 310 de la generala, murmuró:

—¡No contestes, alma mía!...

Los golpes se repitieron más fuertes.

—¡Curra! ¡Curra! ¿Qué es esto? ¡Abre!

A la generala tocóle suspirar al oído del ayudante:

—¡Dios santo! ¡Mi marido!

Los golpes eran ya furiosos.

—¡Curra! ¡Sandoval! Abran ustedes o tiro la puerta abajo!

Y a todo esto los porrazos iban en aumento. Currita 320 se retorcía las manos; de pronto corrió a la puerta, y dijo hablando a través de la cerradura, contraído el rostro por la angustia, pero procurando que la voz apareciese alegre:

308-309 discretos en la puerta...: CAN discretos en la puerta. /. —No contestes, dijo Sandoval / Los golpes se repitieron cada vez mas fuertes / .—¡Curra! ¡Curra! ¿qué es esto? ¡Abre! / .—¡Mi marido! suspiró la generala al oído del ayudante. / Los golpes eran ya furiosos. /. —¡Curra! ¡Sandoval! ¡Abran ustedes o tiro la puerta abajo! / Y a todo esto los porrazos en la puerta iban en aumento / .—Mi general —dijo el ayudante hablándole a través de la cerradura— es que se ha soltado el canario, y si abrimos se escapa con toda seguridad; ahora creo que ya lo alcanza la generala. / Cuando la puerta fue abierta, el pájaro cantaba alegremente posado en un palo de la jaula. / V / Cuando algunos días después un íntimo amigo del general D. Miguel Rojas, recomendaba al presidente del Consejo el traslado del alférez Sandoval, cuentan que exclamó el hombre político con la malevolencia ya notoria de su gracejo andaluz: / .—Ah sí, el del canario.

313-314 fuertes... ¿Qué: AC pág. 18 fuertes / ¡Paquita ¿qué.

315 generala: AC pág. 18 Corregidora.

ayudante: AC pág. 18 estudiante.

315-316 suspirar... ¡Dios: CO2 pág. 272 suspirar. ( ) / .—¡Dios.

9-12 furiosos... Y a todo: AC págs. 18-19 furiosos / .—¡Abrid, traidores! ¡Abrid o tiro la puerta abajo! / Y a todo.

317-320 Currita: AC pág. 19 Doña Paquita.

324-328 alegre... Cuando: AC pág. 19 alegre: / .—Esperad un momento, señor marido. Sabed que se ha soltado la cotorra, y si abrimos se escapa con toda seguridad. Ahora creo que ya la alcanza el sr D. Lope, vuestro ahijado. / Cuando.

—¡Mi general! Es que se ha soltado el canario, y si abrimos se escapa con toda seguridad... Ahora creo que ya lo alcanza Sandoval.

Cuando la puerta fue abierta, el ayudante aún permanecía en pie sobre una silla, debajo de la jaula, mientras el pájaro cantaba alegremente balanceándose 330 en la dorada anilla de su cárcel.

A bordo del vapor *Havre,* abril de 1892.

326-327 Ahora... alcanza: CO2 pág. 273 Ahora lo alcanza.

328 ayudante: AC pág. 19 estudiante.

330 pájaro...: AC págs. 19-20 pájaro se balanceaba alegremente en la dorada argolla de su cárcel. El Corregidor entró taciturno, sin decir palabra. Dos días después partía para la Corte, dejando a Doña Paquita depositada en el mismo convento de donde la había sacado para casarse. En la Corte, donde D. Alonso gozaba de favor, consiguió un corregimiento en Indias, y allá se fue solo y triste. Volvió al cabo de algunos años, cargado de achaques y de dinero y pensando hacer de nuevo vida con Doña Paquita, pero hallóse con la nueva de que había muerto de tristeza. En cambio la cotorra, que fuera llevada con su dueña al convento, vivía aún, y cuentan que cuando vio aparecer al viejo D. Alonso le saludó con esta letra, sin duda enseñada por alguna monja burlona:

Antes que te cases.
mira lo que haces.

Rosarito

Sentada ante uno de esos arcaicos veladores con tablero de damas, que tanta boga conquistaron en los comienzos del siglo, cabecea el sueño la anciana condesa de Cela: los mechones plateados de sus cabellos, escapándose de la toca de encajes, rozan con intermitencias desiguales los naipes alineados para un solitario. En el otro extremo del canapé, su nieta Rosarito mueve en silencio cuatro agujas de acero, de las cuales, antes que la velada termine, espera ver salir un botinín blanco con borlas azules, igual en todo a otro que la niña tiene sobre el regazo, y sólo aguarda al compañero para ir calzar los diminutos pies del futuro conde de Cela. —Aunque muy piadosas entrambas damas, es lo cierto que ninguna presta atención a la vida del Santo del día, que el capellán del Pazo lee en voz alta, encorvado sobre el velador, y calados los espejuelos de recia armazón dorada—. De pronto Rosarito levanta la cabeza y se queda como abstraída, fijos los ojos en la puerta del jardín, que se abre sobre un fondo de ramajes oscuros y misteriosos: ¡no más misteriosos, en ver-

1 tablero: RO tableros.

5 intermitencias desiguales los: JU 1920 pág. 171, FLO pág. 87 intermitencias ( ) los.

7-13 canapé... Aunque muy piadosas: JU 1920 pág. 171, FLO pág. 87 canapé, está su nieta Rosarito. Aunque muy piadosas.

12 ir calzar: NC, RO, JN pág. 114, HA pág. 167 ir a calzar.

15 voz alta: NC, JU 1914 pág. 96, JU 1920 pág. 171, HP pág. 147, FLO pág. 87 alta voz.

dad, que la mirada de aquella niña pensativa y blanca! Vista a la tenue claridad de la lámpara, con la rubia cabeza en divino escorzo, la sombra de las pestañas temblando en el marfil de la mejilla, y el busto delicado y gentil destacándose en la penumbra incierta sobre la dorada talla y el damasco azul celeste del canapé, Rosarito recordaba esas ingenuas madonas pintadas sobre fondo de estrellas y luceros. La niña entorna los ojos, palidece, y sus labios agitados por temblor extraño dejan escapar un grito: 30

—¡Jesús!... ¡Qué miedo!...

Interrumpe su lectura el clérigo, y mirándola por encima de los espejuelos, carraspea:

—¿Alguna araña, eh, señorita?

Rosarito mueve la cabeza.

—¡No señor, no!

Estaba muy pálida. Su voz, un poco velada, tenía esa inseguridad delatora del miedo y de la angustia. En vano por aparecer serena, quiso continuar la labor que yacía en su regazo; las agujas temblaban demasiado entre aquellas manos pálidas, transparentes, como las de una santa; manos místicas y ardientes, que parecían adelgazadas en la oración por el suave roce de las cuentas del rosario. 40

Profundamente abstraída, clavó las agujas en el brazo del canapé. Después, con voz baja e íntima, cual si hablase consigo misma, balbuceó:

—¡Jesús¡ ¡Qué cosa tan extraña!

---

24 de la mejilla: RO de las mejillas.

25 en la penumbra: HP pág. 148, NC, JU 1914 pág. 96, JU 1920 pág. 172, FLO pág. 87 en ( ) penumbra.

34 En el texto de 1895 reza «...he *(sic)* señorita?»: Sin duda es una errata. Así en RO, NC, JU 1914 pág. 97, JU 1920 pág 173, FLO pág. 88 eh, señorita? JN pág. 115, HA pág. 168 araña ( ) señorita?.

37 Estaba muy...: NC, JU 1914 pág. 97, JU 1920 pág. 173, FLO pág. 88 Rosarito estaba muy....

40 regazo; las agujas temblaban demasiado: JU 1920 pág. 173 regazo; ( ) temblaban demasiado. FLO pág. 88 regazo. Temblaba demasiado.

Al mismo tiempo entornó los párpados y cruzó las manos sobre el seno, de cándidas y gloriosas líneas: 50
parecía soñar. El capellán la miró con extrañeza.

—¿Qué le pasa, señorita Rosario?

La niña entreabrió los ojos y lanzó un suspiro:

—¿Diga don Benicio, será algún aviso del otro mundo?...

—¡Un aviso del otro mundo!... ¿Qué quiere usted decir?

Antes de contestar, Rosarito dirigió una nueva mirada al misterioso y dormido jardín, a través de cuyos ramajes se filtraba la blanca luz de la Luna; luego en 60
voz débil y temblorosa murmuró:

—Hace un momento juraría haber visto entrar por esa puerta a don Juan Manuel...

—¿Don Juan Manuel, señorita?... ¿Está usted segura?

—Sí; era él, y me saludaba sonriendo...

—Pero ¿usted recuerda a don Juan Manuel? Si lo menos hace diez años que está en la emigración.

—Me acuerdo, don Benicio, como si le hubiese visto ayer. Era yo muy niña y fui con el abuelo a visitarle 70
en la cárcel de Santiago, donde le tenían preso por liberal. El abuelo le llamaba primo. Don Juan Manuel era muy alto; con el bigote muy retorcido; y el pelo blanco y rizo.

56-57 quiere usted decir: RO quiere ( ) decir.

58 una nueva mirada: RO una ( ) mirada.

61 débil: JN pág. 118, HA pág. 169 dulce.

63 don Juan Manuel: NC, JU 1914 pág. 98 Don Miguel Bendaña. JU 1920 pág. 174, FLO pág. 88 Don Miguel Montenegro.

En el texto de NC, JU 1914 se sustituye Don Juan Manuel Montenegro por Don Miguel Bendaña, y en JU 1920, FLO el nombre del personaje es Don Miguel Montenegro.

64 Don Juan Manuel: NC, JU 1914 pág. 98, JU 1920 pág. 174, FLO pág. 88 Don Miguel.

67 don Juan Manuel: NC, JU 1914 pág. 98 Don Miguel Bendaña. JU 1920 pág. 174, FLO pág. 88 Don Miguel Montenegro.

72 Don Juan Manuel: NC, JU 1914 pág. 98, JU 1920 pág. 174, FLO pág. 88 Don Miguel.

73-74 el pelo blanco y rizo: JN pág. 118, HA pág. 170 el pelo todo

El capellán asintió:

—Justamente, justamente. A los treinta años tenía la cabeza más blanca que yo ahora. Sin duda usted habrá oído referir la historia...

Rosarito juntó las manos.

—¡Oh! ¡Cuántas veces! El abuelo la contaba siempre. 80

Se interrumpió viendo enderezarse a la condesa. La anciana señora miró a su nieta con severidad, y todavía mal despierta murmuró:

—¿Qué tanto tienes que hablar, niña? Deja leer a don Benicio.

Rosarito, roja de vergüenza, inclinó la cabeza y se puso a mover las largas agujas de su labor. Pero don Benicio, que no estaba en ánimo de seguir leyendo, cerró el libro y bajó los anteojos hasta la punta de la nariz. 90

—Hablábamos del famoso don Juan Manuel, señora condesa. Don Juan Manuel Montenegro, emparentado, si no me engaño, con la ilustre casa de los condes de Cela...

La anciana le interrumpió.

—Y ¿a dónde han ido ustedes a buscar esa conver-

---

blanco y rizado. HP pág. 149, NC, JU 1914 pág. 99, JU 1920 pág. 174, FLO pág. 88 el pelo blanco y rizoso.

87 Rosarito... inclinó: JU 1920 pág. 175, FLO pág. 89 Rosarito ( ) inclinó.

87-91 Rosarito... la nariz: JN pág. 121, HA pág. 171 Rosarito tiene la cabeza inclinada y mueve las largas agujas de su calceta. La tos del capellán resuena en el silencio de la sala: Don Benicio que no está en ánimo de seguir leyendo cierra el libro y baja los anteojos hasta la punta de la nariz.

88 las largas agujas: NC, JU 1914 pág. 100, HP pág. 150, JU 1920 pág. 175, FLO pág. 89 las ( ) agujas.

91 Hablábamos: RO hablamos.

don Juan Manuel: NC, JU 1914 pág. 100, JU 1920 pág. 175, FLO pág. 88 Don Miguel.

92 Don Juan Manuel Montenegro: NC, JU 1914 pág. 100 Don Miguel Bendaña. JU 1920 pág. 175, FLO pág. 88 Don Miguel Montenegro.

96 interrumpió: JN pág. 122, HA pág. 171 interrumpe.

sación? ¿También usted ha tenido noticia del hereje de mi primo? Yo sé que está en el país, y que conspira. El cura de Cela, que le conoció mucho en Portugal, le ha visto en la feria de Barbanzón, disfrazado de chalán. 100

Don Benicio se quitó los anteojos vivamente.

—¡Hum! He ahí una noticia. Y una noticia de las más extraordinarias. ¿Pero no se equivocaría el cura de Cela?...

La condesa se encogió de hombros.

—Qué, ¿lo duda usted? Pues yo no. ¡Conozco harto bien a mi señor primo!

—Los años quebrantan las peñas, señora condesa: cuatro anduve yo por las montañas de Navarra con el fusil al hombro, y hoy, mientras otros baten el cobre, tengo que contentarme con pedir a Dios en la misa el triunfo de la santa causa. 110

Una sonrisa desdeñosa asomó en la desdentada boca de la linajuda señora.

—¿Pero quiere usted compararse don Benicio?... Ciertamente que en el caso de mi primo cualquiera se miraría antes de atravesar la frontera; pero esa rama de los Montenegros es de locos. Loco era mi tío don José; loco es el hijo; y los locos serán los nietos. Usted habrá oído mil veces en casa de los curas hablar de don Juan Manuel. Pues bien, todo lo que se cuenta no es nada comparado con lo que ese hombre ha hecho. 120

El clérigo repitió a media voz:

—Ya sé, ya sé... Tengo oído mucho. ¡Es un hombre terrible, un libertino, un masón!

La condesa alzó los ojos al cielo y suspiró.

---

102 quitó: JN pág. 122, HA pág. 171 quita.
106 encogió: JN pág. 122, HA pág. 171 encoge.
113 la santa causa: JN pág. 123, HA pág. 172 la ( ) Causa.
114 asomó: JN pág. 123, HA pág. 172 asoma.
119 Montenegros: NC, JU 1914 pág. 101 Bendaña.
121 don Juan Manuel: NC, JU 1914 pág. 101, JU 1920 pág. 177, FLO pág. 89 Don Miguel.
124 repitió: JN pág. 123, HA pág. 172 repite.
127 alzó los ojos y suspiró: JN pág. 123, HA pág. 172 alza los ojos y suspira.

—¿Vendrá a nuestra casa? ¿Qué le parece a usted?
—¿Quién sabe? Conoce el buen corazón de la señora condesa. 130
El capellán sacó del pecho de su levitón, un gran pañuelo a cuadros azules y lo sacudió en el aire con suma parsimonia: después se limpió la calva.
—¡Sería una verdadera desgracia! Si la señora atendiese mi consejo, le cerraría la puerta.
Rosarito lanzó un suspiro. Su abuela la miró severamente y se puso a repiquetear con los dedos en el brazo del canapé.
—Eso se dice pronto, don Benicio. Está visto que usted no le conoce. Yo le cerraría la puerta y él la 140 echaría abajo. Por lo demás tampoco debo olvidar que es mi primo.
Rosarito alzó la cabeza. En su boca de niña temblaba la sonrisa pálida de los corazones tristes, y en el fondo misterioso de sus pupilas brillaba una lágrima rota. De pronto lanzó un grito. Parado en el umbral de la puerta del jardín estaba un hombre de cabellos blancos, estatura gentil y talle todavía arrogante y erguido.

Don Juan Manuel Montenegro podría frisar en los sesenta años. Tenía ese hermoso y varonil tipo suevo 150 tan frecuente en los hidalgos de la montaña gallega.

---

129 la señora condesa: RO la ( ) Condesa.
131 sacó: JN pág. 124, HA pág. 172 ha sacado.
132 pañuelo: HA pág. 172 pañuelón.
133 limpió: JN pág. 124, HA pág. 172 limpia.
136 lanzó: JN pág. 124, HA pág. 173 lanza.
miró: JN pág. 124, HA pág. 173 mira.
137 puso: JN pág. 124, HA pág. 173 pone.
143 alzó: JN pág. 125, HA pág. 173 alza.
145 brillaba: JN pág. 125, HA pág. 173 brilla.
146 lanzó: JN pág. 125, HA pág. 173 lanza.
147 puerta del jardín estaba: FLO pág. 90 puerta ( ) estaba.
147 estaba: JN pág. 125, HA pág. 173 está.
149 Don Juan Manuel Montenegro: NC, JU 1914 pág. 103 Don Miguel Bendaña. JU 1920 pág. 178, FLO pág. 90 Don Miguel Montenegro.

Era el mayorazgo de una familia antigua y linajuda, cuyo blasón lucía diez y seis cuarteles de nobleza y una corona real en el jefe. Don Juan Manuel, con gran escándalo de sus deudos y allegados, al volver de la emigración hiciera picar las armas que campeaban sobre la puerta de su pazo solariego, un caserón antiguo y ruinoso, mandado edificar por el mariscal Montenegro, que figuró en las guerras de Felipe V, y fue el más notable de los de su linaje. Todavía se conserva en el país memoria de aquel señorón excéntrico, déspota y cazador, beodo y hospitalario. Don Juan Manuel a los treinta años había malbaratado su patrimonio. Solamente conservó las rentas y tierras de vínculo, el pazo y una capellanía, todo lo cual apenas le daba para comer. Entonces empezó su vida de conspirador y aventurero; vida tan llena de riesgos y azares, como la de aquellos segundones hidalgos que se enganchaban en los tercios de Italia por buscar lances de amor, de espada y de fortuna. Liberal aforrado en masón, fingía gran menosprecio por toda suerte de timbres nobiliarios, lo que no impedía que fuese altivo y cruel como un árabe noble. Interiormente sentíase orgulloso de su abolengo, y pese a su despreocupación dantoniana, placíale referir la leyenda heráldica que hace descender a los Montenegros de una emperatriz alemana. Creíase emparentado con las más nobles casas de Galicia, y desde el conde de Cela al de Altamira, con todos se igualaba, y a todos llamaba primos, como se llaman

---

154 Don Juan Manuel: NC, JU 1914 pág. 104, JU 1920 pág. 179, FLO pág. 91 Don Miguel.

155 la emigración: NC, JU 1914 pág. 104, HP pág. 152, JU 1920 pág. 179, FLO pág. 90 su primera emigración.

hiciera: RO, JU 1920 pág. 179, FLO pág. 91 hizo.

157 solariego: En el texto de 1895 reza «soloriego» *(sic)*. Errata corregida posteriormente en RO, NC, JU 1914, HP, ...

158 Montenegro: NC, JU 1914 pág. 104 Mariscal Bendaña.

11 Don Juan Manuel: NC, JU 1914 pág. 105, JU 1920 pág. 180, FLO pág. 91 Don Miguel.

176 Montenegros: NC, JU 1914 pág. 104 Bendañas.

entre sí los reyes. En cambio, despreciaba a los hidalgos sus vecinos y se burlaba de ellos sentándolos a su mesa y haciendo sentar a sus criados. Era cosa de ver a don Juan Manuel erguirse cuan alto era, con el vaso desbordante, gritando con aquella engolada voz de gran señor que ponía asombro en sus huéspedes: 180

—En mi casa, señores, todos los hombres son iguales. Aquí es ley la doctrina del filósofo de Judea.

Don Juan Manuel era uno de esos locos de buena vena, con maneras de gran señor, ingenio de coplero y alientos de pirata. Bullía de continuo en él una desesperación sin causa ni objeto, tan pronto arrebatada como burlona; ruidosa como sombría. Atribuíansele cosas verdaderamente extraordinarias. Cuando volvió de su primera emigración, encontróse hecha la leyenda. Los viejos liberales partidarios de Riego contaban que le había blanqueado el cabello desde que una sentencia de muerte tuviérale tres días en capilla, de la cual consiguiera fugarse por un milagro de audacia: pero las damiselas de su provincia, abuelas hoy que todavía suspiran cuando recitan a sus nietas los versos de *El trovador,* referían algo mucho más hermoso... Pasaba esto en los buenos tiempos del Romanticismo, y fue preciso suponerle víctima de trágicos amores. ¡Cuántas veces oyera Rosarito en la tertulia de sus abuelos la historia de aquellos cabellos blancos! Contábala siempre su tía la de Camarasa, una señorita cincuentona, que leía novelas con el ardor de una colegiala; y todavía cantaba en los estrados aristocráticos de Brumosa 190 200

---

182 sus criados: HA pág. 174, JN pág. 129 los criados.

183 don Juan Manuel: NC, JU 1914 pág. 105, JU 1920 pág. 180, FLO pág. 91 Don Miguel.

188 Don Juan Manuel: NC, JU 1914 pág. 106 Don Miguel Bendaña. JU 1920 pág. 182, FLO pág. 92 Don Miguel de Montenegro.

199 todavía: HP pág. 154, NC, JU 1914 pág. 106, JU 1920 pág. 181, FLO pág. 91 todas.

200 nietas: NC nietos.

204 oyera: JN pág. 131, HA pág. 177 había oído.

208 Brumosa: NC, JU 1914 pág. 106, JN pág. 131, HA pág. 177, JU 1920 pág. 181, FLO pág. 92 Compostela.

melancólicas tonadas del año treinta. Amada de Camarasa conociera a don Juan Manuel en Lisboa, cuando las bodas del infante don Miguel. Era ella una niña, y habíale quedado muy presente la sombría figura de aquel emigrado español de erguido talle y ademán altivo, que todas las mañanas se paseaba con el poeta Espronceda en el atrio de la catedral, y no daba un paso sin golpear fieramente el suelo con la contera de su caña de Indias. Amada de Camarasa no podía menos de suspirar siempre que hacía memoria de los alegres años pasados en Lisboa. ¡Quizá volvía a ver con los ojos de la imaginación la figura de cierto hidalgo lusitano de moreno rostro y amante labia, que había sido la única pasión de su juventud!...

¡Pero ésta es otra historia que nada tiene que ver con la de don Juan Manuel!

El mayorazgo se había detenido en medio de la espaciosa sala y saludaba encorvando su aventajado talle, aprisionado en largo levitón.

—Buenas noches, condesa de Cela. ¡He aquí a tu primo Montenegro, que viene de Portugal!

Su voz, al sonar en medio del silencio de la anchurosa y oscura sala del pazo, parecía más poderosa y más hueca. La condesa, sin manifestar extrañeza, repuso con desabrimiento:

—Buenas noches, señor mío.

Don Juan Manuel se atusó el bigote y sonrió, como hombre acostumbrado a tales desvíos y que los tiene en poco. De antiguo recibíasele de igual modo en casa

---

210 conociera a don Juan Manuel: RO conoció a Don Juan Manuel. NC, JU 1914 pág. 106 conociera a Don Miguel. JU 1920 pág. 181, FLO pág. 92 conoció a Don Miguel.

210 don Juan Manuel: NC, JU 1914 pág. 108, JU 1920 pág. 183, FLO pág. 92 Don Miguel.

229 Montenegro: NC, JU 1914 pág. 109 Bendaña.

232-234 repuso... Buenas noches: NC repuso ( ): / .—Buenas noches.

235 Don Juan Manuel: NC, JU 1914 pág. 108, JU 1920 pág. 183, FLO pág. 92 Don Miguel.

de todos sus deudos y allegados, sin que nunca se le antojara tomarlo a pecho: contentábase con hacerse obedecer de los criados y manifestar hacia los amos cierto desdén de gran señor. Era de ver cómo aquellos hidalgos compesinos que nunca habían salido de sus madrigueras, concluían por humillarse ante la apostura caballeresca y la engolada voz del viejo libertino, cuya vida de conspirador, llena de azares desconocidos, ejercía sobre ellos el poder sugestivo de lo tenebroso. 240

Don Juan Manuel acercóse rápido a la condesa y tomóle la mano, con aire a un tiempo cortés y familiar:

—Espero, prima, que me darás hospitalidad por una noche. 250

Así diciendo, con empaque de viejo gentilhombre, arrastró un pesado sillón de Moscovia, y tomó asiento al lado del canapé. En seguida, y sin esperar respuesta, volvióse a Rosarito —¡Acaso había sentido el peso magnético de aquella mirada que tenía la curiosidad de la virgen y la pasión de la mujer!—. Puso el emigrado una mano sobre la rubia cabeza de la niña, obligándola a levantar los ojos, y con esa cortesanía exquisita y simpática de los viejos que han amado y galanteado mucho en su juventud, pronunció a media voz —¡la voz honda y triste, con que se recuerda el pasado!: 260

—Tú no me reconoces, ¿verdad, hija mía?; pero yo sí; te reconocería en cualquier parte... ¡Te pareces tanto a una tía tuya, hermana de tu abuelo, a la cual ya no has podido conocer!... ¿Tú te llamas Rosarito, verdad?

—Sí señor...

Don Juan Manuel se volvió a la condesa.

—¿Sabes, prima, que es muy linda la pequeña?

---

243 la apostura caballeresca: HP pág. 155 la postura caballeresca (probablemente una errata).

247 Don Juan Manuel: NC, JU 1914 pág. 110, JU 1920 pág. 185, FLO pág. 93 Don Miguel.

249 con aire: HP pág. 155 con el aire.

Y moviendo la plateada y varonil cabeza, continuó 270
cual si hablase consigo mismo:

—¡Demasiado linda quizá para que pueda ser feliz!...

La condesa, halagada en su vanidad de abuela, repuso con benignidad, mirando y sonriendo a su nieta:

—No me la trastornes, primo. ¡Sea ella buena, que el que sea linda es cosa de bien poco!...

El emigrado asintió con un gesto sombrío y teatral. Quedóse algún tiempo contemplando a la niña, y luego enderezándose en el sillón preguntó a la condesa: 280

—¿Es la mayorazga?

—No. A última hora ocurriósele a su mamá encargar un infantito a Pekín...

Y la noble señora, señalaba sonriendo el botinín de estambre en que trabajaba su nieta. La niña, con las mejillas encendidas y los ojos bajos, movía las agujas temblorosa y torpe. ¿Adivinó el viejo libertino lo que pasaba en aquella alma tan pura? ¿Tenía él, como todos los grandes seductores, esa intuición misteriosa que lee en lo íntimo de los corazones y conoce las horas propicias al amor? Ello es que una sonrisa de increíble audacia tembló un momento bajo el mostacho blanco del hidalgo, y que sus ojos verdes —soberbios y desdeñosos como los de un tirano, o de un pirata—, se posaron con gallardía donjuanesca sobre aquella cabeza melancólicamente inclinada que con su crencha de oro, partida por estrecha raya, tenía cierta castidad

---

272 linda quizá para: JU 1920 pág. 185, FLO pág. 93 linda ( ) para.

274 En la edición de 1895 reza «alhagada» *(sic)*. RO, HA pág. 181, HP pág. 156, NC, JU 1914 pág. 110, JU 1920 pág. 185, FLO pág. 93 halagada.

275 benignidad mirando y sonriendo a su: JU 1920 pág. 185, FLO pág. 93 benignidad, ( ) sonriendo a su.

278-287 sombrío y teatral... temblorosa y torpe: JU 1920 pág. 185, FLO pág. 93 sombrío y teatral y quedó contemplando a la niña, que con los ojos bajos, movía las agujas de su labor, temblorosa y torpe.

288 ¿Tenía él, como: RO ¿Tenía, acaso, como.

290 lo íntimo de: RO el fondo de.

prerrafaélica. Pero la sonrisa y la mirada del emigrado fueron relámpagos por lo siniestras y por lo fugaces. Recobrada incontinenti su actitud de gran señor, don Juan Manuel se inclinó ante la condesa. 300

—Perdona, prima, que todavía no te haya preguntado por el conde.

La anciana suspiró levantando los ojos al cielo.

—¡Ay! ¡El conde lo es desde hace mucho tiempo mi hijo Pedro!...

El mayorazgo se enderezó en el sillón, dando con la contera de su caña en el suelo.

—¡Vive Dios! En la emigración nunca se sabe nada. Apenas llega una noticia... ¡Pobre amigo! ¡Pobre amigo!... ¡No somos más que polvo!... 310

Frunció las cejas imperceptiblemente; y apoyándose a dos manos en el puño de oro de su bastón, añadió con fanfarronería:

—Si antes lo hubiese sabido, créeme que no tendría el honor de hospedarme en tu palacio.

—¿Por qué?

—Porque tú nunca me has querido bien. ¡En eso eres de la familia!

---

298 prerrafaélica. Pero la: JN pág. 139, HA pág. 183 prerrafaélica. ( ) La.

299 fueron: JN pág. 139, HA pág. 183 han sido.

300 Recobrada... gran: RO recobrada su actitud de viejo gran.

300 don Juan Manuel: NC, JU 1914 pág. 111, JU 1920 pág. 186, FLO pág. 94 Don Miguel.

inclinó: JN pág. 139, HA pág. 183 inclina.

302-303 preguntado por el Conde: JU 1920 pág. 186, FLO pág. 94 preguntado por mi primo el Conde de Cela.

304 suspiró: JN pág. 139, HA pág. 183 suspira.

305 ¡Ay! ¡El conde: RO ( ) El Conde.

305 conde lo: JU 1920 pág. 186, FLO pág. 94 Conde de Cela lo.

307 enderezó: JN pág. 140, HA pág. 183 endereza.

310-311 ¡Pobre amigo! ¡Pobre amigo!... ¡No: RO Pobre amigo ( ) No.

312 cejas imperceptiblemente y: RO, JN pág. 139, HP pág. 157, HA pág. 183, NC, JU 1914 pág. 112, JU 1920 pág. 186, FLO pág. 94 cejas ( ) y.

312 apoyándose: JU 1920 pág. 186, FLO pág. 94 apoyado.

316 el honor: RO el alto honor.

La noble señora sonrió tristemente. 320

—Tú eres el que has renegado de todos. ¿Pero a qué viene recordar ahora eso? Cuenta has de dar a Dios de tu vida, y entonces...

Don Juan Manuel se inclinó con sarcasmo:

—Te juro, condesa, que como tenga tiempo he de arrepentirme.

El capellán, que no había desplegado los labios, repuso afablemente —afabilidad que le imponía el miedo a la cólera del hidalgo:

—Volterianismos, don Juan Manuel... Volterianismos que después, en la hora de la muerte... 330

Don Juan Manuel no contestó. En los ojos de Rosarito acababa de leer un ruego tímido y ardiente a la vez. El viejo libertino miró al clérigo de alto a bajo, y volviéndose a la niña, que temblaba, contestó, sonriendo:

—¡No temas, hija mía! Si no creo en Dios, amo a los ángeles...

El clérigo, en el mismo tono conciliador y francote, volvió a repetir. 340

—¡Volterianismos, don Juan Manuel!... ¡Volterianismos de la Francia!

321 eres el que ha: RO eres quien ha.

324 Don Juan Manuel: NC, JU 1914 pág. 113, JU 1920 pág. 187, FLO pág. 94 Don Miguel.

325 condesa: NC, JU 1914 pág. 113, JU 1920 pág. 187, FLO pág. 94 prima.

327 desplegado: Así en la edición de 1895 y en JN pág. 141, HP pág. 158, HA pág. 184, JU 1914 pág. 113, JU 1920 pág. 187, FLO pág. 94. Valle usa esta construcción otras veces. Por ejemplo en «El Gran Obstáculo», *El Diario de Pontevedra,* 4 de febrero de 1892: «Ordinariamente, Plácida oía en silencio, sonreíase a veces, y alguna que otra... desplegaba los labios.» También en *Sonata de primavera,* Madrid, 1904 pág. 133: «Atendía sin mostrar sorpresa, sin desplegar los labios...».

327-328 repuso ...que: RO repuso amablemente, amabilidad que.

330 Don Juan Manuel: NC, JU 1914 pág. 113, JU 1920 pág. 187, FLO pág. 95 Don Miguel.

332 Don Juan Manuel: NC, JU 1914 pág. 113, JU 1920 pág. 187, FLO pág. 95 Don Miguel.

341 don Juan Manuel: NC, JU 1914 pág. 113, JU 1920 pág. 187, FLO pág. 95 Don Miguel.

Intervino con alguna brusquedad la condesa, a quien lo mismo las impiedades que las galanterías del emigrado inspiraban vago terror.

—¡Dejémosle don Benicio! Ni él ha de convencernos ni nosotros a él...

Don Juan Manuel sonrió con exquisita ironía.

—¡Gracias, prima, por la ejecutoria de firmeza que das a mis ideas, pues ya he visto cuánta es la elocuencia 350 de tu capellán!

La condesa sonrió fríamente con el borde de los labios y dirigió una mirada autoritaria al clérigo para imponerle silencio. Después, adoptando esa actitud seria y un tanto melancólica con que las damas del año treinta se retrataban y recibían en el estrado a los caballeros, murmuró:

—¡Cuando pienso en el tiempo que hace que no nos hemos visto!... ¿De dónde sales ahora? ¿Qué nueva locura te trae? ¡Los emigrados no descansáis nun- 360 ca!...

—Pasaron ya mis años de pelea, condesa... Ya no soy aquel que tú has conocido. Si he atravesado la frontera, ha sido únicamente para traer socorros a la huérfana de un pobre emigrado, a quien asesinaron los estudiantes de Coimbra. Cumplido este deber me vuelvo a Portugal.

—¡Si es así, que Dios te acompañe!...

Un antiguo reloj de sobremesa dio las diez. Era de plata dorada, y de gusto pesado y barroco, como obra 370 del siglo XVIII. Representaba a Baco coronado de pámpanos y dormido sobre un tonel. La condesa contó las horas en voz alta y volvió al asunto de su conversación.

---

345 inspiraban vago: RO inspiraban un vago.

346 él ha de: RO él habrá de.

348 Don Juan Manuel: NC, JU 1914 pág. 114, JU 1920 pág. 188, FLO pág. 95 Don Miguel.

362 pelea, condesa. Ya: JU 1920 pág. 188, FLO pág. 95 pelea ( ). Ya.

—Yo sabía que habías pasado por Brumosa, y que después estuvieras en la feria de Barbanzón vestido de chalán. Mis noticias eran de que conspirabas.

—Ya sé que eso se ha dicho.

—A ti se te juzga capaz de todo menos de ejercer la caridad como un apóstol... 380

Y la noble señora sonreía con alguna incredulidad. Después de un momento añadió bajando insensiblemente la voz:

—¡Es el caso que no debes tener la cabeza muy segura sobre los hombros!

Y tras la máscara de frialdad con que quiso revestir sus palabras, asomaban el interés y el afecto. Don Juan Manuel repuso en el mismo tono confidencial, paseando la mirada por la sala:

—¡Ya habrás comprendido que vengo huyendo! 390 Necesito un caballo para repasar mañana mismo la frontera.

—¿Mañana?

—Mañana.

La condesa reflexionó un momento.

—¡Es el caso que no tenemos en el pazo ni una mala montura!...

Y como observase que el emigrado fruncía el ceño, añadió:

—Haces mal en dudarlo. Tú mismo puedes bajar a 400 la cuadra y verlo. Hará cosa de un mes pasó por aquí haciendo una requisa la partida de *El Manco* y se llevó

---

375 Brumosa: RO, JN pág. 145, HA pág. 187, NC, JU 1914 pág. 115, JU 1920 pág. 190, FLO pág. 95 Santiago.

376 estuvieras: RO habías estado. NC, JU 1914 pág. 115, JU 1920 pág. 190, FLO pág. 96 estuviste.

vestido: JU 1920 pág. 190, FLO pág. 96 disfrazado.

Barbanzón: RO Brandeso.

387-388 Don Juan Manuel; NC, JU 1914 pág. 116, JU 1920 pág. 190, FLO pág. 96 Don Miguel.

400-401 a la cuadra: JU 1920 pág. 191, FLO pág. 96 a las cuadras.

402 El Manco: JN pág. 147, HA pág. 188 Don Ramón María el manco.

las dos yeguas que teníamos. No he querido volver a comprar, porque me exponía a que se repitiese el caso el mejor día.

Don Juan Manuel la interrumpió:

—¿Y no hay en la aldea quien preste un caballo a la condesa de Cela?

A la pregunta del mayorazgo siguió un momento de silencio. Todas las cabezas se inclinaban y parecían meditar. Rosarito que con las manos en cruz, y la labor caída en el regazo, estaba sentada en el canapé al lado de la anciana, suspiró tímidamente: 410

—Abuelita, el *Sumiller* tiene un caballo que no se atreve a montar.

Y con el rostro cubierto de rubor, entreabierta la boca de madona y el fondo de los ojos misterioso y cambiante, Rosarito se estrechaba a la condesa cual si buscase amparo en un peligro. Don Juan Manuel la infundía miedo; pero un miedo sugestivo y fascinador. Quisiera no haberle conocido y el pensar en que pudiera irse la entristecía. Aparecíasele como el héroe de un cuento medroso y bello cuyo relato se escucha temblando y, sin embargo, cautiva el ánimo hasta el final con la fuerza de un sortilegio. Oyendo a la niña, el emigrado sonrió con caballeresco desdén, y aún hubo de atusarse el bigote suelto y bizarramente levantado sobre el labio. Su actitud era ligeramente burlona. 420

—¡Vive Dios! Un caballo que el *Sumiller* no se atreve a montar casi debe de ser un *Bucéfalo*. ¡He ahí, queridas mías, el corcel que me conviene! 430

403-406 que teníamos... Don Juan: RO que teníamos. ( ) / Don Juan.

406 Don Juan Manuel: NC, JU 1914 pág. 117 Don Juan Manuel *(sic)*. JU 1920 pág. 191, FLO pág. 96 Don Miguel de Montenegro.

413 la anciana: RO la Condesa.

418 a la condesa: HP pág. 161, NC, JU 1914 pág. 118, JU 1920 pág. 192, FLO pág. 97 a su abuela.

419 Don Juan Manuel: NC, JU 1914 pág. 118, JU 1920 pág. 192, FLO pág. 97 Don Miguel.

421-422 pudiera: RO pudiese.

La condesa movió distraídamente algunos naipes del solitario, y al cabo de un momento, como si el pensamiento y la palabra le viniesen de muy lejos, se dirigió al capellán.

—Don Benicio, será preciso que vaya usted a la rectoral y hable con el *Sumiller*.

Don Benicio repuso volviendo las hojas de *El Año Cristiano*.

—Yo haré lo que disponga la señora condesa; pero, 440 salvo su mejor parecer, el mío es que más atendida había de ser una carta de vuecencia.

Aquí levantó el clérigo la tonsurada cabeza, y al observar el gesto de contrariedad con que la dama le escuchaba se apresuró a decir:

—Permítame la señora condesa que me explique. El día de San Miguel fuimos juntos de caza. Entre el *Sumiller* y el abad de Cela, que se nos reunió en el monte, hiciéronme una jugarreta del demonio. Todo el día estuviéronse riendo. ¡Con sus sesenta años a cuestas 450 los dos tienen el humor de unos rapaces! Si me presento ahora en la rectoral pidiendo el caballo por seguro que lo toman a burla ¡Es un raposo muy viejo el señor *Sumiller!*

Rosarito murmuró con anhelo al oído de la anciana.

—Abuelita, escríbale usted...

La mano trémula de la condesa acarició la rubia cabeza de su nieta.

—¡Ya, hija mía!...

Y la condesa de Cela, que hacía tantos años estaba 460 amagada de parálisis, irguióse sin ayuda y, precedida del capellán, atravesó la sala, noblemente inclinada sobre su muleta —una de esas muletas como se ven en

---

446 Permítame la señora: HP pág. 161, NC, JU 1914 pág. 119, JU 1920 pág. 193, FLO pág. 97 Permítame ( ) señora.

447 San Miguel: NC, JU 1914 pág. 119, JU 1920 pág. 193, FLO pág. 97 San Cidrán.

458 su nieta: JN pág. 151, HA pág. 190 la nieta.

los santuarios, con cojín de terciopelo carmesí guarnecido por clavos de plata.

Del fondo oscuro del jardín, donde los grillos daban serenata, llegaban murmullos y aromas. El vientecillo gentil que los traía estremecía los arbustos, sin despertar los pájaros que dormían en ellos. A veces el follaje, misterioso como la túnica de una diosa, se abría susurrando y penetraba el blanco rayo de la Luna, que se quebraba en algún asiento de piedra, oculto hasta entonces en sombra clandestina. El jardín cargado de aromas, y aquellas notas de la noche, impregnadas de voluptuosidad y de pereza, y aquel rayo de Luna, y aquella soledad, y aquel misterio, traían como una evocación romántica de citas de amor en siglos de trovadores. 470

Don Juan Manuel se levantó del sillón y, vencido por una distracción extraña, comenzó a pasearse entenebrecido y taciturno. Temblaba el piso bajo su andar marcial, y temblaban las arcaicas consolas, que parecían altares con su carga rococó de efigies, fanales y floreros. —Los ojos de la niña seguían miedosos e inconscientes el ir y venir de aquella sombría figura: si el emigrado se acercaba a la luz, no se atrevían a mirarle; si se desvanecía en la penumbra le buscaban con ansia—. Don Juan Manuel se detuvo en medio de la estancia. Rosarito bajó los párpados presurosa. Sonrióse el mayorazgo contemplando aquella rubia y delicada 480 490

464 En la edición de 1895 reza «suntuarios». Es una errata por santuarios. Así en HP pág. 162, JU 1920 pág. 193 y FLO pág. 97.

469-470 follaje... se abría: JU 1920 pág. 194, FLO pág. 98 follaje ( ) se abría.

472 oculto: RO envuelto.

479 Don Juan Manuel: NC, JU 1914 pág. 121, JU 1920 pág. 195, FLO pág. 98 Don Miguel.

483 En la edición de 1895 y en todas las consultadas (JN pág. 154, HP pág. 163, HA pág. 191, NC, JU 1914 pág. 121, JU 1920 pág. 195, FLO pág. 98) reza «carga rococa». Se ha cambiado por «rococó» al ser la forma admitida en el Diccionario de la R.A.E.

488 Don Juan Manuel: NC, JU 1914 pág. 121, JU 1920 pág. 195, FLO pág. 98 Don Miguel.

cabeza, que se inclinaba como lirio de oro, y después de un momento llegó a decir:

—¡Mírame, hija mía! ¡Tus ojos me recuerdan otros ojos que han llorado mucho por mí!

Tenía don Juan Manuel los gestos trágicos y las frases siniestras y dolientes de los seductores románticos. En su juventud había conocido a lord Byron, y la influencia del poeta inglés fuera en él decisiva.

Las pestañas de Rosarito rozaron la mejilla con tímido aleteo, y permanecieron inclinadas como las de una novicia. El emigrado sacudió la blanca cabellera, ¡aquella cabellera cuya novelesca historia tantas veces recordara la niña aquella noche! y fue a sentarse en el canapé. 500

—Si viniesen a prenderme, ¿tú qué harías? ¿Te atreverías a ocultarme en tu alcoba? ¡Una abadesa de San Payo salvó así la vida a tu abuelo!...

Rosarito no contestó. Ella, tan inocente, sentía el fuego del rubor en toda su carne. El viejo libertino la miraba intensamente cual si sólo buscase el turbarla más. La expresión de aquellos ojos verdes era a un tiempo sombría y fascinadora, inquietante y audaz; dijérase que infiltraban el amor como un veneno, que violaban las almas, y que robaban los besos a las bocas más puras. Después de un momento, añadió con amarga sonrisa: 510

—Escucha lo que voy a decirte. Si viniesen a prenderme, yo me haría matar. ¡Mi vida ya no puede ser ni

490-491 aquella... cabeza: RO aquella ( ) cabeza.

494 llorado mucho por: JN pág. 155, HA pág. 192 llorado ( ) por.

495 Don Juan Manuel: NC, JU 1914 pág. 121, JU 1920 pág. 195, FLO pág. 98 Don Miguel.

498 fuera: RO fue.

499 Las pestañas: JN pág. 155, HA pág. 192 Al oírle las pestañas.

503 niña aquella noche!: NC, JU 1914 pág. 122, HP pág. 164, JU 1920 pág. 196, FLO pág. 99 niña durante la velada!

511 expresión: HP pág. 164, NC, JU 1914 pág. 123, JU 1920 pág. 196, FLO pág. 99 presión.

larga ni feliz, y aquí tus manos piadosas me amortajarían!... 520

Cual si quisiese alejar sombríos pensamientos agitó la cabeza, con movimiento varonil y hermoso, y echó hacia atrás los cabellos que oscurecían su frente, una frente altanera y desguarnida que parecía encerrar todas las exageraciones y todas las demencias, lo mismo las del amor que las del odio, las celestes que las diabiólicas...

Rosarito murmuró casi sin voz:

—¡Yo haré una novena a la Virgen para que lo saque a usted con bien de tantos peligros! 530

Una onda de indecible compasión la ahogaba con ahogo dulcísimo. Sentíase presa de confusión extraña: pronta a llorar, no sabía si de ansiedad, si de pena, si de ternura; conmovida hasta lo más hondo de su ser por conmoción oscura hasta entonces, ni gustada ni presentida. El fuego del rubor quemábale las mejillas; el corazón quería saltársele del pecho; un nudo de divina angustia oprimía su garganta y escalofríos misteriosos recorrían su carne. Temblorosa, con el temblor que la proximidad del hombre infunde en las vírgenes, 540 quiso huir de aquellos ojos hipnóticos y dominadores que la miraban siempre, pero el sortilegio resistió. El emigrado la retuvo con un extraño gesto, tiránico y amante, y ella, llorosa, vencida, cubrióse el rostro con

---

521 quisiese: HP pág. 164, NC, JU 1914 pág. 123, JU 1920 pág. 197, FLO pág. 99 quisiera.

524 desguarnida: No es ajeno a Valle este adjetivo. Así en *Cara de plata,* 1923, pág. 175 «zaguán encalado y desguarnido».

529 que lo: RO, HP pág. 165, NC, JU 1914 pág. 124, JU 1920 pág. 197, FLO pág. 99 que le.

536 quemábale: NC quemábala.

538 garganta y escalofríos: HP pág. 165, NC, JU 1914 pág. 124, JU 1920 pág. 198, FLO pág. 99 garganta, escalofríos.

541 ojos hipnóticos y dominadores: RO ojos magnéticos y dominadores. NC, JU 1914 pág. 124, JU 1920 pág. 198, FLO pág. 99 ojos ( ) dominadores.

543 extraño gesto: RO gesto extraño.

las manos, ¡aquellas hermosas manos de novicia, pálidas, místicas, ardientes!

Casi en el mismo instante la condesa apareció en la puerta de la estancia, donde se detuvo jadeante y sin fuerzas.

—¡Rosarito, hija mía, ven a darme el brazo!... 550

Con la muleta apartaba el blasonado portier.

Rosarito se limpió los ojos y acudió velozmente. La noble señora apoyó la diestra, blanca y temblona, en el hombro de su nieta, y cobró aliento en un suspiro:

—¡Allá va en la rectoral ese bienaventurado de don Benicio!...

Después sus ojos buscaron al emigrado.

—¿Tú, supongo, que hasta mañana no te pondrás en camino? Aquí estás seguro como no lo estarías en parte ninguna. 560

En los labios de don Juan Manuel asomó una sonrisa de hermoso desdén. La boca de aquel hidalgo aventurero reproducía el gesto con que los grandes señores de otros tiempos desafiaban la muerte. Don Rodrigo Calderón debió de sonreír así sobre el cadalso.

La condesa dejándose caer en el canapé añadió con suave ironía:

—He mandado disponer la habitación, en que, según las crónicas, vivió fray Diego de Cádiz cuando estuvo en el pazo. Paréceme que la habitación de un 570 Santo es la que mejor conviene a vuesa mercé...

---

547 Casi... apareció: JN pág. 159, HA pág. 195 ( ) La Condesa de Cela apareció. NC, JU 1914 pág. 125, JU 1920 pág. 198, FLO pág. 99 ( ) La condesa apareció.

549-551 fuerzas... Con la: HA pág. 195 fuerzas: ( ) / Con la.

553 temblona: RO temblorosa.

555 en la rectoral: RO, JN pág. 159, HP pág. 166, HA pág. 195, NC, JU 1914 pág. 125, JU 1920 pág. 199, FLO pág. 99 camino de la rectoral.

561 don Juan Manuel: NC, JU 1914 pág. 125, JU 1920 pág. 200, FLO pág. 100 Don Miguel.

566 canapé, añadió con: RO canapé, murmuró con.

568 en que según: RO en donde según.

569 vivió: RO se hospedó.

Y terminó la frase con una sonrisa. El mayorazgo se inclinó mostrando asentimiento burlón. Pasado un momento exclamó con cierta violencia:

—¡Diez leguas he andado por cuetos y vericuetos, y estoy más que molido, condesa!

Don Juan Manuel se había puesto en pie. La condesa le interrumpió, murmurando:

—¡Válgate Dios con la vida que traes! Pues es menester recogerse y cobrar fuerzas para mañana. 580

Después, volviéndose a su nieta, añadió:

—Tú le alumbrarás y enseñarás el camino, pequeña.

Rosarito asintió con la cabeza, como hacen los niños tímidos, y fue a encender uno de los candelabros que había sobre la gran consola situada en frente del estrado. Trémula como una desposada, se adelantó hasta la puerta, donde hubo de esperar a que terminase el coloquio que el mayorazgo y la condesa sostenían en voz baja. Rosarito apenas percibía un vago murmullo. Suspirando, apoyó la cabeza en el marco y entornó los párpados. Sentíase presa de una turbación llena de palpitaciones tumultuosas y confusas. En aquella actitud de cariátide, parecía figura ideal detenida en el lin- 590

573-574 asentimiento burlón... exclamó con cierta violencia: JU 1920 pág. 200, FLO pág. 100 asentimiento burlón. / .—Santos hubo que comenzaron siendo grandes pecadores.

—Si Fray Diego quisiese hacer contigo un milagro.

—Esperémoslo prima.

—Yo lo espero.

El viejo conspirador, cambiando repentinamente de talante exclamó con cierta violencia.

576 condesa: NC, JU 1914 pág. 126, JU 1920 pág. 200, FLO pág. 100 prima.

577 Don Juan Manuel: NC, JU 1914 pág. 126, JU 1920 pág. 200, FLO pág. 100 Don Miguel.

579-580 menester: RO preciso.

589 la condesa: JN pág. 162, HA pág. 196 la anciana.

591 en el marco y: NC, JU 1914 pág. 127 en la jamba y. JU 1920 pág. 201, FLO pág. 101 en la pared y.

dar de la otra vida. Estaba tan pálida y tan triste, que no era posible contemplarla un instante sin sentir anegado el corazón por la idea de la muerte...

Su abuela la llamó:

—¿Qué te pasa, pequeña?

Rosarito por toda respuesta abrió los ojos, sonriendo tristemente. La anciana movió la cabeza con muestra de disgusto, y se volvió a don Juan Manuel: 600

—A ti aún espero verte mañana. El capellán nos dirá la misa de alba en la capilla y quiero que la oigas...

El mayorazgo se inclinó, como pudiera hacerlo ante una reina. Después, con aquel andar altivo y soberano, que tan en consonancia estaba con la índole de su alma, atravesó la sala. Cuando el portier cayó tras él, la condesa de Cela tuvo que enjugarse algunas lágrimas. 610

—¡Qué vida, Dios mío! ¡Qué vida!...

La sala del pazo —aquella gran sala adornada con cornucopias y retratos de generales, de damas y de obispos—, yace sumida en trémula penumbra. La anciana condesa dormita en el canapé. Encima del velador parecen hacer otro tanto el bastón del mayorazgo, y la labor de Rosarito. Tropel de fantasmas se agita entre los cortinones espesos. ¡Todo duerme! Mas he ahí, que de pronto la condesa abre los ojos y los fija con sobresalto en la puerta del jardín. Imagínase haber oído un grito en sueños, uno de esos gritos de la noche, inarticulados, y por demás, medrosos. Con la cabeza echada hacia delante y el ánimo acobardado y suspen- 620

602 don Juan Manuel: NC, JU 1914 pág. 128, JU 1920 pág. 201, FLO pág. 101 Don Miguel.

612-613 adornada..., de damas: RO adornada con retratos de mariscales, de damas.

613-614 y de obispos: HP pág. 168, NC, JU 1914 pág. 128, JU 1920 pág. 202, FLO pág. 101 y ( ) obispos.

614 trémula: RO tremenda.

618 cortinones: JU 1920 pág. 202, FLO pág. 101 cortinajes.

618 ahí: NC, JN 1914 pág. 129, JU 1920 pág. 202, FLO pág. 102 aquí.

so, permanece breves instantes en escucha... ¡Nada! El silencio es profundo. Solamente turba la quietud de la estancia el latir acompasado y menudo de un reloj que brilla en el fondo apenas esclarecido...

La condesa ha vuelto a dormirse.

Un ratón sale de su escondite y atraviesa la sala con gentil y vivaz trotecillo. Las cornucopias le contemplan desde lo alto: parecen pupilas de monstruos ocultos en los rincones oscuros. El reflejo de la Luna penetra hasta el centro del salón: los daguerrotipos centellean sobre las consolas, apoyados en los jarrones llenos de rosas. Por intervalos se escucha la voz aflautada y doliente de un sapo que canta en el jardín. Es la media noche y la luz de la lámpara agoniza. 630

La condesa se despierta y hace la señal de la cruz.

De nuevo ha oído un grito, pero esta vez tan claro, tan distinto, que ya no duda. Requiere la muleta, y en actitud de incorporarse, escucha. Un gatazo negro, encaramado en el respaldo de una silla, acéchala con ojos lucientes. La condesa siente el escalofrío del miedo. Por escapar a esta obsesión de sus sentidos se levanta y sale de la estancia. El gatazo negro la sigue maullando lastimeramente: su cola fosca, su lomo enarcado, sus ojos fosforescentes le dan todo el aspecto de un animal embrujado y macabro. El corredor es oscuro. El golpe de la muleta resuena como en la desierta nave de una iglesia. Allá al final, una puerta entornada deja escapar un rayo de luz... 640 650

La condesa de Cela llega temblando.

La cámara está desierta, parece abandonada. Por una ventana abierta, que cae al jardín, alcánzanse a ver en esbozo fantástico masas de árboles que se recortan

---

633 En la edición de 1895 y en HP pág. 168, NC, JU 1914 pág. 129, JU 1920 pág. 203 reza «daguerreotipos». En FLO pág. 102 utiliza «daguerrotipos», forma que es la aceptada en el diccionario de la R.A.E.

648 embrujado y macabro. El: NC, JU 1914 pág. 130, JU 1920 pág. 204, FLO pág. 102 embrujado ( ). El.

654 alcánzanse: HP pág. 168, NC, JU 1914 pág. 131, JU 1920 pág. 204, FLO pág. 102 alcánzase.

sobre el cielo negro y estrellado: la brisa nocturna estremece las bujías de un candelabro de plata, que lloran sin consuelo en las doradas arandelas: aquella ventana abierta sobre el jardín misterioso y oscuro tiene algo de evocador y sugestivo. ¡Parece que alguno acaba de huir por ella!... 660

La condesa se detiene, paralizada de espanto.

En el fondo de la estancia, el lecho de palo santo, donde durmiera cien años antes fray Diego de Cádiz, dibuja sus líneas rígidas y severas a través de luengos cortinajes de damasco antiguo, ese damasco carmesí que parece tener algo de litúrgico, ¡tanto recuerda los viejos pendones parroquiales! A veces una mancha negra pasa corriendo sobre el muro: tomaríasela por la sombra de un pájaro gigantesco: se la ve posarse en el techo y deformarse en los ángulos; arrastrarse por el suelo y esconderse bajo las sillas; de improviso, presa de un vértigo funambulesco, otra vez salta al muro y galopa por él como una araña... 670

La condesa cree morir.

En aquella hora, en medio de aquel silencio, el rumor más leve acrecienta su alucinación. Un mueble que cruje; un gusano que carcome en la madera; el viento que se retuerce en el mainel de las ventanas, todo tiene para ella entonaciones trágicas o pavorosas. Encorvada sobre la muleta, tiembla con todos sus miembros. Se acerca al lecho; separa las cortinas, y mira. ¡Rosarito está allí..., inanimada, yerta, blanca! Dos lágrimas humedecen sus mejillas. Los ojos tienen la mirada fija y aterradora de los muertos. ¡Por su cor- 680

661-663 ella!... En el: NC ella! ( ) / En el.

662 espanto: JU 1920 pág. 205, FLO pág. 102 terror.

664 donde... fray: JU 1920 pág. 205, FLO pág. 103 donde había dormido ( ) fray.

666 de damasco... carmesí: NC, JU 1914 pág. 131, JU 1920 pág. 205, FLO pág. 103 de antiguo damasco carmesí.

667-668 litúrgico... A veces: JU 1920 pág. 205, FLO pág. 103 litúrgico ( ). A veces.

piño blanco corre un hilo de sangre!... El alfilerón de oro que momentos antes aún sujetaba la trenza de la niña, está bárbaramente clavado en su pecho, sobre el corazón. ¡La rubia cabellera extiéndese por la almohada, trágica, magdalénica!... 690

Villanueva de Arosa, abril de 1894.

Epitalamio

DEDICATORIA

Para mi maestro y amigo Jesús Muruais

R. del Valle-Inclán

Colección Flirt

RAMÓN DEL VALLE-INCLÁN

Epitalamio

(Historia de amores)

MADRID
IMPRENTA DE A. MARZO
18, Apodaca, 18

Portada de *Epitalamio*

I

—¡Oh, siempre aparece en ti el poeta, gran señor!

Y Augusta, verdaderamente encantada, volvió a leer la dedicatoria, un tanto dorevillesca, que el príncipe Attilio Bonaparte acababa de escribir para ella en la última página de los *Salmos Paganos* —¡aquellos versos de amor y voluptuosidad que primero habían sido salmos de besos en los labios de la gentil amiga!

—¡Eres encantador!... ¡Eres el único!... ¡Nadie como tú sabe decir las cosas! ¿De veras son éstos tus versos? ¡Yo quiero que seas el primer poeta del mundo! ¡Tómalos! ¡Tómalos! ¡Tómalos!... 10

Y Augusta le besaba con gracioso aturdimiento, entre frescas y cristalinas risas. Era su amor alegría erótica y victoriosa, sin caricias lánguidas, sin decadentis-

---

1-9 Oh siempre... Eres encantador: CO3 pág. 129, CO8 pág. 145, AU, CO4 pág. 147, NC, CO2 pág. 139, FLO pág. 198 ( ) Eres encantador.

10 ¿De veras son: NC, CO2 pág. 139, FLO pág. 198 De veras mis labios son.

10 éstos: CO8 pág. 146, CO4 pág. 147, AU ésos.

13-14 Y Augusta..., alegría erótica: CO3 pág. 129, CO8 pág. 146, AU, CO4 págs. 147-8, NC, CO2 pág. 140, FLO pág. 198 Y la gentil Augusta del Fede, besaba al Príncipe Attilio Bonaparte con gracioso aturdimiento, entre frescas risas de cristal. Después, rendida y feliz, volvía a leer la dedicatoria un tanto dorevillesca, con que el Príncipe le ofrecía los «Salmos Paganos». Aquellos versos de amor y voluptuosidad, que primero habían sido salmos de besos en los labios de la gentil amiga. Era el amor de Augusta alegría erótica...

mos anémicos, pálidas flores del bulevard. Ella sentía por el poeta esa pasión que aroma la segunda juventud, con fragancias de generosa y turgente madurez. Como el calor de un vino añejo, así corría por su sangre aquel amor de matrona lozana y ardiente, amor voluptuoso y robusto como los flancos de una Venus, amor pagano, limpio de rebeldías castas, impoluto de los escrúpulos que entristecen la sensualidad sin domeñarla. Amaba con el culto olímpico y potente de las diosas desnudas, sin que el cilicio de la moral atarazase su carne blanca, de blanca realeza, que cumplía la divina ley del sexo, soberana y triunfante, como los leones y las panteras en los bosques de Tierra Caliente.

20

---

17 por... pasión: CO3 pág. 129, CO8 pág. 146, AU, CO4 pág. 148, NC, CO2 pág. 140, FLO pág. 198 por aquel poeta galante y gran señor esa pasión.

23 escrúpulos que: CO3 pág. 130, CO8 pág. 146, AU, CO4 pág. 148, NC, CO2 pág. 140, FLO pág. 198 escrúpulos cristianos que.

24 el culto olímpico: CO3 pág. 130, CO8 pág. 146, AU, CO4 pág. 149, NC, CO2 pág. 141, FLO pág. 198 la pasión olímpica.

28-112 Caliente... El poeta deshoja: CO3 págs. 131-32, CO8 págs. 147-48, AU, CO4 págs. 149-51, NC, CO2 págs. 141-3, FLO pag. 199.

Bajo las frondas de un jardín real había sentido Augusta la seducción del Príncipe Attilio, y el capricho de amarle y de rendirle. No hubo esa larga y sutil seducción que prepara la caída. Como una princesa del Renacimiento, se le ofreció desnuda. Deseaba entregarse y se entregó. Después, aquellos amores llenaron con su perfume galante y sensual el sombrío palacio de una reina viuda. Fueron como las frescas y fragantes rosas pompadur *(sic)*, que crecían en el fondo de los jardines realengos, bajo las enramadas melancólicas. Augusta parecía hechizada por aquel Príncipe poeta, que cincelaba sus versos con el mismo buril que cincelaba Benvenuto las ricas y floreadas copas de oro, donde el magnífico Duque de Médicis bebía los vinos clásicos, loados por el viejo Horacio. En los «Salmos Paganos» queda el recuerdo ardiente de aquella locura. El Príncipe Attilio Bonaparte admiraba la tradición erótica y galante del Renacimiento florentino, y quiso continuarla. Sus estrofas tienen el aroma voluptuoso de los orientales camerinos del Palacio Borgia, los verdes y floridos laberintos del Jardín de Bóboli. Como un nuevo Aretino, supo celebrar la pasión cínica y lujuriante con que Augusta del Fede encantaba sus amores. Los «Salmos Paganos» parecen escritos sobre la espalda blanca y tornátil de una princesa apasionada y artista, envenenadora y cruel. Galante y gran señor, el poeta deshoja.

Nota: En FLO pág. 199 reza «pompadour».

Augusta susurró al oído del poeta:
—Mañana llega mi marido, y tendremos que vernos de otra manera, Attilio. 30
Una sonrisa desdeñosa tembló bajo el enhiesto mostacho del galán.
—Dejémosle llegar, madona.
Harto sabía el príncipe que el buen caballero don Juan del Alcázar, académico rancio y poeta cortesano, era el más sesudo despreciador de Otelo. Si el príncipe admiraba al erudito traductor de Horacio y de Virgilio, no era ciertamente por los sonetos fríos y engolados con que don Juan lamentaba todos los años en la 40 *Ilustración* la muerte de los ideales; sino por aquella filosofía cínica, que a ser más consciente y haber revestido forma literaria, hubiérale labrado un sitial entre Carlos Baudelaire y Enrique Heine.
Augusta hizo un delicioso mohín de enfado.
—¿De manera que para ti no es una contrariedad que llegue mañana mi casto esposo?
Y cambiando repentinamente de voz y de ademanes, se echó a reír, con risa picaresca y alocada.
—Pues hijo, para mí tampoco. ¡Si hasta creo que 50 tendremos más libertad! Él es muy aficionado a dar paseos largos; le haremos que se lleve a la chiquilla, y nosotros quedaremos dueños absolutos de hacer cuanto queramos.
—¿Y qué diablos tenemos que hacer nosotros, madona?
—Ya te lo diré yo...
Y alzando las holgadas mangas de su traje, enlazó al cuello del poeta los brazos desnudos, tibios, perfumados, blancos. 60
Las relaciones de Augusta con el príncipe Bonaparte habían nacido aquel invierno en un banquete con que los duques de Lantana —título de las Dos Sicilias— celebraran la llegada a Madrid de su deudo el

---

45 un delicioso mohín: HP pág. 174 un ( ) mohín.

príncipe Attilio Bonaparte, que acababa de ser nombrado secretario de la embajada italiana. Desde el primer momento, Augusta sintió la seducción del poeta, y el capricho de amarle y de poseerle. Con la gallarda insolencia de su temperamento, fue ella quien le buscó. No hubo ese largo y sutil flirteo que prepara la caída; como todas las adúlteras sin remordimientos, deseaba entregarse, y se entregó. Estaba loca por aquel poeta galante y gran señor, que cincelaba sus versos con el mismo buril que cincelara Benvenuto las ricas y floreadas copas de oro, donde el magnífico duque de Médicis bebía el seculo y el falerno, ¡los vinos clásicos que amaba el viejo Horacio! Fue un primer amor, porque fue distinto de sus otros amores. Todos los hombres que Augusta conociera hasta entonces, aun aquellos más escépticos, hubieran querido convertirla en una madona prerrafaélica. El príncipe fue el único que supo celebrar el candor cínico y lujuriante con que la dama encantaba sus amores, ¡aquellas divinas inmoralidades de que Augusta solamente hacía cumplido alarde en las confidencias con las amigas, porque hay ciertas cosas que sólo ellas y los confesores saben oírlas sin asustarse!

El príncipe veía en Augusta la musa de los *Salmos Paganos:* la amaba con el amor del arte y el amor del libertinaje; dualismo comprensible en quien se mostraba como poeta, griego y bizantino, romano y bárbaro; alma extraña, que si rezase buscaría a Cristo en el Olimpo y a Júpiter en el Cielo. Tan original modo de ser constituye el mayor encanto de los *Salmos Paganos;* el poeta se retrata en ellos; leyendo ciertas estrofas, se tiene como una visión de aquella frente clásica y coronada de rizos, de aquella boca sensual que sonríe con desdén, de aquellos ojos dorados y valientes, ojos de aristócrata y de libertino. Merced a esta doble naturaleza de artista y de patricio, el príncipe Bonaparte es de todos los modernos poetas italianos el que mejor encarna la tradición erótica y cortesana del renacimiento florentino: los *Salmos Paganos* y las *Letanías Galantes* son libros que parecen escritos sobre la espalda blanca y tornátil de una princesa apasionada y artista, envenenadora y cruel. La musa del poeta es libertina y sensual, sardónica y desdeñosa: la sonrisa de Mefistófeles bajo el mostacho retorcido y fanfarrón de don Juan. El príncipe Attilio parece haber respirado el aroma voluptuoso de sus estrofas en los orientales camerinos 110 del Palacio Borgia, en los verdes y floridos laberintos del Jardín de Bóboli. El poeta deshoja las rosas de Alejandría sobre la nieve de divinas desnudeces; ebrio como un dios, y coronado de pámpanos, bebe en la copa blanca de las magnolias, el vino alegre y dorado que luego en repetidos besos vierte en la boca roja y húmeda de Venus Turbulenta.

II

El príncipe rodeó el talle de Augusta; Augusta se colgó de sus hombros: con calentura de amor, fueron a caer sobre un diván morisco. De pronto la dama se in- 120 corporó jadeante.

—¡Ahora no, Attilio!... ¡Ahora no!...

---

113 desnudeces; ebrio: CO3 pág. 132, CO8 pág. 149, AU, CO4 pág. 151, NC, CO2 pág. 143, FLO pág. 199 desnudeces y ebrio.

118 El príncipe rodeó: CO3 pág. 135, CO8 págs. 151-2, AU, CO4 págs. 153-4.

Augusta miró al Príncipe y suspiró: / ¡Mañana llega mi marido! / .—Dejémosle llegar, madona. / La dama hizo un delicioso mohín de enfado. / .—¿De suerte que no te contraría? / Una sonrisa desdeñosa tembló bajo el enhiesto mostacho del Príncipe Attilio. / .—Tu marido es el más sesudo despreciador de Otelo. / Augusta le miró un momento fingiendo enojo. Después se levantó, riendo con risa picaresca y alocada. / .—De Otelo y de ti... / Y alzando las holgadas mangas de su traje, enlazó al cuello del Príncipe los brazos desnudos, tibios, perfumados, blancos. El Príncipe rodeó.

En NC, CO2 pág. 145, FLO pág. 200 reza: «Augusta miró al Príncipe y suspiró deliciosamente: / ¡Mañana llega mi marido! / .—Dejémosle llegar. / La dama». El resto de la variante igual.

Augusta; Augusta se colgó: CO3 pág. 136, CO8 pág. 152, AU, CO4 pág. 154, NC, CO2 pág. 146, FLO pág. 200 Augusta, y ella se colgó.

Se negaba y resistía con ese instinto de las hembras que quieren ser brutalizadas cada vez que son poseídas. Era una bacante que adoraba el placer con la epopeya primitiva de la violación y de la fuerza. El príncipe se puso en pie; clavó la mirada en Augusta, y tornó a sentarse, mostrando solamente su despecho en una sonrisa patricia.

—¡Gracias, madona!... ¡Gracias! 130

—¿Te has enojado?... ¡Qué chiquillo eres! Si lo hago por la ilusión que me produce el verte así. ¡Todas las pruebas de que te gusto me parecen pocas!

Y graciosa y desenvuelta corrió a los brazos del galán.

—Caballero, béseme usted para que le perdone.

Quiso el príncipe obedecerla, y ella, huyendo velozmente la cabeza, exclamó:

—Ha de ser tres veces: la primera en la frente, la segunda en la boca, y la tercera de libre elección. 140

—Todas de libre elección.

La voz del poeta tenía ese trémolo enronquecido, donde, aun las mujeres más castas adivinan el pecado fecundo, hermoso como un dios. Breves momentos permanecieron silenciosos los dos amantes: Augusta, viendo las pupilas del príncipe que se abrían sobre las suyas, tuvo un apasionado despertar:

—¡Qué ojos tan bonitos tienes! A veces parecen negros, y son dorados, muy dorados. ¡Cuánto me gusta mirarme en ellos! 150

Y con los brazos enlazados al cuello del poeta, echaba atrás la cabeza para contemplarle.

---

129 sonrisa patricia: CO3 pág. 136, CO8 pág. 153, AU, CO4 pág. 155, NC, CO2 pág. 147, FLO pág. 200 sonrisa ( ).

130 madona: NC, CO2 pág. 147, FLO pág. 200 Augusta.

142 del poeta: CO3 pág. 137, CO8 pág. 153, AU, CO4 pág. 155, NC, CO2 pág. 147, FLO pág. 200 del Príncipe.

trémolo: Así también en HP pág. 178. En cambio en CO3 pág. 137, CO8 pág. 153, AU, CO4 pág. 155, NC, CO2 pág. 147, FLO pág. 200 reza «trémulo» *(sic)*.

151 cuello del poeta, echaba: CO3 pág. 137, CO8 pág. 154, AU,

—¡Oh traidorcillos, a cuántos miraréis! ¡Ojos míos queridos!... ¡Quisiera robártelos y tenerlos guardados en un cofre de plata con mis joyas!

El príncipe Attilio sonrió.

—¡Róbamelos, madona! Veré con los tuyos.

—¡Embusterísimo!

—¡Preciosa!

Inclinóse el príncipe y la dama juntó los labios espe- 160 rando... Después entornó las pestañas con feliz desmayo y pronunció sin desunir ya las bocas:

—¡Hoy no has de hacerme sufrir!, ¿no?

El príncipe respondió en voz muy baja con ardiente susurro:

—¡No, mi amor querido!

Augusta parpadeaba estremecida y dichosa; cobró aliento en largo suspiro y apoyó la frente en el hombro del poeta.

—¡Ay!... ¡Cuantísimo nos queremos!... ¿Sabes lo 170 que estoy pensando, Attilio? Cuando volvamos a Madrid quiero que todos cuantos me han hecho la corte, sin conseguir nada, sepan que soy tu querida.

CO4 pág. 156, NC, CO2 pág. 148, FLO pág. 200 cuello de su amante, echaba.

152 contemplarle: AU contemplarlo.

153 cuántos: CO3 pág. 137, CO8 pág. 154, AU, CO4 pág. 156, NC, CO2 pág. 148, FLO pág. 200 cuántas.

157 Róbamelos, madona! Veré: CO3 pág. 138, CO8 pág. 154, AU, CO4 pág. 156, NC, CO2 pág. 149, FLO pág. 201 Róbamelos ( )! Veré.

163 sufrir! ¿no? / Él: CO3 pág. 138, CO8 pág. 155, AU, CO4 pág. 157, NC, CO2 pág. 149, FLO pág. 201 sufrir! ( ) / Él.

167 Augusta parpadeaba: CO3 pág. 138, CO8 pág. 155, AU, CO4 pág. 157, NC, CO2 pág. 149, FLO pág. 201 Augusta que parpadeaba.

168-170 suspiro... / —¡Ay: CO3 pág. 138, CO8 pág. 155, AU, CO4 pág. 157, NC, CO2 pág. 149, FLO pág. 201 suspiro ( ) / .—¡Ay.

170 queremos: CO3 pág. 138, CO8 pág. 155, AU, CO4 pág. 157, NC, CO2 pág. 149, FLO pág. 201 gustamos.

171-172 Attilio?... me han hecho: CO3 pág. 138, CO8 pág. 155, AU, CO4 pág. 157, NC, CO2 pág. 149, FLO pág. 201 Attilio? ( ) Quisiera que cuantos me han.

173 sepan: CO3 pág. 138, CO8 pág. 155, AU, CO4 pág. 157, NC, CO2 pág. 149, FLO pág. 201 supiesen.

El príncipe la miró sin contestar. Ella entonces insistió mimosa:

—¡Jamás te halaga nada de lo que te digo!

—¡Qué loca eres, Augusta!

—¡No, no, pero te quiero tanto! En vez de ser una señora casada, quisiera ser una prójima cualquiera para cometer por ti muchas, muchísimas locuras!... No viviría contigo, eso no. Me apañaría con un viejo rico... ¿Tú sabes de algún senador inválido de la política y de lo otro?...

180

—¿Para qué, madona?

—Para que nos sostenga a ti y a mí.

Esta vez el príncipe acabó por celebrar los delirios plebeyos de aquella «Venus Bulevardista», que reía tendiéndose sobre el diván, mostrando en divino escorzo la garganta desnuda, y el blanco y perfumado nido del escote. Sobre la alfombra yacían los *Salmos Paganos* —¡aquellos versos de amor y voluptuosidad que primero habían sido salmos de besos en la alcoba!...

190

III

De pronto Augusta se incorporó sobresaltada. Una mano en cuyos dedos blancos brillaban las sortijas, alzaba el cortinaje que caía en majestuosos pliegues sobre la puerta del salón. Augusta se inclinó para recoger

174-175 El príncipe... mimosa: CO3 pág. 138, CO8 pág. 155, AU, CO4 pág. 157, NC, CO2 pág. 150, FLO pág. 201 El Príncipe sonrió levemente, y Augusta insistió mimosa.

176-187 te digo... reía tendiéndose: CO3 págs. 138-39, CO8 pág. 156, AU, CO4 pág. 158, NC, CO2 pág. 150, FLO pág. 201 te digo!... Te quiero tanto que me gustaría cometer por ti muchas, muchísimas locuras. ¡Ay...! No hallo ninguna nueva. Ya las hice todas... / Augusta reía tendiéndose.

192 besos en la alcoba!: CO3 pág. 139, CO8 pág. 156, AU, CO4 pág. 158, NC, CO2 pág. 150, FLO pág. 201 besos en los labios de la gentil amiga.

193-194 una mano... sortijas: CO3 pág. 143, CO8 pág. 157, AU,

el libro que yacía al pie del diván: helada y prudente, murmuró en voz baja:

—¡Ahí está mi hija! Arréglate el bigote.

Beatriz entró riendo, tirando de las orejas a un perrillo enano que traía en brazos. Su madre la miró con ojos vibrantes de inquietud y despecho. 200

—Beatriz, no martirices a *Ninón*.

—Si no lo martirizo, mamá. Ya sabe *Ninón* que es de broma.

Y como el lindo gozquejo se desmandase con un ladrido, le hizo callar besuqueándole. Silenciosa y risueña, fue a sentarse en un sillón antiguo de alto y dorado respaldo. El príncipe la contempló en silencio. Ella, sin dejar de sonreír, inclinó los párpados; quedaron en la sombra sus ojos verdes, su mirada verde como la de Minerva, y sibilina y misteriosa como aquella sonrisa que no llegaba a entreabrir el divino broche formado por los labios. El príncipe, mirándola intensamente, cual si buscase el turbarla, pronunció en voz que simulaba distraída: 210

—¡Parece la Gioconda de Leonardo!

CO4 pág. 159, NC, CO2 pág. 151, FLO pág. 201 Una mano blanca donde lucían las sortijas.

197 libro que yacía al: CO3 pág. 143, CO8 pág. 157, AU, CO4 pág. 159, NC, CO2 pág. 151, FLO pág. 201 libro caído al.

197 helada: CO3 pág. 143, CO8 pág. 157, AU, CO4 pág. 159, NC, CO2 pág. 151, FLO pág. 201 azorada.

203-206 *Ninón*... Y como: CO3 pág. 143, CO8 pág. 158, AU, CO4 *Ninón*... Y como: pág. 160, NC, CO2 pág. 152, FLO pág. 201 Ninón / .—Ya sabe Ninón que es broma. ¿Verdad que es broma Ninón? / Y como.

204-205 es de broma: HP pág. 180 es ( ) broma.

210-212 párpados... como aquella: CO3 pág. 144, CO8 pág. 158, AU, CO4 pág. 160, NC, CO2 pág. 152, FLO pág. 202 párpados, y quedaron en la sombra sus ojos sibilinos y misteriosos, como aquella.

215 cual: CO3 pág. 144, CO8 pág. 158, AU, CO4 pág. 160, NC, CO2 pág. 152, FLO pág. 202 como.

215 voz que: CO3 pág. 144, CO8 pág. 158, AU, CO4 pág. 160, NC, CO2 pág. 152, FLO pág. 202 voz baja que.

217-218 Gioconda... / Era una: CO3 pág. 144, CO8 pág. 158, AU Gioconda! ( ) / Era una.

217-222 la Gioconda... temblaba: CO4 pág. 161, NC, CO2 págs.

Era una Gioconda tan pálida y tan blanca, que su faz brillaba bajo la crencha rubia, como brilla la nieve en la cumbre de los montes bajo los dorados rayos del 220 sol poniente. Oyendo al poeta inclinó los ojos, en cuyo fondo temblaba un miosotis azul; Augusta levantó los suyos, donde reían dos amorcillos traviesos: reclinada en la mecedora, agitaba un gran abanico de blancas y rizadas plumas; mecíase la dama, y su indolente movimiento dejaba ver en incitante claroscuro la redonda y torneada pierna; Beatriz se levantó celerosa y le puso a *Ninón* en el regazo. Con gracia de niña arrodillóse para arreglarle la falda; después le echó los brazos al cuello, dejando un beso en aquella boca, estremecida aún por 230 los besos del amante. La mano de Augusta —una mano carnosa y blanca de abadesa joven e infanzona— acarició los cabellos de Beatriz con lentitud llena de amor y de ternura.

—¡Es encantadora esta pequeña mía!

Al mismo tiempo sus miradas buscaban las del poeta; al encontrarse sonrieron.

—Y usted, sátiro, ¿por qué no cerraba los ojos?

—Hubiera sido un sacrilegio. ¿Sabe usted de algún santo que los haya cerrado a la entrada del Cielo? 240

—¡Pero lo que no hacen los santos, lo hacen los diablos!

Y con el más provocativo gesto en los labios, estre-

152-3, FLO pág. 202 Gioconda! / Oyendo al Príncipe bajó los ojos donde temblaba.

220 dorados rayos: HP pág. 181 rayos dorados.

221-222 al poeta... temblaba: CO3 pág. 144, CO8 pág. 159, AU al príncipe bajó los ojos, donde temblaba.

226 claroscuro: CO3 pág. 144, CO8 pág. 159, AU, CO4 pág. 161, NC, CO2 pág. 153, FLO pág. 202 penumbra.

232 infanzona: Valle-Inclán usa este término como adjetivo, por ejemplo: «páginas infanzonas» Beatriz, *Jardín Umbrío,* 1920, pág. 52 o «casa infanzona» *Águila de Blasón,* 1907, pág. 15.

235-238 pequeña mía / ...¿por qué: CO3 pág. 145, CO8 pág. 160, AU, CO4 págs. 161-2, NC, CO2 pág. 154, FLO pág. 202 pequeña mía. / ( ) Y usted, príncipe ¿por qué.

243-244 Y con... estrechaba: CO3 pág. 145, CO8 pág. 160, AU,

chaba maternalmente contra el seno la rubia y espiritual cabeza de su hija. Augusta tenía un incomparable candor en la inmoralidad. Su ironía de entonces no era diletantismo sádico y literario como la del príncipe Attilio; casi no era ironía, en fuerza de su inconsciencia. Feliz e indiferente, ofrecía una mejilla a los besos de la hija y otra a los del amante. 250

Se levantó con perezosa languidez apoyándose en ambos hombros de Beatriz.

—Pasaremos un momento al *ladder;* ¡cuando se pone el sol aquello está delicioso!

Thi ladder, como decía Augusta, era una escalinata de piedra, con antiguo y labrado balconaje entre verdes enredaderas prisionero. Durante el estío, cuando los señores trocaban el hotel de la Castellana por el solariego pazo, aquel poético rincón cambiaba de aspecto, y aun de nombre. Era muy bella la boca de Augusta, y muy aristocrático el movimiento de sus labios 260

CO4 pág. 162, NC, CO2 pág. 154, FLO pág. 202 Y Augusta ( ) estrechaba.

244-245 maternalmente... cabeza: CO4 pág. 162, NC, CO2 pág. 154, FLO pág. 202 maternalmente ( ) la rubia cabeza.

rubia y espiritual cabeza: CO3 pág. 145, CO8 pág. 160, AU rubia ( ) cabeza.

245-251 hija... perezosa languidez: CO3 pág. 145, CO8 pág. 160, AU, CO4 pág. 162, NC, CO2 pág. 154, FLO pág. 202 hija, al mismo tiempo que sonreía al Príncipe con los ojos. Después se levantó llena de perezosa languidez.

253 *ladder*: CO3 pág. 146, CO8 pág. 160, AU, CO4 pág. 162, NC, CO2 pág. 154, FLO pág. 202 terraza.

254-272 sol... recobraba sus CO3 pág. 146, CO8 pág. 161, AU, CO4 págs. 162-3, NC, CO2 pág. 154, FLO pág. 202 sol está deliciosa! / La terraza, como decía Augusta, era un largo balcón con dos viejas escalinatas y gentiles arcos empenachados de hiedra. Durante los estíos cambiaban de aspecto y aun de nombre, porque era muy bella la boca de Augusta para decir la solana, como hacían el señor capellán y los criados. Pero llegadas las primeras nieblas de Octubre los señores tornábanse a su palacio de la corte y el balcón recobraba su.

Nota: En AU la variante reza «como *decían* el señor capellán...». El resto idéntico.

En CO4 pág. 162, NC, CO2 pág. 154, FLO pág. 202 reza «La terraza, ( ), era un...». El resto idéntico.

para llamarle el *patín* como hacían el señor capellán y los criados. Su esnobismo de condesa pontificia sugeríale siempre alguna palabreja inglesa sorprendida en las crónicas de *La Grand Dame* y pronunciada como Dios quería. En tales empeños la dama consultaba la irrecusable autoridad de su doncella, una andaluza del Perchel, que había estado hasta dos meses en Londres con la duquesa de Ordax, la hermosa embajadora española. Pero llegaban las primeras nieblas de octubre, y los señores regresaban a la corte; entonces el *patín* recobraba su aspecto geórgico y campesino; las enredaderas que lo entoldaban sacudían alegremente sus campanillas blancas y azules; volvía a oírse el canto de dos tórtolas que el pastor tenía prisioneras en una jaula de mimbres; aspirábase el aroma de las manzanas que maduraban sobre las anchas losas; y la vieja criada, que había conocido a los otros señores, hilaba sentada al sol con el gato sobre la falda. 270

IV

La dama, con el abanico extendido, señalaba el horizonte. 280

—¡Los celajes de la tarde, en este país, son encantadores!

Estaba muy bella, detenida en la puerta del *patín*, bajo el arco de flores que las enredaderas hacían; en el

---

280-284 La dama... Estaba muy: CO3 pág. 149, CO8 pág. 163, AU,-CO4 pág. 165, NC, CO2 pág. 157, FLO pág. 203 Desde aquí, los celajes de la tarde son encantadores. / La dama con el abanico extendido señalaba el horizonte. Estaba muy.

Nota: En CO4 pág. 165, NC, CO2 pág. 157, FLO pág. 203 reza «Y la dama» en vez de «La Dama». El resto idéntico.

284 *patín*: CO3 pág. 149, CO8 pág. 163, AU, CO4 pág. 165, NC, CO2 pág. 157, FLO pág. 203 balcón.

Nota: «Patín» es una especie de pequeño patio o descanso de la escalera exterior de cantería de la casa tradicional de ciertas partes de Galicia (*Diccionario Xerais da lingua*).

fondo de sus ojos negros reía el sol poniente con una risa dorada; aureolaban su frente las campanillas blancas y azules, y las palomas torcaces venían a picotear en ellas, deshojándolas sobre los hombros de Augusta como una lluvia de gloria. El príncipe Attilio, olvidándose de Beatriz, pronunció entusiasmado: 290

—¡No sabes tú todo lo bella que estás!

Beatriz se volvió a mirarle con ojos llenos de asombro; pero ya Augusta la interrumpía riendo muy en alto con su reír sonoro y claro.

—¡Príncipe! ¡Príncipe!... Ese tuteo con que usted me honra ahora debe de ser una licencia poética, ¿verdad?

El príncipe se inclinó ante aquella actriz admirable y audaz. 300

—Ciertamente, señora, una licencia involuntaria; pero el ingenio de usted todo lo salva y todo lo perdona.

Los labios de Augusta se plegaron maliciosos.

—¡Qué he de hacer! ¿Ofenderme?... ¡Ah! ¡Es usted

---

286 ojos negros reía: CO3 pág. 149, CO8 pág. 163, AU, CO4 pág. 165, NC, CO2 pág. 157, FLO pág. 203 ojos ( ) reía.

287-288 blancas y azules, y: CO3 pág. 149, CO8 pág. 163, AU, CO4 pág. 165, NC, CO2 pág. 157, FLO pág. 203 blancas ( ), y.

290 El príncipe Attilio... se volvió a: CO3 pág. 149, CO8 pág. 164, AU, CO4 pág. 166, NC, CO2 pág. 158, FLO pág. 203 El Príncipe, olvidándose de Nelly, murmuró con lírico entusiasmo: / Madona, no sabes todo lo bella que estás / Nelly se volvió a. Nota: En NC, CO2 pág. 158 FLO pág. 203 reza: «entusiasmo: / ( ) No». El resto idéntico.

294-295 riendo muy en alto con: CO3 pág. 149, CO8 pág. 164, AU, CO4 pág. 166, NC, CO2 pág. 158, FLO pág. 203 riendo ( ) con.

296-301 tuteo... Ciertamente: CO3 pág. 150, CO8 pág. 164, AU, CO4 pág. 166, NC, CO2 pág. 158, FLO pág. 203 tuteo debe ser una licencia poética. / El Príncipe se inclinó: / .—Ciertamente.

302 pero: CO3 pág. 150, CO8 pág. 164, AU, CO4 pág. 166, NC, CO2 pág. 158, FLO pág. 203 Por fortuna.

305 ¡Qué he de hacer!: CO3 pág. 150, CO8 pág. 164, AU, CO4 pág. 166, NC, CO2 pág. 158, FLO pág. 203 ¡Qué ( ) hacer!

305 ¿Ofenderme? ¡Ah! ¡Es: CO3 pág. 150, CO8 pág. 164, AU ¿Ofenderme? ( ) Es.

305-306 ¿Ofenderme?... Si se: CO4 pág. 166, NC, CO2 pág. 158, FLO pág. 203 ¿Ofenderme? ( ) Si se.

tan capaz de achacarlo a coquetería! Si se tratase de Beatriz, dudaría si representaban ustedes la *Divina Comedia.*

Las mejillas de aquella pálida y silenciosa Gioconda se tiñeron de rosa. El poeta, sin poner cuidado en ello, 310 repuso irónico y desenfadado.

—Harto sabe usted, Augusta, que en la divina y en la diabólica comedia, todos mis parlamentos los tengo con *Francesca.*

La dama, haciendo un gracioso mohín de horror, ocultó el rostro y la risa en el pañolito de encajes.

—¡Con qué cinismo lo confiesa el adúltero!

Atendía Beatriz estas gentiles burlerías con una sonrisa casi dolorosa. Apoyada en el alféizar del *patín,* poseída de nerviosa inquietud, deshojaba las yedras que 320 alegraban la vejez de los balaustres. Augusta vio la ansiedad que contraía las facciones de aquella hija tan cruelmente olvidada, y tuvo una intuición dolorosa. Vagos y oscuros despertáronse los remordimientos, pero no fue más que un instante; allí estaba el poeta para adormecerlos. Los ojos del hombre la decían amores, mientras sus manos, aquellas manos ungidas

---

306-309 tratase... Las mejillas: CO3 pág. 150, se tratase de Nelly, tal vez dudase si representaban ustedes una comedia. / .—Sería la más deliciosa comedia modernista. / Las mejillas.

CO8 pág. 165, AU, CO4 págs. 166-67, NC, CO2 pág. 158, FLO pág. 203 se tratase de Nelly, tal vez dudase si representaban ustedes una comedia. / .—La Divina Comedia. / Las mejillas.

310-315 de rosa... mohín de: CO3 pág. 150, CO8 pág. 165, AU, CO4 pág. 167, NC, CO2 pág. 159, FLO pág. 203 de rosa. Augusta, haciendo un delicioso mohín de.

317-335 cinismo... para beber su: CO3 págs. 150-1, CO8 pág. 165, AU, CO4 págs. 167-8, NC, CO2 págs. 159-60, FLO págs. 203-4 cinismo confiesa!... / .—¿Qué confieso? / .—Sus intenciones perversas. / Atendía Nelly con una sonrisa casi dolorosa, deshojando las hiedras que alegraban la vejez de los balaustres. Augusta miró a su hija y le envió un beso. Después, olvidadiza y risueña, comenzó a desnudar de flores la vieja enredadera que entoldaba a la solana. Sus manos, aquellas manos ungidas para las silenciosas y turbulentas caricias, formaban un ramo de jazmines. Feliz y sonriente, arrancó con los labios un capullo y suspiró, entornando los ojos para beber su.

para las turbulentas y silenciosas caricias, le ofrecían un ramo de jazmines; la mirada de Augusta se perdía en el fondo de las pupilas de su amante, inmóvil, intensa, en éxtasis escandaloso. La angustiosa expresión, la palidez casi trágica que cubría la faz de Beatriz habían sido olvidadas. Feliz y sonriente, la dama recibe las flores que le ofrece el poeta. Con los labios arranca un jazmín, y entorna los ojos y suspira para beber su aroma. La fragante campanilla engarzada en la fresca boca de Augusta, parecía un beso del abril galán. El príncipe Attilio se la pidió con un gesto; ella se la negó con otro gesto lleno de malicia. Contemplaba al poeta y le sonreía con los ojos a través del velo eléctrico y sedeño de las pestañas; al mismo tiempo sacaba la lengua tentadora y divina para humedecer los labios y la flor. Algunas veces se volvía a Beatriz, y la saludaba con un guiño picaresco que parecía decir: «¡Ya ves, hija mía, cómo todo ello es un juego inocente, en el cual no me olvido de ti, corazón!» Beatriz clavaba en su madre aquellos ojos de Gioconda, misteriosos y profundos, y se ruborizaba; pero en el fondo de sus pupilas dijérase que temblaban entonces dos llamas de inocente alegría. Augusta se puso en pie y llamó a *Ni-* 330 340 350

336-337 campanilla... boca: CO3 pág. 150, CO8 pág. 166, AU, CO4 pág. 168, NC, CO2 pág. 160, FLO pág. 203 campanilla en la boca.

337 del abril: HP pág. 185 de Abril.

337-341 galán... sacaba la lengua: CO3 pág. 151, CO8 pág. 166, AU, CO4 pág. 168, NC, CO2 pág. 160, FLO pág. 204 galán. Miraba el Príncipe a través del velo inquieto de las pestañas, y de tiempo en tiempo sacaba la.

Nota: En NC, CO2 pág. 160 y FLO pág. 204 reza «al través» en vez de «a través». El resto de la variante es igual.

343-346 la flor... clavaba en: CO3 pág. 151, CO8 pág. 166, AU, CO4 pág. 168, NC, CO2 pág. 160, FLO pág. 204 la flor. ( ) Nelly clavaba.

347 Gioconda: NC, CO2 pág. 160, FLO pág. 204 aguamarina.

348-350 ruborizaba... Augusta se puso: CO3 pág. 151, CO8 pág. 166, AU, CO4 pág. 168, NC, CO2 pág. 160, FLO pág. 204 ruborizaba. En el fondo de sus pupilas brillaban dos lágrimas indecisas. Augusta se puso.

350-359 *Ninón*... no se movió: CO3 págs. 151-2, CO8 pág. 166, AU,

nón; luego, inclinándose sobre el hombro del príncipe, pronunció en voz baja:

—¡Toma la flor, ingrato!

Enderezóse velozmente, y con un grito de circo lanzó por alto el jazmín que *Ninón* atrapó en el aire. La dama, sin dejar de reír, dio una vuelta por el *patín,* arrancando puñados de hojas y flores que echó sobre la frente del poeta, cual si por modo tan gentil quisiese borrar su ceño. Beatriz no se movió: con mirada supersticiosa seguía los macabros aleteos de un murciélago que danzaba en la media luz del crepúsculo. Augusta, con una mano apoyada en el talle de su hija, descansaba, cobrando aliento, y reía, reía siempre... La respiración levantaba su seno en ola perfumada de juventud fecunda. Al mismo tiempo, con los ojos, Augusta imploraba del galán unos de esos perdones fáciles y ligeros que, como todos los escarceos del amor, hacen el encanto de las mujeres. Por momentos su cabeza desaparecía entre los verdes penachos de las yedras que columpiaba la brisa... En el recogimiento silencioso de la tarde resonaba el coro glorioso de sus ri-

360

370

CO4 págs. 168-9, NC, CO2 págs. 160-1, FLO pág. 204 Ninón. El lindo gozquejo enderezóse velozmente y Augusta, inclinándose sobre el hombro del Príncipe, lanzó por alto el jazmín, que Ninón atrapó en el aire. Sin dejar de reír dio una vuelta por la solana, arrancando puñados de hojas y de flores, que arrojaba sobre el Príncipe. Llegó al lado de Nelly y se detuvo. Nelly no se movió.

359 con mirada: HP pág. 186 con una mirada.

los macabros aleteos: CO3 pág. 152, CO8 pág. 167, AU, CO4 pág. 169, NC, CO2 pág. 161, FLO pág. 204 los ( ) aleteos.

361-363 Augusta... reía, reía: CO3 pág. 152, CO8 pág. 167, AU, CO4 pág. 169, NC, CO2 pág. 161, FLO pág. 204 Augusta, apoyada en el hombro de su hija, descansó cobrando aliento: reía, reía.

365-368 fecunda... Por momentos: CO3 pág. 152, CO8 pág. 167, AU, CO4 pág. 169, NC, CO2 pág. 161, FLO pág. 204 fecunda ( ). Por momentos.

369 entre los verdes penachos: HP pág. 186 entre ( ) penachos.

369-370 yedras: CO3 pág. 153, CO8 pág. 167, AU, CO4 pág. 169, NC, CO2 pág. 161, FLO pág. 204 enredaderas.

370 la brisa: CO3 pág. 153, CO8 pág. 167, AU, CO4 pág. 169, NC, CO2 pág. 161, FLO pág. 204 el aire.

371-373 risas... Salmo Pagano: CO3 pág. 153, CO8 pág. 167, AU,

sas: ¡Numen sagrado de las bacanales! ¡Canto de amor en el jardín de Venus! ¡Salmo Pagano en aquella boca roja, en aquella garganta desnuda y bíblica de Dalila tentadora!...

V

Volvió Augusta al lado del poeta, e inclinándose pronunció velozmente:

—¿No te has enojado? ¿Verdad que no?

La respuesta del príncipe fue esa mirada teatral, intensa, sin parpadeos, que parece de rito en toda amorosa lid. Augusta buscó en la sombra la mano de su amante y se la estrechó furtivamente.

—Esta noche, ¿quieres que nos veamos?

El príncipe Attilio dudó un momento. Aquella pregunta, rica de voluptuosidad, perfumada de locura ardiente, deparábale ocasión donde mostrarse cruel y desdeñoso. ¡Placer amargo cuyas hieles son más gratas que todas las dulzuras del amor! Pero Augusta estaba tan bella, tales venturas prometía, que triunfó el encanto de los sentidos: una ola de galantería sensual envolvió al poeta.

CO4 pág. 169, NC, CO2 pág. 161, FLO pág. 204 risas ( ) Salmo Pagano.

376 Volvió Augusta: CO4 pág. 171, NC, CO2 pág. 163, FLO pág. 204 Augusta volvió.

del poeta: CO3 pág. 155, CO8 pág. 169, AU, CO4 pág. 171, NC, CO2 pág. 163, FLO pág. 204 del Príncipe.

377-381 velozmente... Augusta: CO3 pág. 155, CO8 pág. 169, AU, CO4 pág. 171, NC, CO2 pág. 163, FLO pág. 204 velozmente: / ¿Estás triste? / La respuesta fue esa mirada sin parpadeos, intensa, que parece de rito en todo amoroso escarceo. Augusta.

384 El príncipe Attilio dudó: CO3 pág. 155, CO8 pág. 169, AU, CO4 pág. 171, NC, CO2 pág. 163, FLO pág. 205 El Príncipe ( ) dudó.

386 donde: NC de.

387-388 amargo... todas las: CO3 pág. 155, CO8 pág. 169, AU, CO4 pág. 171, NC, CO2 pág. 164, FLO pág. 205 amargo más grato que todas las.

390 sentidos: una ola: CO3 pág. 155, CO8 pág. 170, AU, CO4 pág. 172, NC, CO2 pág. 164, FLO pág. 205 sentidos y una ola.

391-393 poeta... esta noche: CO3 pág. 156, CO8 pág. 170, AU,

—¡Oh, mi Augusta!... ¡Mi Augusta querida, esta noche y todas!...

Y los dos amantes, sonriendo, tornaron a estrecharse las manos, y se dieron la mirada besándose, poseyéndose, con posesión impalpable, en forma mística, intensa y feliz como el arrobo. Fue un momento no más. Beatriz volvió la cabeza, y ellos se soltaron vivamente. La niña encaminóse a la puerta del *patín;* ya allí, dirigiéndose al poeta, preguntó con timidez adorable: 400

—Príncipe, ¿quiere usted que, como ayer, ordeñemos la vaca, y que después bajemos a probar la miel de las colmenas?

Augusta los miró sin comprender.

—¡Por Dios, están ustedes locos! ¡Vaya una merienda de pastores!

Beatriz y el príncipe cambiaban sonrisas, como dos camaradas que recuerdan juntos alguna travesura. La niña, sintiéndose feliz, exclamó: 410

—¡Tú no sabes, mamá!... Ayer lo hemos hecho así, ¿verdad, príncipe?

Sus mejillas, antes tan pálidas, tenían ahora esmaltes de rosa; se alegraba el misterio de sus ojos; y su sonrisa de Gioconda adquiría expresión tan sensual y tentadora, que parecía reflejo de aquella otra sonrisa que

---

CO4 pág. 172, NC, CO2 pág. 164, FLO pág. 205 poeta./.—Madona, esta noche.

395 la mirada: CO4 pág. 172, NC, CO2 pág. 164, FLO pág. 205 las miradas.

399 encaminóse: CO3 pág. 156, CO8 pág. 170, AU, CO4 pág. 172, NC, CO2 pág. 164, FLO pág. 205 se encaminó.

399-400 del patín; ya allí: CO3 pág. 156, CO8 pág. 170, AU, CO4 pág. 172, NC, CO2 pág. 164, FLO pág. 205 de la solana, y allí.

402-403 ordeñemos la vaca: CO8 pág. 171, AU, CO4 pág. 173, NC, CO2 pág. 165, FLO pág. 205 ordeñemos a la vaca.

405 los miró: HP pág. 188 le miró.

405-406 comprender... Vaya: CO3 pág. 156, CO8 pág. 171, AU, CO4 pág. 173, NC, CO2 pág. 165, FLO pág. 205 comprender: / ¿Pero qué locura es ésa? ¡Vaya.

jugaba en la boca de Augusta. El poeta, apoyado en el alféizar, se atusaba el mostacho con gallardía donjuanesca. A todo cuanto hablaba Beatriz asentía inclinándose como ante una reina; pero sus ojos de gran señor permanecían fijos en ella, siempre audaces y siempre dominadores. Todavía quiso insistir Augusta; pero su hija, echándole los brazos al cuello, la hizo callar sofocada por los besos. 420

—¡No digas que no, mamá! Ya verás como yo misma ordeño la *Maruxa*. El príncipe me prometió ayer que con ese asunto escribiría unos versos, una «Pastorela mundana», ¿no dijo usted eso, príncipe?

Y Beatriz, con aturdimiento desusado en ella, entró en la casa dando gritos para que sacasen del establo a la *Maruxa*. Augusta quedó un instante pensativa; luego, volviéndose a su amante, pronunció entre melancólica y risueña: 430

—¡Pobre hija mía!

El príncipe hizo un gesto enigmático; tomó ambas

---

417 El poeta: CO3 pág. 157, CO8 pág. 171, AU, CO4 pág. 173, NC, CO2 pág. 165, FLO pág. 205 El Príncipe Attilio.

420 reina; pero sus: CO8 pág. 172, AU, CO4 pág. 174, NC, CO2 pág. 165, FLO pág. 205 reina, y sus.

426 ordeño la *Maruxa*. El: CO3 pág. 157, CO8 pág. 172, AU, CO4 pág. 174, NC, CO2 pág. 166, FLO pág. 205 ordeño a la vaca. El.

427-428 escribiría... ¿no dijo: CO3 pág. 157, CO8 pág. 172, AU, CO4 pág. 174, NC, CO2 pág. 166, FLO pág. 205 escribiría una «Égloga Mundana» ¿No dijo.

429-431 ella... Augusta: CO3 pág. 157, CO8 pág. 172, AU, CO4 pág. 174, NC, CO2 pág. 166, FLO pág. 205 ella, bajó al jardín dando gritos para que sacasen a la vaca del establo. Augusta.

431 instante: CO3 pág. 158, CO8 pág. 172, AU, CO4 pág. 174, NC, CO2 pág. 166, FLO pág. 205 momento.

431 luego: CO3 pág. 158, CO8 pág. 172, AU, CO4 pág. 174, NC, CO2 pág. 166, FLO pág. 205 después.

435 El príncipe hizo: CO3 pág. 158, CO8 pág. 173, AU, CO4 pág. 174, NC, CO2 pág. 167, FLO pág. 206 El Príncipe Attilio hizo.

435-437 enigmático... allí donde: CO8 pág. 173, AU, CO4 pág. 175, NC, CO2 pág. 167, FLO pág. 206 enigmático. Augusta, seguía contemplándole con una vaga sonrisa en la rosa fragante de su boca. Lentamente, en el fondo de los ojos pareció nacerle una luz como si hubiese en ellos dos lágrimas rotas. Tomó una mano del príncipe y le llevó al otro extremo, allí, donde.

manos de Augusta, y la llevó al otro extremo del *patín*, allí donde la yedra entrelazaba sus celosías más espesas. Caía la tarde, quedaba en amorosa sombra el nido verde y fragante que, recamando el *patín*, tejieran las enredaderas; el follaje temblaba con largos estremecimientos nupciales al sentirse besado por las auras; el dorado rayo del ocaso penetraba triunfante, luminoso y ardiente como la lanza de un arcángel. Aquella antigua escalinata, con su ornamentación mitológica cubierta de seculares y dorados líquenes, y su airosa balaustrada de granito donde las palomas se arrullaban al sol, y su rumoroso dosel que descendía en cascada de penachos verdes hasta tocar el suelo, recordaba esos parajes encantados que hay en el fondo de los bosques; camarines de bullentes hojas donde rubias princesas hilan en ruecas de cristal...

440

450

VI

Augusta murmuró suspirando:

—¡Qué tristeza tener que separarnos!... ¡Oh! ¡Qué bien dices tú en aquellos versos: «No hay días felices, hay solamente horas felices!»

El príncipe Attilio interrumpió vivamente:

—¡Augusta!... ¡Augusta, por los manes de Homero!... ¡Ni esos son versos, ni eso es mío!...

---

436 extremo del *patín*, allí: CO3 pág. 158 extremo ( ), allí.

439 el *patín*, tejieran las: CO3 pág. 158, CO8 pág. 173, AU, CO4 pág. 175, NC, CO2 pág. 167, FLO pág. 206 el balcón, habían tejido las.

441 auras; el: CO3 pág. 158, CO8 pág. 173, AU, CO4 pág. 175, NC, CO2 pág. 167, FLO pág. 206 auras, y el.

444 escalinata: CO3 pág. 158, CO8 pág. 173, AU, CO4 pág. 175, NC, CO2 pág. 167, FLO pág. 206 solana.

449-450 fondo... camarines: CO3 pág. 159, CO8 pág. 174, AU fondo de los parques feudales: camarines. CO4 pág. 176, NC, CO2 pág. 168, FLO pág. 206 fondo de los bosques antiguos: Camarines.

457-459 ¡Augusta!... Augusta repuso: CO3 pág. 163, CO8 pág. 175, AU, CO4 pág. 177, NC, CO2 pág. 169, FLO pág. 206 Augusta no me calumnies. / Augusta repuso.

Augusta repuso con ligereza encantadora:
—Lo mismo da, corazón... Yo lo he aprendido de 460
tus labios, y para mí será siempre tuyo...

Se estrechó a él, cubriéndole de besos, y murmuró en voz muy baja:

—¿Te he dicho que mi marido llega mañana? ¿No te contraría a ti eso?... Para mí es la muerte. ¡Si tú supieses cómo yo deseo tenerte siempre a mi lado!... ¡Y pensar que si tú quisieses!... Di, ¿por qué no quieres?

El poeta sonrió:

—¡Si yo quiero, Augusta!

Y atrayéndola, murmuró quedo, muy quedo, rozan- 470
do con el bigote la oreja nacarada y monísima de la dama:

—¡Pero temo que tú, tan celosa, te arrepientas luego y sufras horriblemente!

Augusta quedóse un momento contemplando a su amante con expresión de alegre asombro.

—¡Estás loco, hijo de mi alma! ¿Por qué había yo de arrepentirme ni de sufrir? Al casarte con ella me parece que te casas conmigo... Sobre todo podré tenerte siempre a mi lado... ¡Ah! Pero esas son disculpas; tú te- 480
mes que yo me convierta en una suegra de sainete y que te arañe.

459-460 encantadora... Yo lo: CO3 pág. 163, CO8 pág. 175, AU, CO4 pág. 177, NC, CO2 pág. 169, FLO pág. 206 encantadora. ( ) Yo lo.

467-469 quieres?... Si yo: CO3 pág. 164, CO8 pág. 176, AU, CO4 pág. 178, NC, CO2 pág. 170, FLO pág. 207 quieres? ( ) / .—Si yo.

470 Y atrayéndola, murmuró: CO3 pág. 164, CO8 pág. 176, AU, CO4 pág. 178, NC, CO2 pág. 170, FLO pág. 207 Y ( ) murmuró.

470-471 rozando con el bigote la oreja: CO3 pág. 164, CO8 pág. 176, AU, CO4 pág. 178, NC, CO2 pág. 170, FLO pág. 207 rozando ( ) la oreja.

477 loco!... ¿Por qué: CO4 pág. 178, NC, CO2 pág. 170, FLO pág. 207 loco! ( ) ¿Por qué.

479-483 conmigo... y riendo como: CO3 pág. 164, CO8 pág. 177, AU, CO4 pág. 179, NC, CO2 pág. 171, FLO pág. 207 conmigo ( ) / Y riendo..

480 esas son: HP pág. 191 eso son..

Y riendo como una loca, hundía sus dedos blancos en la ola negra que formaba la barba del poeta, una barba asiria y perfumada como la del Sar Peladam.

El príncipe pronunció con ligera ironía:

—¿Y si la moral llama a tu puerta, madona?

—No llamará. La moral es la palma de los eunucos.

El príncipe quiso celebrar la frase, besando a la madona en aquella boca que tales gentilezas decía. Ella continuó: 490

—¡Pues si es la verdad, corazón!... Cuando se sabe querer, esa vieja tísica y asquerosa se está muy encerrada en su casa...

El príncipe reía alegremente. Augusta era una mujer encantadora con aquella travesura, a la vez ingenua y depravada, y aquella sensualidad alegre y pagana como guirnalda de yedra.

—Este verano se arregla todo... Os casáis en el oratorio de casa... Si es preciso, yo misma os echo las bendiciones, digo la misa y predico la plática... En cuanto 500

---

485 Sar Peladam: Sar Peladan, seudónimo de Joseph Peladan (1859-1918), prolífico escritor de la época simbolista, espiritualista místico, rosacruciano. Varias de sus obras fueron prologadas por J. Barbey d'Aurevilly (por ejemplo, *La decadence latine,* París, 1886).

487 madona: NC, CO2 pág. 171, FLO pág. 207 Augusta..

489-490 besando... aquella: NC, CO2 pág. 171, FLO pág. 207 besando ( ) aquella..

493 vieja... está: CO3 pág. 165, CO8 pág. 177, AU vieja ( ) se está. CO4 pág. 179, NC, CO2 pág. 171, FLO pág. 207 vieja ( ) está.

494 en su casa: CO3 pág. 165, CO8 pág. 177, AU, CO4 pág. 179, NC, CO2 pág. 171, FLO pág. 207 en su convento.

495-499 alegremente... Este verano: CO3 pág. 165, CO8 pág. 177, AU, CO4 pág. 179 alegremente. Hallaba encantadora aquella travesura ingenua y depravada de Colombina, y aquella sensualidad apasionada y noble de Dogaresa. / .—Este verano.

Nota: En CO4 pág. 179, NC, CO2 pág. 171, FLO pág. 207 reza: «aquella travesura de Colombina ingenua y depravada, y». El resto idéntico.

499-500 en... si: CO3 pág. 165, CO8 pág. 178, AU, CO4 pág. 180, NC, CO2 pág. 172, FLO pág. 207 en mi oratorio... si..

yo misma: CO4 pág. 180, NC, CO2 pág. 172, FLO pág. 207 yo mismo.

501 digo: CO3 pág. 165, CO8 pág. 178, AU, CO4 pág. 180, NC, CO2 pág. 172, FLO pág. 207 canto.

llegue mi señor marido haces la demanda oficial...

Habíase sentado en las rodillas de su amante, y hablaba con el ceño graciosamente fruncido.

—Si la novia no te gusta, mejor: te gusto yo, y basta; como que por eso te casas...

—No; si la novia me gusta.

—¡Embustero! Quieres darme celos. ¡Quien te gusta soy yo!

—Pues por lo mismo que me gustas tú. ¡Es una derivación!... 510

—No seas cínico, Attilio. ¡Me hace daño oírte esas cosas!

—¡Eres encantadora, madona!... ¡Ya estás celosa!

—¡No tal!... Comprende que eso sería un horror. Pero no debías jugar así con mis afectos más caros.

—No jugaré ni haré la conquista de ese inocente corazón.

—¡Si ya lo tienes conquistado, ingrato!... ¡Es la herencia!... 520

Y reían, el uno en brazos del otro. Después Augusta musitaba con susurro ansioso, caliente y blando:

—¿Verdad que eso de que te gusta lo dices por desesperarme?

Entraba Beatriz en aquel momento, y Augusta, sin dar tiempo a la respuesta del poeta, continuó en voz alta, con ese incomparable fingimiento, esa audacia del corazón, esa soberanía de lo imprevisto que hace de todas las adúlteras actrices divinas y mujeres adorables: 530

---

predico: CO3 pág. 165, CO8 pág. 178, AU, CO4 pág. 180, NC, CO2 pág. 172, FLO pág. 207 digo.

501-503 plática... Habíase: CO3 pág. 165, CO8 pág. 178, AU, CO4 pág. 180, NC, CO2 pág. 172, FLO pág. 207 plática ( ) / Habíase.

505 gusta: NC, CO2 pág. 172, FLO pág. 207 gusto.

514 encantadora... ¡Ya: NC, CO2 pág. 172, FLO pág. 207 encantadora, y única... ¡Ya.

527-529 fingimiento... adorables: CO3 pág. 166, CO8 pág. 179, AU, CO4 pág. 181, NC, CO2 pág. 173, FLO pág. 208 fingimiento ( ) que hace de todas las adúlteras actrices adorables.

—¿No preguntaba usted por Beatriz, príncipe? Pues aquí la tiene usted. Digo, usted no la tiene; todavía es de su madre...

El poeta se inclinó burlonamente.

—Augusta, que por mil años sea, como dicen en esta tierra.

—¡Príncipe, príncipe! ¡Está usted loco!...

Beatriz miraba al príncipe, y sonreía; el enigma de su boca de Gioconda era alegre y perfumado de pasión como el capullo entreabierto de una rosa. Augusta 540 murmuró maliciosamente mientras acariciaba los cabellos de su hija:

—Oiga usted un secreto, príncipe... Tengo prometidos a la Virgen los pendientes que llevo puestos, si me concede lo que le he pedido.

—¡Oh, qué bien sabe usted llegar al corazón de las vírgenes!

Augusta interrumpió vivamente:

—¡Calle usted, hereje!... Búrlese usted de mí, pero respetemos las cosas del Cielo. 550

Y hablaba santiguándose, para arredrar al demonio. A fuer de mujer elegante, era muy piadosa, no con la piedad trágica y macerada que inspira la faz de un Nazareno bizantino, sino con aquella devoción frívola y mundana de las damas aristocráticas; era el suyo un cristianismo placentero y gracioso como la faz del niño Jesús. El príncipe, sin apartar la mirada de Beatriz, pero hablando con Augusta, pronunció lenta e intencionadamente:

531-532 por Beatriz, príncipe? Pues aquí: CO3 págs. 166-67, CO8 pág. 179, AU, CO4 pág. 181, NC, CO2 pág. 173, FLO pág. 208 por Nelly ( ) ? ( ) Aquí.

533-538 madre... miraba al: CO3 pág. 167, CO8 pág. 180, AU, CO4 pág. 182, NC, CO2 pág. 174, FLO pág. 208 madre. / ( ) Nelly miraba.

552-554 piadosa... con aquella devoción: CO3 pág. 167, CO8 pág. 181, AU, CO4 pág. 183, NC, CO2 pág. 175, FLO pág. 208 piadosa, ( ) con aquella devoción.

—¿Se puede saber lo que le ha pedido usted a la Virgen? 560

—No se puede saber, pero se puede adivinar.

—Tengo para mí que pronto cambiarán de dueño los pendientes.

Y callaron los dos mirándose y sonriéndose.

VII

Una zagala pelirroja entró en el huerto conduciendo del ronzal a la *Maruxa,* la res destinada para celebrar la «Pastorela mundana»; aquel nuevo rito de ese nuevo paganismo, donde las diosas son Evas pervertidas, y donde los sacerdotes son poetas que se embriagan con 570 ajenjo libado en elegante vaso griego. Beatriz descendió corriendo los escalones del *patín,* y acercándose a la vaca, comenzó por acariciarle el cuello.

—¡Príncipe, mire usted qué mansa es la *Maruxiña!*...

La vaca se estremecía bajo la mano de Beatriz —una mano muy blanca que se posaba con infantil recelo sobre el luciente y poderoso lomo de la *Maruxa.*

Beatriz levantó la cabeza:

---

565 callaron los dos mirándose: NC, CO2 pág. 175, FLO pág. 208 callaron, ( ) mirándose.

566 Una zagala... conduciendo: CO4 pág. 185, NC, CO2 pág. 177, FLO pág. 209 Entró en el huerto una zagala pelirroja, conduciendo.

567 *Maruxa*: CO3 pág. 171, CO8 pág. 183, AU, CO4 pág. 185, NC, CO2 pág. 177, FLO pág. 209 Foscarina.

568 Pastorela: CO3 pág. 171, CO8 pág. 183, AU, CO4 pág. 185, NC, CO2 pág. 177, FLO pág. 209 Égloga.

568-569 rito de... y: CO3 pág. 171, CO8 pág. 183, AU, CO4 pág. 185, NC, CO2 pág. 177, FLO pág. 209 rito de un nuevo paganismo. Nelly descendió corriendo los escalones de la solana, y.

574-575 mansa es la *Maruxiña*. La vaca: CO3 pág. 171, CO8 pág. 183, AU, CO4 pág. 185, NC, CO2 pág. 177, FLO pág. 209 mansa es ( ) /. La vaca.

577 el luciente y poderoso lomo: HP pág. 194 el ( ) poderoso lomo.

577-578 lomo... levantó: CO3 pág. 171, CO8 pág. 184, AU, CO4 pág. 186, NC, CO2 pág. 178, FLO pág. 209 lomo. ( ) Nelly levantó.

—¿Pero no bajan ustedes?
Entonces Augusta hubo de interrumpir el coloquio 580
que a media voz sostenía con el poeta.
—¡Hija mía, a qué cosas obligas tú a este caballero!
Y sonreía burlonamente designando al príncipe
con un ademán de gentil y extremada cortesía. El
príncipe Attilio inclinóse a su vez y ofreció el brazo a
la dama para descender al huerto. En lo alto de la escalinata, bajo el arco de follaje que entretejían las enredaderas, se detuvieron contemplando los dorados celajes
del ocaso. El poeta arrancó un airón de yedras que se
columpiaba sobre sus cabezas. 590
—¡Salve, Beatriz!... Ya tenemos con qué coronar a
la *Maruxa*.
Al mismo tiempo unía los dos extremos de la rama,
temblorosa en su alegre y sensual verdor. Augusta se la
quitó de las manos.
—Yo seré la vestal encargada de adornar el testuz
de la *Maruxa*...
Miró al poeta y sacudió la cabeza alborotándose los
rizos y riendo.
—Usted, príncipe, no dudará que sabré hacerlo. 600

---

580 hubo de interrumpir: CO3 pág. 171, CO8 pág. 184, AU, CO4 pág. 186, NC, CO2 pág. 178, FLO pág. 209 interrumpió.
581 poeta: CO3 pág. 171, CO8 pág. 184, AU, CO4 pág. 186, NC, CO2 pág. 178, FLO pág. 209 príncipe.
583 designado al príncipe con: CO3 pág. 172, CO8 pág. 184, AU, CO4 pág. 186, NC, CO2 pág. 178, FLO pág. 209 designándole con.
589 poeta: CO3 pág. 172, CO8 pág. 184, AU, CO4 pág. 186, NC, CO2 pág. 178, FLO pág. 209 Príncipe.
airón: HP pág. 195 jirón.
589 yedras: CO3 pág. 172, CO8 pág. 184, AU, CO4 pág. 186, NC, CO2 pág. 178, FLO pág. 209 hiedra.
592 *Maruxa*: CO3 pág. 172, CO8 pág. 184, AU, CO4 pág. 186, NC, CO2 pág. 179, FLO pág. 209 Foscarina.
596-598 testuz... Miró: CO3 pág. 172, CO8 pág. 185, AU, CO4 pág. 187, NC, CO2 pág. 179, FLO pág. 209 testuz sagrado. / Miró.
598 poeta: CO3 pág. 172, CO8 pág. 185, AU, CO4 pág. 187, NC, CO2 pág. 179, FLO pág. 209 Príncipe.
600 Usted, príncipe, no: CO3 pág. 172, CO8 pág. 185, AU, CO4 pág. 187, NC, CO2 pág. 179, FLO pág. 209 Usted ( ) no.

Por recatarse de Beatriz, adoptaba un acento de alocado candor que, aun velando la intención, realzaba aquella gracia cínica, ¡delicioso perfume que Augusta sabía poner en cada frase!

El poeta clavó los ojos en la dama y murmuró intencionadamente:

—¡Pero usted no puede ser vestal, Augusta!

—¡Qué sabe usted lo que yo puedo ser!...

El príncipe sonrió.

—Yo la creía a usted *Turris Eburnea;* pero no *Virgo* 610 *Veneranda.*

—¡Príncipe! ¡Príncipe!

Y le amenazaba con el abanico. El príncipe hizo un gesto de irónica sorpresa.

—¡Mi palabra de honor, Augusta!...

Ella le miró con expresión de burla.

—¡Hijo de mi alma, esta vez se acreditó usted de inocente!... Olvida usted que hay precedentes: la mamá de Rómulo y Remo... ¡Si sé yo más historia romana que mi señor marido; y eso que no tengo tradu- 620 cidos a Horacio y a Marcial!

A todo esto había hecho una corona con el ramo de yedras, y la colocó sobre las astas de la *Maruxa.* Después se volvió a Beatriz:

—¿No tiene más lances la «Pastorela mundana», chiquitina?...

Beatriz permaneció silenciosa. Sus ojos verdes, de

---

602 que, aun velando: CO3 pág. 172, CO8 pág. 185, AU, CO4 pág. 187, NC, CO2 pág. 179, FLO pág. 209 que, ( ) velando.

604-622 en cada frase... había hecho: CO3 pág. 173, CO8 pág. 185, AU, CO4 pág. 187, NC, CO2 pág. 179, FLO pág. 209 en todas sus palabras ( ). Había hecho.

608 lo que yo puedo: HP pág. 195 lo que ( ) puedo.

623 yedras: CO3 pág. 173, CO8 pág. 185, AU, CO4 pág. 187, NC, CO2 pág. 179, FLO pág. 209 hiedra.

Maruxa: CO3 pág. 173, CO8 pág. 185, AU, CO4 pág. 187, NC, CO2 pág. 179, FLO pág. 209 Foscarina.

625-626 «Pastorela mundana», chiquitina?: CO3 pág. 173, CO8 pág. 185, AU, CO4 pág. 187, NC, CO2 pág. 180, FLO pág. 209 Égloga Mundana ( )?

un misterio doloroso y trágico, se fijaban con extravío en el rostro de Augusta, que supo conservar su expresión de placentera travesura. La sonrisa de Gioconda 630 agonizaba dolorida sobre los castos labios de la niña. Augusta cambió una mirada con el poeta. Al mismo tiempo fue a sentarse en el banco de piedra que había al pie de un castaño secular. El príncipe se acercó a Beatriz.

—¿Quiere usted que bajemos al colmenar?...

Beatriz pronunció con una sombra de melancolía:

—¡Yo quería ordeñar la *Maruxa* para que usted probase la leche, como ayer!...

Augusta murmuró reclinándose en el banco: 640

—¡Pues ordéñala, hija mía, la probaremos todos!

Beatriz se arrodilló al pie de la vaca. Su mano pálida, donde ponía reflejos sangrientos el rubí de una sortija, aprisionó temblorosa las calientes ubres de la *Maruxa*. Un chorro de leche salpicó el rostro de la niña, que levantó riendo la cabeza:

—Míreme usted, príncipe!

Estaba muy bella con las blancas gotas resbalando sobre el rubor de las mejillas. El poeta se la mostró a la dama. 650

—¡He ahí el bautizo de la santa y pagana Naturaleza!...

Como si un estremecimiento voluptuoso pasase so-

---

632 poeta: CO3 pág. 173, CO8 pág. 186, AU, CO4 pág. 188 Príncipe.

638 *Maruxa*: CO3 pág. 174, CO8 pág. 186, AU, CO4 pág. 188, NC, CO2 pág. 180, FLO pág. 210 vaca.

640 en el banco: AU en el balcón.

644-645 ubres... chorro: CO3 pág. 174, CO8 pág. 187, AU, CO4 pág. 189, NC, CO2 pág. 181, FLO pág. 210 ubres ( ). Un chorro.

645 salpicó el rostro: CO8 pág. 187, AU, CO4 pág. 189, NC, CO2 pág. 181, FLO pág. 210 salpicó al rostro.

649 poeta: CO3 pág. 174, CO8 pág. 187, AU, CO4 pág. 189, NC, CO2 pág. 181, FLO pág. 210 Príncipe.

650-652 dama... naturaleza: CO3 pág. 174, CO8 pág. 187, AU, CO4 pág. 189, NC, CO2 pág. 181, FLO pág. 210 dama: / .—Augusta es el bautizo pagano de la Naturaleza.

bre la faz del mundo, se besaron las hojas de los árboles con largo y perezoso murmullo. La vaca levantó arrogante el mitológico testuz, coronado de yedras, y miró de hito en hito al Sol que se ocultaba. Herida por los destellos del ocaso, la *Maruxa* parecía de cobre bruñido; recordaba esos ídolos que esculpió la antigüedad clásica; divinidades robustas, benignas y fecundas que cantaron los poetas. 660

VIII

Un momento se distrajo Beatriz y el príncipe murmuró al oído de Augusta:

—¿Quieres quedarte hoy sin los pendientes?

Augusta contestó con aquella risa sonora y clara que semejaba borboteo de agua en copa de oro:

—¡Príncipe! ¡Príncipe!... No me tiente usted.

Luego, volviéndose a Beatriz, quedóse un momento contemplándola con alegre expresión de amor y de ternura. 670

—Ven aquí, hija mía. Este caballero...

Y señalaba al príncipe con ademán gracioso y desenvuelto. El príncipe saludó.

---

654 mundo: NC, CO2 pág. 181, FLO pág. 210 huerto.

655-656 levantó arrogante el: NC, CO2 pág. 182, FLO pág. 210 levantó ( ) el.

656 yedras: CO3 pág. 175, CO8 pág. 187, AU, CO4 pág. 189, NC, CO2 pág. 182, FLO pág. 210 hiedra.

658 *Maruxa*: CO3 pág. 175, CO8 pág. 187, AU, CO4 pág. 189, NC, CO2 pág. 182, FLO pág. 210 Foscarina.

658 ocaso... parecía: NC, CO2 pág. 182, FLO pág. 210 ocaso ( ) parecía.

662 Un momento... y: CO4 pág. 191 Se distrajo Nelly un momento y.

662-668 Un momento... quedóse: NC, CO2 pág. 183, FLO pág. 210 Nelly, ruborosa y feliz, con los ojos llenos de luz, permanecía arrodillada sobre la hierba. El Príncipe Attilio murmuró al oído de Augusta: /. —¡Es encantadora! / .—¡Qué pena da no ser ella! / Augusta quedóse.

669 con alegre expresión: NC, CO2 pág. 183, FLO pág. 210 con ( ) expresión.

—Ya lo ves cómo se inclina... ¡Jesús, qué poco oradora siento!... En suma, hija mía, que me acaba de pedirme tu mano...

Beatriz dudó un momento; después, abrazándose a su madre, empezó a sollozar nerviosa y angustiada...

—¡Ay, mamá! ¡Mamá de mi alma!... ¡Perdóname!

—¿Qué he de perdonarte yo, corazón? 680

Y Augusta, un poco conmovida, posó los labios en la frente de su hija.

—¿Tú no le quieres?

Beatriz ocultaba la faz en el hombro de su madre, y repetía cada vez con mayor duelo:

—¡Mamá de mi alma, perdóname!... ¡Perdóname!

—¿Pero tú no le quieres?

En la voz de Augusta descubríase una ansiedad oculta. Pero de pronto, adivinando lo que pasaba en el alma de su hija, murmuró con aquel cinismo candoroso que era toda su fuerza: 690

—¡Pobre ángel mío!... ¿Tú has pensado que las galanterías del príncipe se dirigían a tu madre, verdad?

Beatriz se cubrió el rostro con las manos.

—¡Mamá! ¡Mamá!... ¡Soy muy mala!...

674-675 oradora siento: CO3 pág. 175, HP pág. 198, CO8 pág. 190, AU, CO4 pág. 192, NC, CO2 pág. 184, FLO pág. 211 oradora me siento.

Nota: En la edición de 1897 reza «oradora siento» que es sin duda una errata debida a la trasposición del pronombre «me» lo que provoca la errata de la frase siguiente.

que me acaba: CO3 pág. 180, HP pág. 198, CO8 pág. 190, AU, CO4 pág. 192, NC, CO2 pág. 184, FLO pág. 211 que ( ) acaba.

675-677 mía... dudó: NC, CO2 pág. 184, FLO pág. 211 mía, acaba de confesarme que está enamorado de ti /. Nelly dudó.

678 angustiada: AU, CO4 pág. 192, NC, CO2 pág. 184, FLO pág. 211 agitada.

684 la faz: CO3 pág. 180, CO8 pág. 190, AU, CO4 pág. 192, NC, CO2 pág. 184, FLO pág. 211 las mejillas.

689-692 que... ¡Pobre: CO3 pág. 180, CO8 pág. 191, AU, CO4 pág. 193, NC, CO2 pág. 185, FLO pág. 211 que era el mayor de sus encantos ¡Pobre.

693-695 verdad?... ¡Mamá!: NC, CO2 pág. 185, FLO pág. 211 verdad? ( ) ¡Mamá!

—¡No, corazón!

Augusta apoyaba contra su seno la cabeza de Beatriz. Sobre aquella aurora de cabellos rubios, sus ojos negros de mujer ardiente se entregaban a los ojos del poeta. Augusta sonreía, viendo logrados sus ensueños 700 de matrona adúltera.

—¡Pobre ángel!... ¡Quiera Dios, príncipe, que sepa usted hacerla feliz!

El príncipe no contestó. Acariciábase la barba y dejaba vagar distraído la mirada. Pensaba si no había en todo aquello un *poemetto* libertino y sensual, como pudiera desearlo su musa.

Augusta le tocó con el abanico en el hombro.

—¡Hijos míos, daos las manos!... Debimos haber esperado a que llegase mi marido; pero qué diablos, la 710 felicidad no es bueno retardarla... Ahora vamos a las colmenas para celebrar esa «Pastorela mundana» que ha dicho Beatriz. Príncipe, usted me servirá de caballero.

Y apoyándose en el poeta murmuró emocionada, con voz que apenas se oía:

—¡Ya verás lo dichoso que te hago esta noche!...

---

700 poeta: CO3 pág. 181, CO8 pág. 191, AU, CO4 pág. 193, NC, CO2 pág. 185, FLO pág. 211 príncipe.

700-702 ensueños... ¡Pobre: CO3 pág. 181, CO8 pág. 191, AU, CO4 págs. 193-4, NC, CO2 pág. 185, FLO pág. 211 ensueños ( ) ¡Pobre.

704-705 contestó... Pensaba: CO4 pág. 194, NC, CO2 pág. 186, FLO pág. 211 contestó ( ). Pensaba.

706 *poemetto*: CO3 pág. 181, CO8 pág. 192, AU, CO4 pág. 194, NC, CO2 pág. 186, FLO pág. 211 poema.

709 Debimos: HP pág. 199 debíamos.

710-711 pero ¡qué diablo! la felicidad: CO8 pág. 192, AU, CO4 pág. 194, NC, CO2 pág. 186, FLO pág. 211 pero ( ) la felicidad.

712 «Pastorela»: CO3 pág. 182, CO8 pág. 192, AU, CO4 pág. 194, NC, CO2 pág. 186, FLO pág. 211 Égloga.

713-715 dicho... Y apoyándose: CO4 pág. 194, NC, CO2 pág. 186, FLO pág. 212 dicho Nelly. / Y apoyándose.

715 en el poeta, murmuró: CO3 pág. 182, CO8 pág. 192, AU, CO4 pág. 194, NC, CO2 pág. 186, FLO pág. 212 en el brazo del Príncipe Attilio, murmuró.

717-718 hago!... Se detuvo: NC, CO2 pág. 186, FLO pág. 212 hago ( ). Se detuvo.

Se detuvo enjugándose dos lágrimas que abrillantaban el iris negro y apasionado de sus ojos. ¡Después de haber labrado la ventura de todos, sentíase profundamente conmovida! Y como Beatriz tornaba la cabeza con gracioso movimiento, y se detenía esperándolos, suspiró mirándose en ella con maternal arrobo. 720

—¡Hija de mi alma, tú también eres muy feliz!

Las pupilas de Beatriz respondieron con alegre llamear. Augusta, reclinando con lánguida voluptuosidad todo el peso delicioso de su cuerpo en aquel brazo amante que la sostenía, exclamó con íntimo convencimiento:

—¡Qué verdad es que las madres, las verdaderas madres, nunca nos equivocamos!... 730

721-722 cabeza... y se: NC, CO2 pág. 187, FLO pág. 212 cabeza ( ) y se.

722 esperándolos: CO8 pág. 193, AU, CO4 pág. 195, NC, CO2 pág. 187, FLO pág. 212 esperándoles.

723-725 arrobo... Las pupilas: NC, CO2 pág. 187, FLO pág. 212 arrobo ( ) las pupilas.

731 equivocamos: CO3 pág. 183, CO8 pág. 193, AU, CO4 pág. 195, NC, CO2 pág. 187, FLO pág. 212 equivocamos al hacer la felicidad de nuestras hijas.

Apéndice I

PUBLICACIONES DE RAMÓN DEL VALLE-INCLÁN HASTA 1897

1888

1. «En Molinares», *Café con Gotas,* Santiago, 3.ª época, núm. 2, 4 de noviembre de 1888.
2. «Babel», *Café con Gotas,* Santiago, 3.ª época, núm. 3, 11 de noviembre de 1888.
3. «Viacrucis», Hoja literaria de El País Gallego, *El País Gallego,* Santiago, ¿1888?

Nota: Este diario fue de tendencia regionalista «ortodoxo y liberal» según lo define Alfredo Brañas, que fue uno de sus directores, y se publicó desde 1888 a 1891.

El texto reseñado, «Viacrucis», apareció en la Hoja literaria de *El País Gallego* sin ninguna indicación de fecha, y está firmado por el autor: «Villanueva de Arosa, 20 de noviembre de 1887».

La relación que mantuvo Valle-Inclán con *El País Gallego* no debió de ir más allá de 1888, ya que en las notas de prensa posteriores a ese año sólo se menciona a su hermano mayor Carlos como colaborador de este diario. Así mismo Alfredo Brañas, en su libro *El Regionalismo* editado en 1889, menciona entre los colaboradores de *El País Gallego* a Carlos Valle, pero no a Ramón. No parece pues aventurado suponer que «Viacrucis» fue publicado en ese año. Lamentablemente la colección que he podido consultar en (PS) de este diario es muy incompleta, y no puedo precisar más la fecha.

1889

4. «A media noche», *La Ilustración Ibérica,* Barcelona, año VII, núm. 317, 26 de enero de 1889, págs. 59 y 62 (HMM).

1891

5. «El Mendigo», *El Heraldo de Madrid,* Madrid, 1 de julio de 1891 (BN).
6. «A media noche», *El Globo,* Madrid, 30 de julio de 1891 (HMM).
7. «Ángel Guerra. Novela original de don Benito Pérez Galdós», *El Globo,* Madrid, 13 de agosto de 1891 (HMM).
8. «Una visita al convento de Gondarin», *El Globo,* Madrid, 22 de septiembre de 1891 (HMM).
9. «Cartas galicianas: De Madrid a Monforte. El último hidalgo de Tor», *El Globo,* Madrid, 2 de octubre de 1891 (HMM).
10. «Cartas galicianas: Pontevedra. Una visita a Echegaray», *El Globo,* Madrid, 13 de octubre de 1891 (HMM).
11. «Cartas galicianas IV: Por la tierra saliniense. El castillo de Lobeira», *El Globo,* Madrid, 4 de noviembre de 1891 (HMM).

CARTAS

11 bis. Dos cartas a Otero Acevedo, en Otero Acevedo M., *Los fantasmas,* Madrid, Librería internacional de Romo y Füssel, 1891, págs. 50-51.

1892

12. «El rey de la máscara (cuento de color sangre)», *El Globo,* Madrid, 20 de enero de 1892 (HMM).
13. «En tranvía», *El Globo,* Madrid, 1 de febrero de 1892 (HMM).
14. «El gran Obstáculo», *El Diario de Pontevedra,* Pontevedra, 3 de febrero de 1892 (MP).
15. «El gran obstáculo. Conclusión», *El Diario de Pontevedra,* Pontevedra, 4 de febrero de 1892 (MP).
16. «En tranvía», *El Diario de Pontevedra,* Pontevedra, 5 de febrero de 1892 (MP).
17. «En el tranvía», *El Correo Español,* México DF, 24 de abril de 1892.
18. «Los últimos versos del Duque de Rivas», *El Correo Español,* México DF, 4 de mayo de 1892.
19. «A una mujer ausente por la muerte», *El Correo Español,* México DF, 8 de mayo de 1892.
20. «Zan el de los osos», *El Universal,* México DF, 8 de mayo de 1892.
21. «Ecos de la prensa española: El padre Coloma. Su enfermedad. Las economías en España. La llegada del señor Salmerón. Entusiasmo popular. Una noticia para asturianos», *El Universal,* México DF, 20 de mayo de 1892.
22. «Ecos de la prensa española: La crítica teatral. Las vengadoras de Sellés. Un libro fin de siglo. El motín y los republicanos. Paul y Angulo. Su muerte. Accidente», *El Universal,* México DF, 21 de mayo de 1892.
23. «Ecos de la prensa española: Salmerón. La eterna comidilla. Desacuerdo de los periódicos monárquicos. Alerta a la Monarquía. La conspiración anarquista. Rumores. El ministro de fomento plantando pinos. Dos zarzuelas de Chapí. Don Quijote poema sinfónico», *El Universal,* México DF, 24 de mayo de 1892.

24. «Muerte de Enrique Mélida. La pintura española. Las dos escuelas. Murillo y Goya. Santos y Majos. Tendencia vieja. Los cuadros de casacón. Enrique Mélida. Sus cuadros. La herencia de su hija», *El Universal,* México DF, 25 de mayo de 1892.
25. «Recuerdos de España. El convento de Gondarin. Galicia. Una barca de la antigua Grecia. Ruinas celtas y ruinas cristianas. Fuente milagrosa. El crepúsculo», *El Universal,* México DF, 26 de mayo de 1892.
26. «Quiebra escandalosa. Los astilleros del Nervión. Opinión de la prensa. Torpeza del Gobierno. 2.000 obreros sin trabajo. El Estado prosigue las obras. Dos telegramas», *El Universal,* México DF, 27 de mayo de 1892.
27. «Cosas de la actualidad. El dos de Mayo. Teatros. El día memorable. Algunas escenas. ¿Será de repertorio? La exposición colombina. Vidart y Fernández Dur. Colón no es genovés. El descubrimiento de América en 1447», *El Universal,* México DF, 28 de mayo de 1892.
28. «Pablo Iglesias. Es el apóstol del socialismo español. Su naturaleza. Su figura. Su importancia fuera de España. Los periódicos franceses. Un discurso», *El Universal,* México DF, 29 de mayo de 1892.
29. «Más sobre los astilleros. Los periódicos conservadores. El debate. Responsabilidades. Aplazamiento. Acuerdos del Consejo Superior de la Marina. Lo que importa. El comercio bilbaíno», *El Universal,* México DF, 31 de mayo de 1892.
30. «Un libro raro o la ciencia de las castañuelas. La tierra de María Santísima. Rosita Tejero. Una copla gitana. El baile flamenco y el baile andaluz», *El Universal,* México DF, 1 de junio de 1892.
31. «El anarquismo español. Fermín Salvochea. La reserva. Un amigo andaluz. Noticias. Organización del anarquismo. No tienen listas ni escriben sus acuerdos. Los secretarios», *El Universal,* México DF, 2 de junio de 1892.

32. «Cantares. La poesía popular española. El romance y el cantar. Variedad y unidad. Lágrimas del pueblo gitano. Dos improvisadores», *El Universal,* México DF, 3 de junio de 1892.
33. «Más sobre los astilleros. Actitud del señor Martínez Rivas. Una carta. Su lenguaje. Ataques al presidente del Consejo. Promesas del Gobierno y mala fe», *El Universal,* México DF, 4 de junio de 1892.
34. «Las verbenas. San Antonio de la Florida. Perfume morisco. La orgía del color. Tiendas y chirimbolas. Música. Un ciego. Los Isidros. Igual que antaño», *El Universal,* México DF, 5 de junio de 1892.
35. «Cómo escribió Zorrilla D. Juan Tenorio. Un visitante madrugador. Necesidad de un drama. El Consejo de Lombia. D. Miguel de Mañara. Una escena en Ovillejos. Quiénes son Chutti y Buttarelli», *El Universal,* México DF, 7 de junio de 1892.
36. «Una reunión de obreros. Temores del Gobierno. 2.000 obreros. No se permite hablar de política. El hermano Perazagua. ¿Habla o no habla? Su discurso. Tumulto», *El Universal,* México DF, 8 de junio de 1892.
37. «Madrid de noche. Bohemios y horizontales. La última hora de Fornos. Cotización y cacharrería. Un amigo redentorista. Muerto. Dos lágrimas», *El Universal,* México DF, 9 de junio de 1892.
38. «Palabra de mal agüero: Lagarto. Culebra», *El Universal,* México DF, 11 de junio de 1892.
39. «Bajo los trópicos (Recuerdos de México)», *El Universal,* México DF, 16 de junio de 1892.
40. «Caritativa (Novela corta)», *El Universal,* México DF, 19 de junio de 1892.

Nota: Para los artículos publicados en México he seguido a Fichter, William L., *Publicaciones periodísticas de don Ramón del Valle-Inclán anteriores a 1895,* México, 1952.

Otros cuatro textos, escritos en abril y mayo de 1892 para *El Correo Español,* México, fueron publicados por J. L. García Velasco, en *Revista de Occidente,* Madrid, núm. 59, abril de 1986, págs. 18-25.

41. «Los caminos de mi tierra», *El Universal,* México DF, 22 de junio de 1892.
42. «El canario (novela corta)», *El Universal,* México DF, 26 de junio de 1892.
43. «¡Ah de mis muertos! (Cuento popular)», *El Universal,* México DF, 3 de julio de 1892.
44. «La confesión (Novela corta)», *El Universal,* México DF, 10 de julio de 1892.
45. «El conspirador de las melenas (Histórico)», *El Universal,* México DF, 17 de julio de 1892.
46. «La poesía en Europa y en América (generalidades)», *El Universal,* México DF, 24 de julio de 1892.
47. «Psiquismo», *El Universal,* México DF, 7 de agosto de 1892.

CONFERENCIAS

48. «Velada en artesanos», *El Diario de Pontevedra,* Pontevedra, 8 de febrero de 1892 (MP).

1893

49. «X», *Extracto de literatura,* Pontevedra, año I, núm. 27, 8 de julio de 1893, págs. 6-7 (BP).
50. «La confesión. Historia amorosa», *El Globo,* Madrid, 10 de julio de 1893 (HMM).
51. «Páginas de Tierra Caliente. Impresiones de viaje», *Extracto de literatura,* Pontevedra, año I, núm. 33, 20 de agosto de 1893, págs. 5-6 (BP).
52. «Un cabecilla», *Extracto de literatura,* Pontevedra, año I, núm. 37, 16 de septiembre de 1893, págs. 5 y 7 (BP).
53. «Remembranzas literarias. El banquete de Conjo», *La Unión Republicana,* Pontevedra, 16 de septiembre de 1893, plana literaria (MP).
54. «Un cabecilla», *El Globo,* Madrid, 29 de septiembre de 1893 (HMM).

55. «Octavia Santino», *Extracto de literatura,* Pontevedra, año I, núm. 43, 28 de octubre de 1893, págs. 2-5 (BP).

1894

56. «Arlequinada», *La Correspondencia gallega,* Pontevedra, 2 de mayo de 1894 (MP).

1895

57. «Impresiones de Tierra Caliente», *El Globo,* Madrid, 23 de abril de 1895 (HMM).
58. «Un cabecilla (para Torcuato Ulloa)», *El País, Diario Republicano Progresista,* Madrid, 27 de mayo de 1895 (HMM).
59. «Un cabecilla (para Torcuato Ulloa)», *La Unión Republicana,* Pontevedra, 30 de mayo de 1895 (MP).
60. «X... para Jesús Muruais», *El País, Diario Republicano Progresista,* Madrid, 19 de julio de 1895 (HMM).
61. «Un cabecilla», *Don Quijote,* Madrid, año IV, núm. 37, 13 de septiembre de 1895, pág. 4 (BN).
62. «Iván el de los osos», *Blanco y Negro,* Madrid, año V, núm. 288, 23 de noviembre de 1895 (HMM).
63. *Femeninas (seis historias amorosas),* prólogo de M. Murguía, Pontevedra, Imprenta y Comercio de A. Landín, 1895, 226 pág., 1 h., 16,5 cm (BP).

1897

64. «La feria de Sancti Spiritus», *Apuntes,* Madrid, año II, núm. 42, Almanaque para 1897, 1 de enero de 1897 (HMM).
65. «El rey de la máscara. Cuento color de sangre», *Germinal,* Madrid, año I, núm. 4, 24 de mayo de 1897, pág. 4 (HMM).

66. «Adega (cuento bizantino)», *Germinal,* Madrid, año I, núm. 5, 4 de junio de 1897, págs. 4-10 (MP).
67. «Lluvia», *Almanaque de Don Quijote para 1897,* Madrid, 1897, págs. 10-12 (HMM).
68. *Epitalamio (Historia de amores),* Madrid, Imp. de A. Marzo, 1897, 107 págs., 2 h., 15 cm.

LISTA DE INSTITUCIONES MENCIONADAS

BN	Biblioteca Nacional, Madrid.
BP	Biblioteca Pública de Pontevedra, Pontevedra.
HMM	Hemeroteca Municipal de Madrid, Madrid.
MP	Museo de Pontevedra, Pontevedra.
PS	Instituto Padre Sarmiento de Estudios Gallegos, Santiago.

Apéndice II

FEMENINAS

Femeninas... ¿Verdad que es un lindo título? No hubiera el autor podido escribir al frente de sus seis historias amorosas, otro más elegante, breve y expresivo, de mayor eufonía y de más encantador eufemismo, atractivo como élsolo y lleno de promesas... ¡Oh, y de promesas cumplidas!

Tras ese seductor vocablo presiéntese materia amenísima exornada con mil primores de estilo, y con efecto, bajo el título de *Femeninas* encuentra el lector páginas deliciosas en las que viven corazones de mujeres, palpitan pasiones femeniles, flotan suspiros de amor, risas coquetas, rumores de faldas crujientes, y se aspira perfume voluptuoso como olor de hembra; todo ello puesto sobre el papel, por la pluma fina, cultísima, brillante y analizadora del notable escritor, mi paisano y buen amigo Ramón del Valle-Inclán.

Había tenido yo la fortuna de conocer antes que el libro se imprimiera, gran parte de los materiales que lo forman. Prendado del estilo de Valle, de su frase pintoresca y precisa, de su poderoso entendimiento, de su espíritu de observador perspicaz que lleva a las más audaces investigaciones psicológicas, me había yo instituido en pertinaz acicate para su voluntad, bastante perezosilla, y en impertinente curioseador de los papelotes revueltos en sus bolsillos, dentro de los que, a veces, se hallaban fragmentos de «La Condesa de Cela», «Tula Varona», «La Niña Chole».

—¿Trae usted algo por ahí? —preguntábale con frecuencia—. ¿Trabajó usted más?

Y él, aunque nada expansivo en sus amistades, y si bien cortés, fríamente cortés siempre, era bondadoso conmigo y me leía aquellas sus cuartillas de escritura extraña y retorcida, en nuestros habituales paseos, por callejuelas sombrías o por carreteras solitarias.

Algunas tardes del pasado invierno, en la biblioteca de Jesús Muruais, donde nos reuníamos, mientras la lluvia caía eterna y helada sobre la plazuela, el erudito literario y mi modesta persona, oíamos atentos las pruebas de imprenta de las *Femeninas* que leía su autor, olvidándonos de las tristezas del cielo gris y sombrío que veíamos tras los cristales, cuando Valle hacía con su voz suave de exóticas cadencias, luminosas descripciones de los países del sol, y casi desentumecidos por la vigorosa pintura de aquella tierra caliente que hirieran los piececillos bronceados de la linda «Salambó de los palacios de Mixtla».

Sí, me era conocido todo el libro, y ello no obstante, cuando uno de los primeros ejemplares de *Femeninas,* fresquito aún, llegó a mis manos sorprendiéndome con su exquisita estructura, con su *toilette* distinguida de libro parisién, corté sus páginas con deseos ardientes, y lo leí... y lo volví a leer paladeándolo lleno de delicia.

Encanta su estilo, recrean sus asuntos, sorprende su originalidad.

Contra la respetabilísima opinión del prologuista, del ilustre Murguía que con la galanura de su prosa cincelada y con autoridad indiscutible hace la presentación del autor en el mundo de las letras, yo me permito creer humildemente que, fuera de la ondulancia y del ritmo, veo en este libro poco de nuestra tierra gallega, y aun no mucho tampoco de literato español.

Leyendo *Femeninas,* vienen a la memoria delicadas ternuras de Daudet, pintorescas notas de Goncourt, imágenes y alegorías artísticas refinadas como las de Flaubert, cosmopolitismos de Lotti, sutiles psicologías de Bourget y extraños diabolismos de Barbey d'Aurevilly, sin que con los escritores españoles le queden más semejanzas que la del estilo pulcramente cuidado y seductoramente movido de nuestra Pardo Bazán.

Ramón del Valle, infatigable lector de escritores extranjeros, ha estudiado y comprendido a los maestros en la literatura, decantando, tras las agitaciones de la mezcla, su estilo propio, personal y puro. Espíritu aventurero y temerario, ha recorrido en los breves años de su vida, extraños y alejados países, que le han sugerido esas ideas nuevas que abrillantan sus imágenes y que le han prestado los desusados y expresivos vocablos con que esmalta su prosa.

Alma de artista, filtrada por fino tamiz, cierra el paso a la vulgaridad grosera, sin conseguir que de los puntos de su pluma caigan sobre el papel más que filigranas y exquisiteces.

¿Habéis visto libro cuyo estilo aparezca más purgado de lugares comunes, de esas desesperantes frases hechas, único jugo de tantos literatos y sedimento despreciable para Valle-Inclán? Lucha con el lenguaje y lo domina; emperrado en batirse con la vulgaridad vence de la vulgaridad. Y explorador del idioma, sorprende sus misterios, recoge sus armonías, y él, que es enemigo furioso de la música, que desespera con instrumentistas y cantantes, que confunde la «Muñeira» y el «Himno Mejicano», derrama raudales de armonía sobre las páginas sonoras de sus *Femeninas*. Permitidme; voy a abrir el libro y a copiar algunos de sus renglones:

«Él también recordaba otros días, días de primavera, azules y luminosos; mañanas perfumadas, tardes melancólicas, horas queridas: paseos de enamorados que se extravían en las avenidas de los bosquecillos, cuando los insectos zumban la ardiente canción del verano, florecen las rosas, y las tórtolas se arrullan sobre las reverdecidas ramas de los robles. Recordaba los albores de su amor, y todas las venturas que debía a la moribunda.

Sobre aquel seno de matrona, perfumado y opulento ¡había reclinado tantas veces en delicioso éxtasis, su testa orlada de rizos, como la de un dios adolescente! ¡Aquellas pobres manos, que ahora se enclavijaban sobre la sábana tenían jugado tanto con ellos!... Y al pensar en que iba a verse solo en el mundo, que ya no tendría regazo donde descansar la cabeza, ni labios que le besasen, ni brazos que le ciñesen, ni manos que le halagasen, tropel de gemidos y sollozos subíale a la garganta, y se retorcía en ella, como rabiosa jauría.»

¿Copiare algo más? Estoy seguro de que lo agradecerá el lector. A ver, de otra página:

«Y en tanto la noche detendía por la gran llanura, su sombra llena de promesas apasionadas, un vago olor marino, olor de alga y brea, mezclábase por veces al mareante de la campiña, y allá muy lejos, en el fondo obscuro del horizonte, se divisaba el resplandor rojizo de la selva que ardía. La naturaleza lujuriosa y salvaje, aún palpitante del calor de la tarde, semejaba dormir el sueño profundo y jadeante de una fiera fecundada. En aquellas tinieblas pobladas de susurros misteriosos, nupciales, y de moscas de luz que danzan entre las altas hierbas, raudas y quiméricas, parecíame respirar una esencia suave, deliciosa, divina; la esencia que la primavera vierte al nacer, en el cáliz de las flores y en los corazones.»

Prosa armoniosa y rítmica que como ha dicho un crítico español insigne, acusa un profundo sentido de la sonoridad y de la fuerza poética de las palabras, y que sorprende además, porque no contiene ripios ni pleonasmos que amengüen la intensidad de la expresión, de esa expresión ajustada y vigorosa a que sólo se llega cuando se adjetiva como adjetiva Valle, con precisión, con exactitud; aun más que con esto, con un privilegiado sentido de la plasticidad.

Reunir en un volumen seis historias de amor, seis retratos de mujer, disecando sus corazones y sometiendo al análisis las pasiones que esas mujeres inspiran, cosa es que haría correr a escritor que no tuviese el talento que Valle tiene, el peligro de la similitud, de la analogía en las figuras y aun de la monotonía en el relato.

Ramón del Valle pasó triunfante sobre tal obstáculo.

Cada femenina es un tipo, cada artículo es una mujer, un corazón, un alma, que si a los ojos opacos de las gentes vulgares ofrecerían semejantes aspectos, ante la pupila penetrante y desmenuzadora de este autor, presentan variadísimas fases, los más diversos caracteres psíquicos. Una es «La Condesa de Cela», la gentil Condesa, saltando loquilla sobre las rodillas de Aquiles Calderón, abandonándose al amor del bohemio, escapando del lecho del placer rehabilitada por las injurias del amante, pero ¡siempre amándole!

Otra es «Tula Varona», mundana experta, voluptuosa refinada, que enciende la pasión soplando en ella con violencia de huracán sin más que fruncir sus labios perfumados, para gozarse en contemplar la llama despreciándola después con crueldad de mujer, recreándose en su triunfo, a solas, mientras acaricia, sensual, el nácar de su cuerpo. «Tula Varona» es tal vez la «femenina» más linda de este libro, la de asunto más artísticamente concebido y de más acertado desarrollo; así como «La Niña Chole», escrita a modo de impresiones de viaje, es un primor de factura, el artículo de más dificultades técnicas, rico en color y luz, y en el que su genial autor consigue reproducir, con poder mágico, las sensaciones por él sentidas en aventurero viaje, a cuyas descripciones espléndidas sirve de pretexto una mujer, la Niña Chole, que, como el autor, pudiera yo decir que por las páginas pasa «como sombra envuelta en el misterio de un crepúsculo ideal».

Compañeras muy dignas de las tres citadas son «Octavia Santino», ¡bellísima escena!, tierna, emocional, alarde de naturalismo lírico —valga decirlo así—, «La generala» y «Rosarito», ésta de legítimo «cachet d'aurevillesco», extraña historia de un caso de sugestión, como las demás femeninas presentada con arte, y que como todas, puede decirse lo que el señor Murguía escribe acertadísimo en el hermoso prólogo aludiendo al modo de hacer del autor: «levanta el velo, no lo descorre del todo, dejando el final —como quien teme abrir heridas demasiado profundas en los corazones doloridos— en una penumbra que permite al lector prolongar su emoción y gozar algo más de lo que el autor indica y deja en vago, y el que lee tiene dentro del alma».

¡Ojalá que el libro *Femeninas* sea leído; que no se confunda en la ola turbia de literatura ñoña e insustancial que lo invade todo!

Ojalá que la crítica seria continúe, como por dicha estoy viendo que comienza, estudiando la obra de Valle-Inclán, examinando su estilo, penetrando en su fina psicología y en sus análisis del corazón, estudiando su temperamento a través del cual las ideas toman relieve y color extraordinarios.

Que si así acontece, y son las conciencias rectas y justicieras, el libro *Femeninas,* que hace de su autor un prosista que, según el señor Murguía, y no es lisonja («no necesita más que castigar su estilo para ser un gran prosista») elevará a su autor, a Ramón del Valle-Inclán, de un solo golpe, al puesto que debe hallar entre los más ilustres literatos de la tierra de España.

TORCUATO ULLOA

(*El Diario de Pontevedra,* Pontevedra, 4 de mayo de 1895; también fue publicado en *El País,* Madrid, 10 de mayo de 1895.)

LA VIDA LITERARIA

«...El señor Valle-Inclán, recientemente llegado de Méjico, se ha dado a conocer en Madrid con el libro *Femeninas*. Modernista furioso, impresionista a la última moda, el señor Valle-Inclán podrá incurrir en las mismas extravagancias que algunos cuentistas franceses de los más celebrados hoy; pero indudablemente su libro merece ser leído, refleja un temperamento artístico digno de estudio, y tiene páginas muy agradables y brillantes. Felicitamos cariñosamente a nuestro amigo...»

R. CATARINEAU

(*La Pecera,* Madrid, año I, núm. 4, 1 de junio de 1895.)

CHARLAS

Libros

El cuento «La Niña Chole» es el que da la medida de la fuerza descriptiva que posee el señor Valle-Inclán. De buena gana le comparo con Benvenuto Cellini, que primorosamente cincelaba un anillo y que escribía sus memorias con energía, con gracia encantadora y empleando notas de color, ardientes, puestas sin vacilación ni artificio en las extrañas páginas de la historia de su vida.

Las frases están «burileadas», como las que duran, con esmero y sin acusar el atildamiento de los parnasianos. Y sin embargo no se nota el esfuerzo, ni el trabajo paciente de la lima, ni la fatiga del rebuscador, un poco más machacón que los buscadores de oro: son espontáneas, fáciles, trazadas con la «nerviosidad» del correr de la pluma, sin mengua de la precisión y de la elegancia.

La descripción que hace de la noche en los campos de Méjico es una maravilla de color que parece escrita por un Flaubert joven y de imaginación más calenturienta que el autor de Salambó. El colorismo del señor Valle-Inclán no se funda en las figuras retóricas, ni en las hipérboles: consiste en la armonía de las palabras, en las imágenes un tanto líricas, en la exuberancia de los objetos que elige con acierto para establecer gradaciones verdaderamente poéticas.

Ofrece la plasticidad de las formas clásicas, sobrias, claras y sin remates platerescos, y la intensidad de la vida moderna que, despojada de su calma simulada, presenta un vigor intelectual capaz de empequeñecer a los poetas orientales. Esa intensidad lo mismo puede anunciar un adelanto en el desarrollo de la familia europea que la hipertrofia cerebral en las clases directoras. La cosa depende de la dirección que tome el arte en lo sucesivo.

El señor Valle-Inclán conoce el secreto del color que, en parte, consiste en encadenar el adjetivo con el sustantivo, lo que resucita en el lector series de recuerdos, dejándole reconstruir plásticamente el objeto descrito, y aplausos merece por ello, que los coloristas españoles saben de todo menos de escribir con sencillez.

La invasión del arte pictórico y musical en la literatura, jóvenes simbolistas, es una cuestión psicológica que todavía está por resolver. Ignoramos las relaciones que guardan los sentidos entre sí, y cómo una sensación visual se transforma en sentimientos o en ideas. Los fenómenos anormales que se registran en individuos que ligan el sonido con una sensación de luz, y las imágenes con impresiones materiales en sus aspectos más rudimentarios, preocupan a los psicólogos, y quizá pronto consigan despojarse de su parte nebulosa para entrar en el número de las cosas conocidas.

«La Niña Chole» es, en definitiva, la cocotte universal, digna y altiva como una maya, y que atrae hasta rendir el corazón que sienta un poco de arte. Figura tan original necesitaba moverse dentro de un cuadro inmenso, y el señor Valle-Inclán la coloca en la tierra americana, la desposada del sol, y bajo un cielo negrísimo, donde las estrellas brillan, durante la noche, como si fuesen de plata bruñida.

«La Generala» es un cuento original, picaresco y graciosísimo, y el titulado «Rosarito», podría incluirse entre los tan celebrados de Hoffman si no acusara cierta casticidad genuinamente gallega, y un españolismo rancio que lentamente desaparece de las costumbres.

La tertulia en la que toman parte la anciana Condesa de Cela, su nieta y el capellán del Pazo, está vista en una casa solariega que no ha sufrido mudanzas con los adelantos modernos, y en la cual, la gravedad hidalga y la cortesanía acabarán alojándose en los retratos que colgados de las paredes, asisten impasibles a la degeneración de una raza que hoy toma en píldoras el hierro de las antiguas lanzas. Hasta el estilo de este cuento tiene «sabor» clásico, que «encaja» en el asunto.

Lo fantástico sigue en progresión desde que Rosarito distingue al aventurero en el fondo del jardín, y aun después de encontrar muerta la Condesa a su nieta, continúa llenando de melancolía la imaginación del lector. Parece que la pluma de Heine ha trazado aquellas páginas, que avivan la curiosidad produciéndola *(sic)* escalofríos de terror. «Rosarito» es un cuadro de Rembrant, un lucha de luz y de sombras, algo satánico, pero conmovedor, especie de leyenda del norte, sencilla y terriblemente bella.

En el estilo es un revolucionario el señor Valle-Inclán. Cuando una palabra castellana no expresa el sentido que él se propone, emplea otra de cualquier idioma, y lo hace a sabiendas, sin importarle gran cosa la licencia. En esto sigue la costumbre de Rabelais, que, de varias lenguas y aun de los dialectos regionales, entresacó las palabras que mejor expresaban sus ideas, y se burlaba de cuantos respetaban servilmente el habla de su país.

A poco que el señor Valle-Inclán castigue el estilo, será un prosista de mérito sobresaliente, y si bien lo que pienso decir de la corrección no reza con él, quizá lo aprovechen otros que escriben sin armonía y sin arte, dándose tono de literatos.

Fray Luis de León contestó a los que le criticaban de haber demasiada perfección de lengua en sus escritos: «No conocen éstos que el bien hablar no es común, sino negocio de particular juicio, así en lo que se dice, como en la manera como se dice... Y negocio que, de las palabras que todos hablan, elige las que convienen, y mira al sonido de ellas, y aun cuenta a veces las letras, y las pesa y las mide, y las compone, porque no solamente digan con claridad lo que se pretende decir, sino también con armonía y dulzura. Y si dicen que no es estilo para los humildes y simples, entiendan que así como los simples tienen su gusto, así los graves, los sabios y los naturalmente compuestos no se aplican bien a lo que se escribe mal y sin orden; y confiesen que debemos tener cuenta con ellos solos, como aquesta lo es. Y si acaso digeren *(sic)* que es novedad, yo confieso que es nuevo, y camino no usado por los que escribieron en nuestra lengua, poner en ella número, levantándola del decaimiento ordinario.»

Nuestra lengua no es tan pobre como imaginan los que usan frases francesas, ni es tan rica como los que creen que destierran las palabras que les parecen anticuadas o pedantescas, y rechazan las populares, por donde la lengua pierde número y poesía. Hay que imitar a Naalherbe: «En la plaza pública se aprende también la lengua», y hay necesidad de inyectarle sangre joven, que los refinamientos la extenúan y la licencia excesiva la daña.

Y aquí hago punto, recomendando al lector que lea el libro *Femeninas,* nuncio de otros más cuidados y pulcros, pero difícilmente más inspirados y sinceros que el citado.

E. Alonso y Orera

(El Globo, Madrid, 6 de julio de 1895.)

RAMÓN DEL VALLE-INCLÁN

Hace un par de meses apareció en las calles de Madrid un hombre de aspecto original, que destacaba sobre el fondo de esta ciudad levítica y provinciana. Era el tal un tipo completamente extraño, cuya figura exótica llamaba la atención de las gentes. Llevaba amplio sombrero mejicano, negra y sedosa melena, barba puntiaguda, lentes perfectamente acomodados en una nariz nacida para llevarlos, y un cuello inverosímil, en cuyas grandes puntas parecía descansar aquel semblante mefistofélico.

Veía yo a ese hombre pasearse por Madrid a paso ligero; le encontraba en todas partes, siempre en compañía de un su «adlátere», al cual nunca dirigía la palabra; parecíame que, bajo aquel porte extraño y original en estos tiempos, se ocultaba algo interesante, y ardía en deseos de conversar un rato con aquel sujeto de curiosa estética personal y eminentemente sugestivo, que decimos ahora los modernistas.

La gente le miraba también con extrañeza. Todo el mundo contemplaba asombrado aquellas melenas, cuyo uso no han alcanzado las dos últimas generaciones, y que causaron su efecto en el furor del romanticismo, cuando nuestros poetas estaban menos distantes que ahora de la verdadera poesía. Desde luego creí que mi hombre era un artista, y hasta me hubiera parecido extranjero, si aquella cabeza que se paseaba altiva sobre la multitud imbécil y curiosa, no me resultara completamente castiza y digna de servir a un cuerpo español de dos siglos ha.

Por fin el hombre misterioso asistió, en compañía de

un amigo mío, a cierto café donde perdemos algunas horas «gente de letras», y pude satisfacer mi curiosidad. Fuimos debidamente presentados, y supe que aquel hombre se llamaba Ramón del Valle-Inclán, y que era el autor del libro *Femeninas,* lanzado por aquellos días a los «vientos de la publicidad».

Aquel delicioso rato de amigable plática; la lectura de *Femeninas* y de las brillantes páginas que le sirven de prólogo, trazadas por la pluma galana de Murguía, fueron bastante a presentarme a Valle-Inclán de cuerpo entero. Y más tarde, cuando repetimos nuestras entrevistas y menudeamos nuestras conversaciones, cuando fuimos llegando a la intimidad por el sendero de las confidencias, sólo asequible a las almas simpáticas, cuando nos comunicamos mutuamente nuestras esperanzas y nuestros proyectos y hablamos de venturas del porvenir y de miserias del pasado... entonces no me quedó duda alguna. Valle-Inclán era de los «nuestros».

¿Y quiénes sois vosotros? —preguntará el lector con curiosidad y extrañeza—. Ah, pues nosotros somos unos pobres chicos enamorados del ideal, apasionados del arte y esclavos de la belleza. Somos los eternos románticos, los soñadores impenitentes, capaces de dar la vida por un beso de mujer y el mundo entero por un párrafo brillante del autor favorito.

Tenemos una sonrisa para las crueldades del destino y un profundo desprecio para las miserias, y pasamos sobre «las impurezas de la realidad», sin darnos cuenta de que hay realidad y de que tiene impurezas. Alejados por completo de esas luchas miserables por las groserías de la existencia, no nos acordamos de que hay que alimentarse, sino cuando el hambre deja oír su voz antipática desde el estómago macilento. Ésa es, según la gente, nuestra mayor desgracia; porque mientras vivimos espléndidamente en las regiones de la fantasía, los «otros», nuestros enemigos, esos bárbaros que nos salen al encuentro diciendo: «Hay que hacer algo práctico», se lo llevan todo, bien convencidos de que nosotros, abismados como faquires indios en las eternas meditaciones, no hemos de disputarles su presa. ¡Vayan en buena hora! ¿Quién sabe si todo esto tendrá también su fin?

Posible es que el buen Dios de la belleza eterna se apiade algún día de sus pobres hijos y quite a los hombres lo grosero de su organismo dejándoles tan sólo la cabeza para soñar y el corazón para amar y sentir. ¡Pobres entonces de esos heraldos de la «vida práctica» que no tienen corazón ni cabeza!... Pero mientras esto no llega, preciso es confesar que ellos son los amos. Después de todo, a nosotros nos basta beber eternamente en esas tres fuentes: la Juventud, la Belleza, la Poesía.

Pues bien: Valle-Inclán es uno de los «nuestros», y, entre ellos, de los mejores.

Años hace abandonó Galicia, su tierra natal, con el agradable propósito de hacer fortuna, y hoy se encuentra en Madrid, de vuelta de su largo viaje, con menos dinero que tenía al emprender la marcha.

Durante todo ese tiempo ha corrido incesantemente de nación en nación, de pueblo en pueblo, de un lado a otro; ha tenido varias veces la soñada fortuna, en los diversos modos que suele presentarse, y otras tantas veces la ha tirado por la ventana; se ha jugado la vida en buen número de ocasiones y ha sido protagonista de infinitas aventuras que más parecen pertenecer a la leyenda que a la realidad, y que hubieran tenido su época apropiada en aquellos tiempos de «andantes caballerías» de los cuales parece escapada la figura del «caballo».

Esos hombres que viajan sin descanso, que hoy están en un punto, mañana en el otro, y van y vuelven sin rumbo fijo, dejando apenas huella de su paso en los parajes que recorren, son los eternos aventureros, hijos legítimos de esa raza nómada y errante que aún va por el mundo a la conquista de su historia. Como aves extrañas, cuelgan su nido en el primer árbol, y apenas descansaron un momento en sus ramas, las abandonan para anidar en otros, unas porque la rama cruje, otras porque la tempestad se acerca, las más de ellas porque se cansan del paraje.

Respetad a esos viajeros infatigables; buscan lo que no encuentran: un poco de descanso para el cuerpo, un poco de ambiente para el espíritu. Si lo hallaran, tened por seguro que sus viajes acabarían, pues sólo están inquietos porque no son felices, y, según Bión, por la inquietud del hombre se conocen los deseos que tiene de ser dichoso.

Valle-Inclán ha pasado lo más florido de su juventud en ese viajar incesante e inquieto. Cuando se viaja de ese modo entre los veinte y los treinta años, podrá el hombre llevar su aburrimiento como equipaje necesario, pero indudablemente lleva otro equipaje fatal, el corazón. En esa edad, y aunque se viva vida tan accidentada, no puede dejarse de amar. Se amará deprisa, con inseguridades, castigando la pasión, gozándose en el abandono, dando vida al recuerdo, como queráis; pero se ama. Y después de todo ¿pueden emplearse en otra cosa esos años que huyen tan deprisa por lo mismo que son tan agradables?

Valle-Inclán, artista y observador delicado, sentía la necesidad de contar a la gente las impresiones de sus viajes; pero en lugar de escribir un libro descriptivo de sitios y lugares escribió un libro de amores, íntimo, nervioso, lleno de la inquietud de la vida y con todas sus impresiones y recuerdos.

Ese libro es *Femeninas,* formado por seis historias amorosas de delicada factura y original concepción.

Pues de *Femeninas* no ha hablado la crítica oficial, ni siquiera la crítica de gacetilla, a pesar de haber recibido los dos ejemplares correspondientes, hemos hablado los que gustamos de dar cuenta al público de todo lo que nos parece digno de sus favores...

Y sin embargo *Femeninas* es un libro hermoso, que bastaría a hacer la reputación de su autor en otro país menos dado que el nuestro al indiferentismo literario. Las seis historias que lo forman son seis pedazos de vida estudiados minuciosamente, con una gran fuerza psicológica, un espíritu fino y delicado, y un corazón que siente y palpita.

Las heroínas de esas seis historias son distintas entre sí, pero están unidas por un algo misterioso. Dijérase hermanas de varias facciones y contrarios caracteres, pero del mismo origen y apellido, aunque fuera mejor decir que son distintos «modos» del amor, que es uno; agradable y sincero panteísmo que hizo exclamar al poeta:

> el amor es eterno y no varía;
> un mismo amor puede tener cien nombres

Sí, las seis *Femeninas* son eso. La Condesa de Cela, arrepentida de un pasado vergonzoso, que huye amando al hombre que abandona; Tula Varona, que se goza en mortificar a un pobre diablo sin dejarle entrar en el paraíso; Octavia Santino, la pálida enferma, no tan mala ciertamente como ella se cree; La Niña Chole, la extraña yucateca a quien no se sabe si amar o aborrecer; La generala, locuela insustancial y frívola; Rosarito, la niña pensativa y delicada, cuyo aspecto hierático hace pensar en lo divino del amor... ¡todas ellas aman, cada cual a su modo, y todas ellas incitan a la pasión!

Libro de juventud, *Femeninas* es un canto al amor voluptuoso o sensual, a ese amor, único posible, que llena toda la existencia, y funde los corazones y enlaza los cuerpos; y ríe y canta y llora para volver a reír, y echa sobre las ruinas de la vida el polvillo de oro de la ilusión y del entusiasmo...

Esas seis mujeres, evocadas por Valle-Inclán en su maravilloso libro son mujeres de «verdad». Óyese el timbre de sus voces, se ve el airoso contoneo de sus cuerpos y se siente el palpitar anhelante de sus corazones. Valle-Inclán es un psicólogo y un artista, y así ha podido presentarnos a sus mujeres en cuerpo y alma, tal cual fuera cuando él las conoció...

Quedamos, pues, en que *Femeninas* es un libro muy hermoso.

Y quedamos también en que la crítica oficial no ha dado su opinión sobre este asunto.

Yo, por mi parte, creo haber dicho bastante. Me parecería un abuso incalificable añadir una más a estas sinceras líneas que empezaron con pretensiones de semblanza de Valle-Inclán y terminan sin lograr su objeto.

Pero después de todo, no hace falta nada de esto. La

semblanza de Valle-Inclán está hecha en cuatro palabras, que bien pudieran ser éstas:

«Es un artista. Amó, y está dispuesto a amar todavía.»

¡Sí! ¡Yo sé que donde quiera que le encuentre, beberemos juntos brindando por el Amor, por la Juventud, por la Belleza.

GIL PARRALDO

(*Gil Blas,* Madrid, núm. 57, 9 de agosto de 1895. También reproducido en *El País,* Madrid, 17 de agosto de 1895 y en *La Unión Republicana,* Pontevedra, 21 de agosto de 1895.)

CARTA ABIERTA

A Ramón del Valle-Inclán autor de *Epitalamio*

Ya sabe usted, mi querido Valle, que los periodistas gozamos del derecho de ser indiscretos. Así pues, me permito hacer pública esta carta, de carácter tan íntimo.

Y es que siento la necesidad, verdaderamente pueril, de que la gente se entere —¡como si a alguien le importara mi opinión!— lo que pienso a propósito de su último libro.

Y comienzo saludándole a usted con las palabras que Augusta dirige al Príncipe Attilio en la primera página de *Epitalamio.*

«Oh, siempre aparece en usted el poeta.»

Sí, porque su hermosa *Historia de Amores,* tiene todo el sabor de la verdadera poesía, de la poesía que para merecer los honores de tal, no ha menester de las galas del verso.

Epitalamio, es a mi juicio —y creo que esta opinión no es sólo mía— un poema en prosa que parece escrito, como los versos del Príncipe Attilio, «sobre la espalda blanca y tornátil de una princesa apasionada y artista». Pero el público de nuestros días, amigo Valle, no está por las filigranas amorosas. Sé de mucha gente, en las cuales ha producido verdadera indignación la lectura de *Epitalamio.* Los eunucos, subidos al púlpito de la crítica, predican un día y otro día en favor de una moral absurda. Se ha llegado a considerar como delito el ejercicio del amor, y como virtud la práctica de la castidad.

Los estériles e impotentes triunfan en toda la línea. Al que escribe lo que siente, sin preocuparse del juicio de los castrados, se le tacha de inmoral. En el ridículo «Índice», formado por esos críticos neutros, figuran desde hace poco dos nuevos libros, *Genio y figura* de Valera, y *Epitalamio* de usted.

A mí, que hago poco aprecio de esas cuestiones de moral, y que me preocupo sólo del arte, *Epitalamio* me parece un libro admirable.

Augusta —esa bacante de fin de siglo, cínica y apasionada— y Attilio Bonaparte, ese sátiro de frac y corbata blanca, son dos creaciones dignas de usted, es decir, dignas de un gran poeta.

¿Y qué decirle de Beatriz, la niña angelical, engañada tan inicuamente por su madre, y de don Juan de Alcázar, el marido filósofo?

Yo creo que por haber dado vida a esos personajes merece usted plácemes sin cuento de todos los amantes de la buena literatura.

Reciba usted los míos, y con ellos, si usted me lo permite, un beso ¡todo pureza! para la casta frente de Beatriz.

MIGUEL SAWA

(*Don Quijote,* Madrid, año VI, núm. 17, 23 de abril de 1897, pág. 4.)

PALIQUE

Vuelvo de la aldea y sobre el cartapacio prosaico de mi mesa de trabajo veo un libro chiquitín y bien impreso que se titula *Epitalamio*. Alzo los ojos y leo en el almanaque americano colgado en la pared, bajo el retrato de Víctor Hugo: 23 de junio.

Es decir, el 23 de junio estaba yo preparándome para decir de *Epitalamio* algo. Y como aquel día salí de veraneo (contra los consejos del famoso médico de *La Correspondencia* que opina que no se puede veranear higiénicamente más que en Talavera) hasta hoy no he vuelto a ver el librito del señor Valle-Inclán, que así se llama el autor.

¿Quién es Valle-Inclán? Un modernista, «gente nueva», un afrancesado franco y valiente, que no se esconde para hablar de los «flancos» de Venus. Según mis noticias, Valle-Inclán, aunque «nuevo» es listo y ha leído. Me lo ha dicho persona de tanta autoridad y tan malas pulgas críticas como el autor de *Maximina* y *La fe,* Armando Palacio.

En este mismo *Epitalamio* que es inmoral, si los libros pueden ser inmorales, que desmoraliza... al que desmoralice, porque a mí, francamente, no me ha inspirado ganas de hacer el «cadete»; en este mismo librito, que el señor Valle-Inclán por mi consejo no hubiera escrito, se ve que el autor tiene imaginación, es capaz de llegar a tener estilo, no es un cualquiera, en fin, y merece que se le diga, que, hoy por hoy... está dejado de la mano de Dios.

Todo eso que él cree «originalidad» y «valer» es modernismo puro, imitación de afectaciones, «artículo de París»... de venta en la feria de Toro o de Rioseco.

¡Dios mío, quién convencerá a estos muchachos que hablar del boulevard, desde Madrid, y hablar casi en francés, y escribir y pensar y sentir (o hacer que se siente) como los «chicos» de París... del año 85... no es la última moda ni cosa formal ni de verdaderos artistas!

Por donde quiera que se abre el *Epitalamio* hay algo en cueros vivos y una contorsión gramatical o retórica. «Amaba con el culto olímpico de las diosas desnudas.» Ni se ama con el culto ni las diosas tributan culto, sino que lo reciben, ni hay diosas desnudas... así, por antonomasia; porque claro que, a ratos, todo dios y todo filósofo como diría F. y González, está desnudo.

Augusta, la desnudísima y sin vergüenza Augusta, le pone a su esposo unos cuernos olímpicos. Y su amante le llama madona.

También un señor Sawa comparaba el otro día en *El Liberal* no sé qué porquerías con el culto de la Virgen.

Yo no diré que los debían llevar a ustedes presos, por decir esas cosas, pero sí que, por lo menos, merecen ustedes que los anden buscando.

«Alma extraña, que si rezase buscaría a Cristo en el Olimpo y a Júpiter en el cielo.» Esas son sencillamente... locuras, incongruencias, señor Valle-Inclán.

Llamar «salmos» a una colección de versos sucios es de mal gusto, y no es valentía ahora que no se tuesta por eso.

Si el señor Valle-Inclán hubiera publicado todas esas blasfemias y esos sacrilegios en tiempo de Felipe II... seguiría dando pruebas de mal gusto, pero hubiese sido un valiente. En fin, el librito, al fuego... pero el autor a estudiar más todavía y a olvidar también muchas lecturas malsanas.

¿Le gusta al señor Valle-Inclán ser carnero de Panurgo? Pues, escribiendo cosas como *Epitalamio* se es «vellocino», «toisón» de la manera más ridícula que cabe en vaga y amena literatura. Y si el señor Valle-Inclán no me cree ahora... al tiempo.

En general, el libro no está escrito en lengua libre, de esa que suelen emplear los anarquistas de la gramática; pero no faltan palabras que no pueden ser españolas. ¿Qué significa «dorevillesca»? ¿Es vocablo derivado de la mitad de un apellido francés? Pero ¡quién admite eso!

En cuanto al cinismo repugnante que es el fondo de *Epitalamio,* no crea el autor que ha encontrado ningún estercolero nuevo. Coja los folletines (o «folletones») críticos de París de hace unos diez años... Allí verá palizas muy bien dadas de Lemitre, y otros, a comedias y novelas de falso «naturalismo» (entonces era naturalismo lo que ahora es «pentélico», olímpico) que se basaban en transacciones asquerosas semejantes a las de la «madona» (¡qué horror!) del príncipe Attilio...

En ese Attilio hay todo un símbolo del disparatado sistema literario que sigue Valle-Inclán. En español no hay pronunciación especial para dos tes seguidas y nada se escribe con dos tes. ¿A qué viene escribir lo que en castellano se puede decir, y se dice bien, con ortografía bárbara? Pero esto importaría poco, si no fuera lo que significa. El autor falta a muchas cosas respetables, por un vicio literario en parte... que no es más que una traducción de cosas atrasadas.

A Valle-Inclán se le ha venido a la boca el mal sabor de una orgía... de algún literato cínico de París, de hace unos lustros.

¿Se puede ser listo escribiendo libros así? ¡Sí! Un gazmoño como Navarro Ledesma no tiene enmienda; un muchacho extraviado, pero franco, decidor, de fantasía, como Valle-Inclán, puede arrepentirse. Y trabajar en la «verdadera viña».

CLARÍN

(*Madrid Cómico,* Madrid, año XVII, núm. 762, 25 de septiembre de 1897.)

PALIQUE

Sr. don Ramón del Valle-Inclán

Estimado señor y compañero: Mucho me alegro de que usted haya entendido mi «Palique» de *Madrid Cómico* y no lo haya tomado por donde parece que quema.

A los majaderos y a los «espíritus falsos» como diría Paulhau, se los conoce pronto, sean misoneístas o modernistas. El que tiene algo bueno dentro, como creo que lo tiene usted, lo deja ver a través de cualquier uniforme.

Cuantos han dicho que soy enemigo de la «gente nueva», así como suena, o mienten o se engañan. Yo también he sido «nuevo», y he tenido pruritos que he dejado después.

Lo que hago es combatir la «pose», la servil imitación, el descaro y la falta de respeto. Unos, «saltan», porque sólo atienden al amor propio, o son malos o son tontos; otros, «distinguen», y hacen justicia a mi intención. Usted ha sido de ésos. Dios se lo pague.

Sí; servirá usted para la viña. Consejo para ello: el de Horacio *versate mane*. Muy sobado... como están sobadas las sacras imágenes que besan generaciones y generaciones.

Yo no sé cómo hay artistas que desdeñan las verdades que tenemos encerradas en vetustos relicarios. El error-Matusalén... a la hoguera; pero la verdad-abuela ¡es tan venerable!

Cuando uno ha visto a su madre llegar a anciana, ha soñado muchas veces con el absurdo... de que no muriese; de que siguiera envejeciendo siempre... y viviendo.

«Las Madres», de Goethe, cumplen ese ensueño. Envejecen, a veces parece que chochean... y viven, viven.

En el arte, como en la vida ordinaria, en punto a moral, no hay más que dos novedades posibles: o ser moral o no serlo.

Hay que ser moral (por moralidad). *Hortus inclusus*.

Pero ahí, ahondar.

El más atrevido pensamiento que tolero, no por exacto, sino por inocente, es el del joven escritor francés Pujo («Idealismo Integral») que pone lo bello sobre la moral.

Pero es que lo bello es moral también, según su concepto. En cierto sentido, en la «gloria» soñada, ya todo es estética. Sí; lo primero que se ve de Dios es la Hermosura. Pero la hermosura no está hecha de «decadentismos» y desvergüenzas.

Otra cosa. He visto que algunos de la «gente nueva» quieren despertar interés en favor de «sus literaturas» con la llamada cuestión social, es decir, la del pan de los pobres. Huya usted de tales profanaciones.

Las cosas santas deben tratarse santamente. Y el pan del pobre es un pan bendito.

¡El pan! el símbolo de la cuestión social; ¡el pan! el símbolo, y para el creyente el misterio, de la Cena.

No me gusta el nombre de «socialismo», no es exacto ni expresivo. Un joven tratadista, Andler, acaba de probar que el socialismo es el individualismo absoluto. No; no es eso. «Socialista» no; «ebionita», «probista», si no fuera absurdo el vocablo; ebionita, violentando un poco el significado antiguo.

¿Me pregunta usted si soy ebionita? Todavía no; más adelante, si llego a ser más bueno. El socialismo obrero me rechazaría por «burgués». Yo me abstengo por impuro. Francisco de Asís llegó a ebionita; pero antes, besó la lepra. Y la «gente nueva» (algunos) quiere divinizar otros besos.

Es muy fácil seguir a Marx, a Lasalle, a Rodbertus, porque ésos van sin cruz.

La literatura de esas escuelas nuevas, diabólicas, egoístas, hedonistas, místicas, con el misticismo que supo temer y separar del puro, del leal, Santa Teresa; tal literatura, o es un capricho o viene de una filosofía empírica, hedonista, en nombre de la cual se pide, como hacen algunos italianos lógicos, que se abandone a los niños enclenques y a los ancianos inútiles.

Dar lecciones de ebionismo, ejercer el apostolado ebionista desde papeles que deifican el adulterio, que rodean de aureolas a las meretrices... es como ofrecer a un mendigo honrado, mejor, a una hambrienta casta un pedazo de pan, a condición de que venga a recogerlo sobre la mesa de una orgía.

No enseñar al pobre más que a sublevarse y a ser crapuloso, es tomarlo por una fiera lasciva. Y no es el pobre, sino el «decadente»... traducido, el verdadero piticoide obsceno.

Suyo

CLARÍN

(*El Heraldo de Madrid,* Madrid, 9 de octubre de 1897.)

Colección Letras Hispánicas

ÚLTIMOS TÍTULOS PUBLICADOS

288 *Silva de varia lección II,* PEDRO MEXÍA
Edición de Antonio Castro.

289 *Bajarse al moro,* JOSÉ LUIS ALONSO DE SANTOS
Edición de Fermín Tamayo y Eugenia Popeanga (6.ª ed.).

290 *Pepita Jiménez,* JUAN VALERA
Edición de Leonardo Romero (4.ª ed.).

292 *Gente del 98, Arte, cine y ametralladora,* RICARDO BAROJA
Edición de Pío Baroja.

293 *Cantigas,* ALFONSO X EL SABIO
Edición de Jesús Montoya.

294 *Nuestro Padre San Daniel,* GABRIEL MIRÓ
Edición de Manuel Ruiz-Funes.

295 *Versión Celeste,* JUAN LARREA
Edición de Miguel Nieto.

296 *Introducción del símbolo de la fe,* FRAY LUIS DE GRANADA
Edición de José María Balcells.

298 *La viuda blanca y negra,* RAMÓN GÓMEZ DE LA SERNA
Edición de Rodolfo Cardona.

299 *La fiera, el rayo y la piedra,* PEDRO CALDERÓN DE LA BARCA
Edición de Aurora Egido.

300 *La colmena,* CAMILO JOSÉ CELA
Edición de Jorge Urrutia (6.ª ed.).

301 *Poesía,* FRANCISCO DE FIGUEROA
Edición de Mercedes López Suárez.

302 *El obispo leproso,* GABRIEL MIRÓ
Edición de Manuel Ruiz-Funes Fernández.

303 *Teatro español en un acto*
Edición de Medardo Fraile (2.ª ed.).

304 *Sendebar*
Edición de M.ª Jesús Lacarra.

305 *El gran Galeoto,* JOSÉ ECHEGARAY
Edición de James H. Hoddie.

306 *Naufragios,* ALVAR NÚÑEZ CABEZA DE VACA
Edición de Juan Francisco Maura.

307 *Estación. Ida y vuelta,* ROSA CHACEL
Edición de Shirley Mangini.

308 *Viento del pueblo,* MIGUEL HRENÁNDEZ
Edición de Juan Cano Ballesta (2.ª ed.).

309 *La vida y hechos de Estebanillo González, I*
Edición de Antonio Carreira y Jesús Antonio Gil.

333 *Entremeses,* Luis Quiñones de Benavente.
Edición de Christian Andrés.
334 *Poesía,* Carlos Barral.
Edición de Carme Riera.
335 *Sueños,* Francisco de Quevedo
Edición de Ignacio Arellano
336 *La Quimera,* Emilia Pardo Bazán
Edición de Marina Mayoral.
337 *La Estrella de Sevilla,* Andrés de Claramonte
Edición de Alfredo Rodríguez.
338 *El diablo mundo. El Pelayo. Poesías,* José de Espronceda
Edición de Domingo Ynduráin.
339 *Teatro,* Juan del Encina
Edición de Miguel Angel Pérez Priego.
340 *El siglo pitagórico y Vida de don Gregorio Guadaña,* Antonio Enríquez
Edición de Teresa de Santos.
341 *Ñaque. ¡Ay, Carmela!,* José Sanchis Sinisterra
Edición de Manuel Aznar.
342 *Poesía,* José Lezama Lima
Edición de Emilio de Armas.
345 *Cecilia Valdés,* Cirilo Villaverde
Edición de Jean Lamore.
347 *Fábulas Literarias,* Tomás de Iriarte
Edición de Angel L. Prieto de Paula.
348 *Libro de Apolonio.*
Edición de Dolores Corbella.
349 *Agujero llamado Nevermore. Selección poética (1968-1992),* Leopoldo María Panero
Edición de Jenaro Talens.
350 *Los usurpadores,* Francisco Ayala
Edición de Carolyn Richmond.
351 *Poesía,* Sor Juana Inés de la Cruz
Edición de Carlos González Boixo.
354 *Femeninas. Epitalamio,* Ramón del Valle Inclán
Edición de Joaquín del Valle Inclán.
357 *Diálogos de las cosas acaecidas en Roma,* Alfonso de Valdés
Edición de Rosa Navarro Durán.

De próxima aparición

La Araucana, Alonso de Ercilla
Edición de Isaías Lerner.
Los siete locos, Roberto Arlt
Edición de Flora Guzmán

